PRAIRIE TRAILS PUBLIC LIBRARY D
30083000005105
S0-BHZ-678

Alibi Club

Francine Mathews

Traducción de Mª Ángeles Tobalina Salgado

Título original: *Alibi Club*
Primera edición

Ilustración de portada: © Opalworks
Mapa: © Robert Bull

Diseño de colección: Alonso Esteban y Dinamic Duo

Derechos exclusivos de la edición en español:
© 2008, La Factoría de Ideas. C/Pico Mulhacén, 24. Pol. Industrial «El Alquitón».
28500 Arganda del Rey. Madrid. Teléfono: 91 870 45 85

informacion@lafactoriadeideas.es
www.lafactoriadeideas.es

ISBN: 978-84-9800-372-7 Depósito Legal: B-22077-2008

Impreso por Litografía Rosés S. A.
Energía,11-27
08850 Gavà (Barcelona)
Printed in Spain — Impreso en España

Este libro está dedicado a Kate Miciak,
en agradecimiento
por todos los brillantes años

PLANO DE PARÍS
Escala 1:31.500
Millas inglesas
0 1/4 1/2 3/4 1
Metros
0 250 500 750 1000
BOULEVARD BESSIERES
BOULEVARD BERTHIER
AVENUE DE CLICHY
AVENUE ST. OUEN
Boulevard Periere
AV. DE VILLIERS
BOULEVARD DES BATIONELLES
BOULEVARD DE COURCELLES
PARC MONCEAU
AVENUE DES TERNES
AVENUE DE WAGRAM
AVENUE NIEL
MAC MAHON
AV. DE LA GRANDE ARMÉE
AV. HOCHE
AV. DE FRIEDLAND
BOULEVARD HAUSSMANN
ARC DE TRIOMPHE
AVENUE FOCH
AVENUE VICTOR HUGO
AVENUE KLEBER
AVENUE DES CHAMPS ELYSEES
MADELEINE
BOIS DE BOULOGNE
Rue de Lonchamps
AV. DU PRES. WILSON
Quai de la Conference
HENRI MARTIN
SEINE
TROCADERO
TOUR EIFFEL
ESPLANADE DES INVALIDES
INVALIDES
JARDIN DES TUILERIES
Rue de Grenelle
Rue de Varenne
Rue de Babylone
BOULEVARD RASPAIL
CIMITIÈRE DU MONTPARNASSE
5
8
4
2

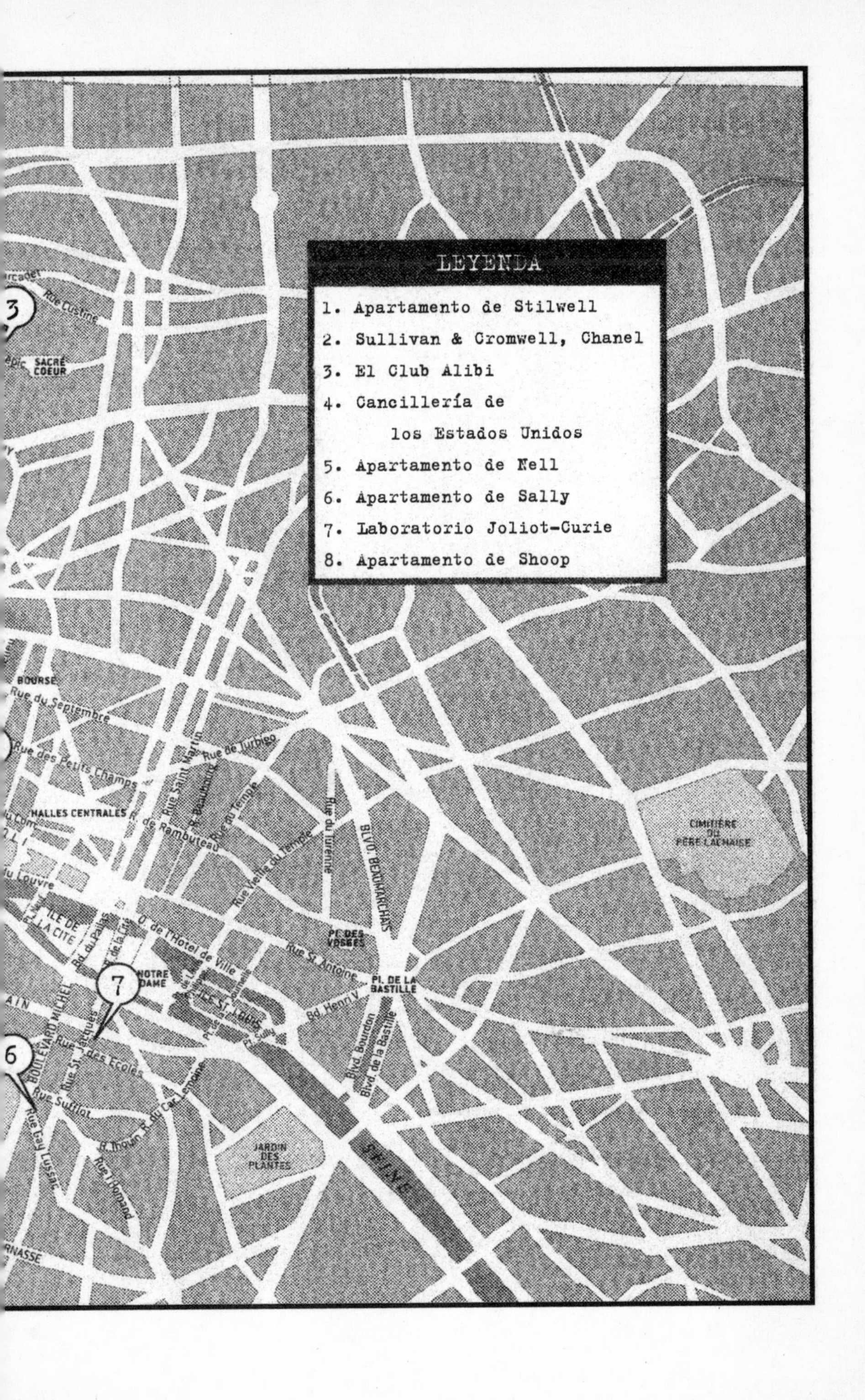
LEYENDA
1. Apartamento de Stilwell
2. Sullivan & Cromwell, Chanel
3. El Club Alibi
4. Cancillería de los Estados Unidos
5. Apartamento de Nell
6. Apartamento de Sally
7. Laboratorio Joliot-Curie
8. Apartamento de Shoop
Rue Custine
SACRÉ COEUR
BOURSE
Rue du Septembre
Rue des Petits Champs
HALLES CENTRALES
R. de Rambuteau
Rue Saint Martin
Rue de Turbigo
Rue du Temple
Rue Vieille du Temple
Rue de Turenne
BLVD. BEAUMARCHAIS
CIMETIÈRE DU PÈRE LACHAISE
ILE DE LA CITE
Q. de l'Hotel de Ville
NOTRE DAME
PL. DES VOSGES
Rue St. Antoine
PL. DE LA BASTILLE
Bd. Henri IV
ILE ST LOUIS
Blvd. Bourdon
Blvd. de la Bastille
BOULEVARD MICHEL
Rue St. Jacques
Rue des Écoles
Rue Soufflot
Rue Gay Lussac
R. Thouin
R. du Car. Lemoine
Rue Lhomond
JARDIN DES PLANTES
SEINE

Prólogo
12 de marzo de 1940

Había nueve personas esperando en una habitación agobiante frente a la pista del aeródromo; diez, si contábamos al niño que dormía envuelto en una manta, en los brazos de una chica italiana. Tres mujeres y seis hombres, todos de diferentes nacionalidades, y un ruido atronador de hélices al otro lado de la ventana helada. Todos los pasajeros que aguardaban allí estaban lo suficientemente desesperados como para dejar Oslo en plena noche invernal, por lo que la violencia reprimida, la inquietud y una histeria incipiente flotaban en el aire. Nadie hablaba.

Jacques Allier estaba de espaldas a la pared junto a la puerta, agarrando con una mano enguantada la edición vespertina de un periódico y con la otra en el bolsillo. La habitación sin calefacción resultaba heladora, pero tenía la piel perlada de gotas de sudor y con los dedos ocultos asía una pistola.

Vio en el reloj que faltaban tres minutos para la medianoche. El avión despegaría a las 12.07. Le habían cogido el pasaporte hacía diez minutos y no se lo habían devuelto. El tal Demars había desaparecido inexplicablemente del aeródromo con todo su equipaje, y eso era solo uno de los factores que contribuían al sudor de Allier. Odiaba volar. Cuando emprendió esta operación, pidió salir de Brest en submarino. En un destructor de Tonsberg. En cambio le habían dado un aeroplano con capacidad para ocho personas y hielo en las alas, y ni una sola arma.

Rezaba para que le permitieran embarcar, aunque Allier no era de los que creían en Dios. No en estos momentos.

Era un hombre enjuto, de cara poco expresiva, llevaba un abrigo de buen paño y gafas de banquero; tendría unos cuarenta y cinco años y era europeo, sin duda, pero curiosamente su aspecto resultaba poco marcial para los tiempos que corrían. Apartó los ojos del maldito reloj. Demars seguía sin aparecer, y paseó la vista de forma errática por las caras de sus compañeros de viaje. Había dos hombres que discutían de política en holandés y un adolescente desgarbado que tenía la mirada febril y tamborileaba con los dedos nerviosamente en el brazo de la silla, dejando caer la ceniza del cigarro sobre el suelo de linóleo. Una mujer de pelo gris comía impasiblemente arenques en escabeche de una caja de cartón encerado que había comprado en una tienda de Oslo. Nadie hablaba. Nadie se miraba. Solo un tipo rubio, alto y fornido, con un abrigo impecable de pelo de camello miraba abiertamente, con una leve sonrisa en los labios, a la chica italiana que tenía al niño dormido.

Allier pensó, irritado: *¿quién podría culparle?* Era preciosa, con aquel cuello de piel rozándole la mejilla sonrosada y un moño de pelo negro brillante que asomaba por debajo del ala del sombrero. Llevaba guantes de avestruz; el ligero encorvamiento de los hombros podía reflejar el frío penetrante o la solicitud, que le hacía inclinarse, como una madona, sobre la cara de su niño. ¿Tendría veinte años? Había dejado el pasaporte y el billete en el banco de madera que había junto a ella; al igual que Allier, iba a Ámsterdam en plena noche.

La apremió en silencio: *vuélvete. Ve al norte o al oeste, a cualquier sitio menos a casa.* Había captado durante un segundo su boca curva, y sus ojos, desconcertantemente azules en un rostro oliváceo. El hombre rubio de enfrente también los había visto.

—Señora —le dijo el hombre en italiano, con amabilidad—, parece que está usted helada. ¿Le apetece un cigarrillo?... Si quiere, se lo enciendo...

La chica no le hizo caso, ni siquiera levantó la cabeza. Allier se alegró por el desaire hecho a aquel personaje rubio cuyo aspecto podría hacer pensar que era noruego o incluso inglés, pero que Allier sabía ahora que era alemán; un alemán perfecto, de espaldas anchas, en traje de paisano, que esperaba en el mismo aeródromo que él había elegido para huir. No podía ser una coincidencia; era parte de un plan. El hecho de que allí hubiera presencia alemana significaba que Allier ya era un hombre muerto. Demars y el equipaje no iban a venir.

Tiró el periódico doblado en una papelera y fue tranquilamente hacia la puerta que daba a la pista de los aviones. Uno de ellos iba a Perth, el otro a Ámsterdam. Las hélices chirriaban por el frío, los pilotos estaban preocupados por el hielo. Cabía la posibilidad de que los mandaran a casa a todos para intentarlo de nuevo al día siguiente, lo que supondría para Allier la certeza de un encuentro con unos tipos armados en algún punto del camino de vuelta hacia la legación francesa, seguido de un empujón violento que lo introduciría en un coche enemigo y de una bala en la sien después de varias horas agonizantes de interrogatorio. Siguió mirando por la ventana de la sala de espera, con las manos enguantadas unidas a la espalda, temeroso de moverse mientras sentía que unas filas imprecisas se cerraban detrás de él.

Hacía apenas dos semanas que había cruzado los escalones de mármol del Ministerio del Ejército y había aceptado un pasaporte falso con el apellido de soltera de su madre, Freiss. Ahora era Michel Freiss de Salzburgo, de cuarenta y un años, un banquero neutral en la guerra artificiosa que había empezado hacía siete meses entre Francia y los alemanes sin que se hubiera disparado un solo tiro. Aquella noche había tomado el último tren para cruzar la frontera, en dirección a Ámsterdam, y luego viajó algo más al norte, a Estocolmo, y finalmente a Oslo. Transcurrieron cinco días de negociaciones en una pequeña ciudad incomunicada por la nieve, cerca de las montañas Telemark, acompañados de cenas copiosas, de promesas de amistad eterna y de gestos dramáticos ante la bandera francesa. Hubo consejos indirectos en la legación, sin que lo supiera ninguno de los diplomáticos habituales, y las luces estuvieron encendidas toda la noche en el pabellón de Inteligencia alemán al otro lado del muro del jardín.

—Es usted famoso —le aseguró el embajador francés con una sonrisa retorcida—. Todo el mundo quiere hablar con usted. Nuestra gente captó esto el día que usted se marchó de París.

Sin concederle mucha importancia, le dio una transmisión alemana de radio descodificada: «Intercepten a toda costa a un sospechoso francés que viaja bajo el nombre de Freiss». Lo que el embajador no se molestó en señalar fue que ya habían traicionado a Allier antes de subirse al tren nocturno que lo llevaría a Ámsterdam.

Ahora se preguntaba: *¿quién? ¿Un espía de la oficina de Dautry? ¿Alguien del banco?*

El sonido característico de la sirena de la policía se hizo audible, de pronto, en la distancia; insistente y en ascenso, sin duda cada vez más cerca.

A lo mejor ha sido el laboratorio. Alguien del personal de Joliot. O el cabrón de Demars. Seguramente habrá vendido el equipaje.

—Señor Freiss —dijo una voz que venía de abajo.

Se volvió y se enfrentó al rostro inalterable de una agente del Control de Fronteras noruego. Era una mujer uniformada. El pelo, que llevaba recogido, era tan claro que casi parecía blanco. Le extendió un puñado de papeles, pero él hizo caso omiso de la mano extendida. Las sirenas de la policía se habían detenido frente a la puerta del aeródromo. Jugueteaba con la culata de la pistola entre los dedos resbaladizos por el sudor.

En cuestión de segundos la puerta se abriría de golpe y un grupo de hombres entraría tropezándose unos con otros en su prisa por atraparlo. Quizá tuviera tiempo de derribar a uno de ellos, el alemán grande, tal vez, pero también estaban las mujeres y el niño, en los brazos de la madona...

—Su pasaporte y su billete a Ámsterdam —insistió la representante de Control de Fronteras—. Todo está en orden. Puede salir a la pista.

Echó un vistazo por encima de la cabeza de ella y su mirada se cruzó con la del alemán. El tipo seguía sonriendo débilmente, con la misma mirada indulgente que también le había dirigido a la joven princesa italiana, que ahora se levantaba de su asiento con majestuosidad e indiferencia. Allier pensó: *me ha dejado llegar hasta aquí para poder seguirme el rastro. No lo guiaré más allá.*

Cogió su pasaporte y el billete de manos de la mujer y sin decir palabra sujetó la puerta abierta. La chica italiana le dirigió una mirada rápida con sus ojos azules arrebatadores al pasar; Allier pensó que ni siquiera esto lo confortaba antes de morir. Luego él y el personaje rubio la siguieron en el frío.

Había confusión con los aviones: un Daimler negro enorme cruzó la pista sin más y se metió entre ellos. Un hombre corría distraídamente por debajo de las alas, gritando inaudiblemente por encima del estrépito de los motores y evitando apenas las hélices. El conductor sacó un número asombroso de maletas del coche parado. La policía y las sirenas estaban en silencio, al otro lado de las puertas de la pista; habían escoltado al Daimler por las calles de Oslo hasta el avión a Ámsterdam. Allier notó que el calor le subía a la cara y apretó los puños: *esto es la esperanza: terror y puños apretados.* Reconoció la silueta elegante, de pelo oscuro, que hacía piruetas debajo del fuselaje; reconoció las maletas. El conductor de Demars las estaba cargando en la panza del avión a Perth.

Allier las contó como pudo en la distancia y la oscuridad: *trece. Por favor, Dios, que sean trece.*

Demars chocó precipitadamente con el alemán del abrigo de pelo de camello; una bocanada de aroma a güisqui y a humo de puro flotó en el aire helador de la noche.

—Perdone, distinguido caballero. —Hablaba noruego y le agarró la manga al alemán como si fuese un niño mimado—. ¿Cuál de estos aviones es el de Ámsterdam? ¿Lo he perdido? ¡Tengo que coger un vuelo a Ámsterdam a cualquier precio!

Discutieron el destino de ambos vuelos, el derecho del Daimler a aparcar en mitad de la pista, el abuso de presencia policial y la necesidad de embarcar a tiempo. Allier siguió andando. No miró hacia atrás. La chica italiana subió a bordo del avión a Ámsterdam con una mueca en la cara y el santo niño gritando en sus brazos. El billete de Allier cayó revoloteando al suelo. Sacó otro, con sello para Perth, del bolsillo delantero de la chaqueta.

Mientras el piloto del vuelo a Ámsterdam ponía el avión en posición para el despegue, Allier divisó brevemente al rubio alemán a la luz de la pista: sin sombrero, con el abrigo al viento como si fuera un par de alas, corriendo desesperadamente tras el avión que no era.

La niebla los desvió, como era de esperar.

Aterrizaron casi al alba en una ciudad de la que Allier no había oído hablar, en algún lugar de la costa este de Escocia. Había una pista pequeña en un campo casi desierto, y las ventanas de la sala de espera estaban cubiertas con lienzo pintado. El piloto le sirvió un té. Intentó bebérselo por cortesía.

—¿Lo ha oído? —le preguntó el hombre—. Los alemanes han derribado un avión, el que salió para Ámsterdam anoche.

Allier pensó en la joven italiana, en los dos hombres que discutían en holandés, en el niño que seguramente habría llorado, desde luego, mientras las llamas salían de la cabina y el piloto, frenético, intentaba repelerlas. Y en la larga caída en picado en el mar del Norte, implacable como el casco de un destructor.

Dejó el té.

—¿Qué lleva en esas maletas? —le preguntó el piloto con curiosidad—. ¿Las joyas de la corona de Noruega?

Allier miró al hombre. Decir la verdad era violar las normas de seguridad, pero de cualquier forma, el piloto nunca le creería.

—Agua —replicó.

Asuntos americanos

Lunes, 13 de mayo de 1940

1

Más tarde se recordaría aquella primavera como una de las más gloriosas que se hayan conocido en París. Los frutales en flor entretejidos y el aroma de los tilos al caminar, los castaños desplegando sus hojas en filas ordenadas a lo largo de los Campos Elíseos, el susurro de la seda de las mujeres batiendo como alas mientras se apresuraban a ir a cenar, todo tenía una dulzura peligrosa, como la absenta. Sally King, que había vivido en la ciudad durante casi tres años y podría considerarse casi una experta, mantenía que incluso cuando llovía, París estaba radiante. Las calles brillaban en medio de los torrentes súbitos, sin importar la suciedad, la gasolina de los coches ni el pis de los urinarios públicos; resplandecían con un brillo que era enfermizo y suicida.

Aquella noche estaba luchando contra la marea de gente en el Pont Neuf, por encima del punto más estrecho de la islita que se asentaba como una balsa en medio del Sena, después de haberse abierto paso con esfuerzo entre los puestos de libros del Quai de la Tournelle. No podía moverse con ligereza, porque los tacones finos de los zapatos de noche se le enganchaban en las juntas de los adoquines del pavimento. Estaba oscuro, completamente oscuro, y le hubiera gustado coger un taxi, pero no había ninguno. Notaba el pánico en los hombros encorvados y los pasos demasiado apresurados de los parisinos, algunos de los cuales se volvían, a pesar del miedo, y la miraban abiertamente: Sally King, alta y de rasgos afilados, de piernas increíblemente largas y hermosas y una constitución bien definida bajo un vestido que parecía hecho de la envoltura de los caramelos.

Había vivido entre ellos lo bastante como para haber perfeccionado su francés del colegio, y entendía las murmuraciones y el miedo: «han cruzado las líneas. Los alemanes están en Sedán. El ejército se retira...»

Las noticias del frente se habían extendido por toda la ciudad como un viento furioso: un murmullo en las afueras, al norte; lo que ha dicho un amigo de un amigo. Las calles ardían con medias verdades y exageraciones bajo el intenso azul crepuscular, sin las farolas, y la mayoría de la gente pululaba en dirección sur. Sally iba hacia el norte, hacia la Orilla Derecha, al apartamento pequeño y exquisito frente al Louvre que era la casa de Philip Stilwell.

La había dejado plantada, sentada a una mesa con unas vistas espléndidas de Nôtre Dame, visiblemente sola en La Tour d'Argent, que no era su restaurante favorito de París, pero sin duda era el más caro. No era frecuente que una mujer llegara sin acompañante, pero Gaston Masson, el gerente de La Tour, estaba acostumbrado a las peculiaridades de los americanos. Aunque el resto de los comensales decidió especular acerca del coste del vestido de Sally, su probable inmoralidad y el motivo de que esperase durante casi una hora a un hombre que no apareció; al menos era decorativa, y por tanto valiosa, ante el fondo del Sena. Su cara, de pómulos altos y sonrisa demasiado amplia; era famosa. Era inusualmente alta. Llevaba un estuche de una careta antigás en lugar de bolso y vestía el Schiaparelli del año pasado, en un intento de hacer economías en tiempos de guerra. Era de seda de color rosa chillón, bordado con motivos en un verde ácido.

—A lo mejor el señor Stilwell se ha retrasado —observó Masson, disculpándolo—. Si los alemanes han roto nuestras líneas... si han cruzado el Meuse y ahora mismo están marchando sobre Bélgica... puede que un abogado tenga mucho trabajo...

Sally pensó: *pero no esta noche,* mientras caminaba por el puente antiguo. *Esta noche me iba a pedir que me casara con él.*

La nota había llegado a las cinco en punto, se la había entregado en mano uno de los mensajeros de Sullivan & Cromwell porque ella no tenía teléfono en su apartamento del Barrio Latino. «Queridísima Sally, puede que llegue un poco tarde para cenar esta noche porque tengo una cita con un miembro de la firma... Pídele a Gaston que te acomode y te sirva una botella de champán...» Si iba a ser la mujer de un abogado, pensó, tendría que acostumbrarse a estas cosas. Pero Philip no llegó; y la grosería no era un rasgo que le caracterizara.

Al final del puente, vaciló. La mole oscura del Louvre apareció amenazadora a su izquierda. Sin el resplandor habitual de la luz artificial, la ciudad parecía desolada y espectral y la gente iba hablando entre dientes por las calles como un ejército de muertos. Sally oyó el chillido estridente de la alarma antiaérea, y un tintineo agudo de cristales rotos. Una mujer sollozó. La piel de los brazos desnudos se le puso de gallina y comprendió lo sola que estaba, lo vulnerable que era. Debería dirigirse a un refugio antibombas, pero no había caído ninguna sobre París durante los ocho meses tediosos de guerra sin confrontación armada, así que alzó los hombros y siguió caminando hacia Philip.

Otra mujer hubiera dudado. Habría dado por sentado que no había aparecido porque no la quería. Esa idea tan simple no se le ocurrió a Sally en ningún momento. Había llegado a conocer el alma de Philip a fondo en los largos meses del invierno pasado, cuando se interrumpió su trabajo de repente y todo su futuro quedó pendiente de un hilo. Sabía que llevaba semanas preocupado, y que tenía algo que ver con S&C, con su trabajo en la firma de abogados de Sullivan & Cromwell.

Se habían conocido el pasado mes de agosto, Philip acababa de llegar a París y se había perdido en la Rue Cambon, mientras buscaba la entrada de S&C, para acabar entrando en su lugar en la casa de Chanel, en el número 31. Sally bajaba la famosa escalera, la pasarela favorita de Coco, para admiración de los hombres y mujeres que estaban sentados abajo, expectantes. Era la colección de otoño de *Mademoiselle,* la última colección que diseñaría durante años, según se vio después. Sally llevaba uno de los vestiditos negros de Coco, moderno y atemporal, como era costumbre; fue Chanel quien puso de moda el negro, que había sido hasta entonces el color del luto. Aquel agosto, el calor era desastroso, un presagio del martirio de Polonia, todo humos de diesel y acero carbonizado.

Philip vio todo el espectáculo desde la entrada, y cuando una de las *vendeuses* se le aproximó, balbuceó algo de comprarle un regalo a su madre. Sally aceptó cenar con él, aunque nunca comía mucho durante la temporada de desfiles. Fue el principio de la relación que la había llevado hasta esta noche, sentada frente a una silla vacía al otro lado del mantel blanco, con la mirada fija y curiosa en las calles de París. «Una reunión con un miembro de la firma», le había dicho. Algo había ido mal.

Philip, pensó, mientras el miedo se le clavaba como un cuchillo dentado. *Philip.*

Había pasado todo el invierno y la primavera en su apartamento del Barrio Latino creyendo que las noticias cambiarían, que las hostilidades acabarían, que Hitler se marcharía. Ensayaba todos los consejos que Coco le había dado durante los últimos tres años, con una voz interior menos culta y más del oeste: «Levanta la cintura por delante y la chica parecerá más alta. Baja la espalda, y así esconderás un trasero caído. Haz el dobladillo más pesado por detrás, para que no se suba hacia las caderas. Todo está en los hombros. Las mujeres deben cruzar los brazos cuando les toman medidas: así se consigue mayor elasticidad».

Él vivía justo al final de la Rue de Rivoli, en su confluencia con la Rue St-Honoré, en un edificio de arenisca antiguo alrededor de un patio, con una puerta doble y alta que permanecía abierta todo el día. Era el *hôtel particulier* de algún aristócrata fallecido, dividido desde hacía tiempo en apartamentos. No era una zona muy buena, pero Philip era demasiado joven y demasiado extranjero para saberlo. Quería estar en el corazón de París: tenía vistas al río desde el salón, oía los gritos de los afiladores bajo la ventana, las campanas de la iglesia repicaban junto a su cama cada hora, por la noche. *Boiserie* agrietada y suelos de parqué que crujían al andar. Espejos tan borrosos que parecían de peltre. Sally había vivido en París más tiempo que Philip, pero él amaba más esta ciudad, adoraba lo saludable de su comida, los acentos guturales y las jaulas de la Île St-Louis. Los domingos por la mañana, los dos abrían las contraventanas hasta atrás y se apoyaban en el alféizar, asomando los hombros a la calle, para mirar al mundo hasta que les dolían los ojos.

Le quedaban todavía cuatro manzanas para llegar cuando vio un ejército de coches de la *préfecture de police*. Las puertas de la entrada de Philip estaban completamente abiertas. Agarrando el estuche y el vestido de seda, echó a correr con aquellos zapatos de noche dañinos, cuyas tiras se le clavaban en los pies.

Estaba atado por las muñecas y los tobillos a los postes de un cabecero de caoba y tenía el cuerpo desnudo salpicado de sangre. Ella se quedó de pie en la entrada del dormitorio, balanceándose ligeramente, sin que la policía se diese cuenta de momento de su presencia, y lo miró con detenimiento: la boca relajada, los ojos grises espantados, los costados embarazosamente blancos. Las axilas como las de un mono, las caderas y el vello del pubis en las ingles brillaban, húmedos. La erección seguía siendo evidente, incluso tras la muerte. El pene de Philip, rojo y dispuesto, como lo había tocado una vez en un coche. El látigo abandonado en la alfombra, junto a él. Había otro hombre, también desnudo, al que no conocía, colgado de la araña. Tenía los dedos de los pies deformados por los callos, y las articulaciones llenas de ampollas amarillentas.

Torció la boca y debió balbucear algo en inglés, el nombre de Philip, posiblemente, porque uno de los agentes franceses volvió la cabeza de pronto y la vio, incongruente con su vestido rosa. Frunció el ceño y atravesó la habitación en tres zancadas, bloqueándole la vista.

—Salga, *mademoiselle.*

—Pero ¡lo conozco!

—Lo siento, *mademoiselle.* No puede estar aquí. ¡Antoine! *¡Vite!*

La cogieron por el brazo con cuidado y se la llevaron del apartamento, pasando por delante del diván en el que tomaban cenas ligeras, por las contraventanas que solían abrir, ante un par de vasos altos medio llenos. La papelera estaba volcada, y unos cuantos trozos de vidrio se habían esparcido por el Aubusson raído. La arrastraron lejos de la figura obscena que colgaba de la araña hasta el pasillo, donde empezó a temblar descontroladamente, y el joven, Antoine, que llevaba uniforme de gendarme, no la gabardina caqui de inspector, se quedó de pie, cogiéndola por el codo con inseguridad.

—Sally.

La voz tranquilizadora le resultaba conocida. Max Shoop, director de la oficina de París de S&C, con su ropa francesa elegante, los ojos distantes y sin expresión. *Por supuesto, han llamado a Max.* Se volvió hacia él como una niña pequeña se vuelve al delantal de su madre, sollozando, apretando los ojos.

—Sally —dijo Max otra vez, poniéndole la mano en el hombro desnudo, con incomodidad—. Lo... lo siento. Ojalá no lo hubieras visto.

—Philip...

—Está muerto, Sally. Está muerto.

—Pero ¿cómo...? —Apartó a Shoop, abriendo los ojos y mirándolo directamente— Por Dios, qué...

—La policía cree que ha sido un ataque al corazón. —Estaba incómodo por tener que pronunciar esas palabras y por todo lo que no se había dicho: el significado del látigo, ciertas lesiones. Los dos hombres murieron con una simultaneidad que sugería un clímax. Pero Max Shoop no era de los que se dejaban dominar por la incomodidad: mantuvo una serenidad sin fisuras y la cara inexpresiva, como si estuviera comentando el tiempo.

—¿Quién...? —dijo ella con dificultad—, ¿quién es el que está colgado del techo?

Los párpados de Shoop cayeron pesadamente sobre sus ojos.

—Me han dicho que es de uno de los clubes de Montmartre. ¿Sabías que Philip...?

—Que era... que... —se detuvo, vacilando al elegir las palabras.

—Pobre niña. —Apretando los labios, se la llevó del apartamento hacia la portería, un piso más abajo. Allí los aguardaba un buen trago de brandi.

—No es... —insistió con claridad mientras se detenía ante la puerta de la anciana, con la mano levantada a punto de llamar—... lo que piensa, sabe. No es lo que piensa.

2

La revista del Folies Bergères duró hasta medianoche, así que Memphis no pudo llegar al Alibi Club antes de la una de la mañana. Spatz sabía exactamente como sería la entrada rutinaria: el conductor y la limusina, el chico y el jaguar de la correa, Raoul rondando como un chulo, al fondo, sin alejar las manos del trasero de su mujer. Y Memphis: más alta que la media de las parisinas, más delgada y más firme, vestida con un traje de terciopelo verde oscuro bajo el que se adivinaban unos músculos tan flexibles y elegantes como los del gato enorme que venía tras ella. Se detendría en las cortinas de la entrada como si buscase a alguien entre la multitud (el Alibi Club era una auténtica *boîte de nuit,* una sala pequeña como una caja con capacidad tal vez para diez mesas) y el efecto sería inmediato. Todas las cabezas se volverían. Todos los hombres y mujeres se levantarían y la aplaudirían de nuevo por el simple hecho de existir, por el tufillo a sexo exótico que traía consigo al lugar, por los celos implacables.

Spatz ya lo había visto antes, un mes tras otro de sometimiento a Memphis, que había durado algo más que la mayoría de sus entretenimientos, reflexionó. Se alegraba de estar sentado solo, saboreando un puro, con un plato de ostras escandalosamente caras sin tocar delante de él. Cientos de personas hacían cola delante del Alibi Club, pero solo cuarenta podrían cruzar las cuerdas de la entrada, y solo Spatz conseguía una mesa en un rincón para él solo. Su patrocinio generoso pagaba las facturas. El hecho de que fuera alemán y, oficialmente, enemigo de todos los que estaban en aquella sala, era irrelevante. Su francés era perfecto, no llamaba la atención en absoluto.

Tenía las espaldas anchas y vestía con sencillez y elegancia; era un animal con mucho pedigrí: Hans Gunter von Dincklage, niño mimado fruto de un matrimonio mixto, hijo de la Baja Sajonia, rubio e insoportablemente encantador. Spatz significaba «gorrión» en alemán. El nombre no le pegaba de entrada, hasta que uno se daba cuenta de su costumbre de ir saltando de rama en rama, de capricho en capricho. Oficialmente, durante los últimos años su trabajo había sido el de diplomático en la embajada alemana, que ahora estaba cerrada debido al estado de guerra, por lo que Spatz estaba desocupado. Había pasado el invierno en Suiza, pero había vuelto a París como invitado de una prima suya que vivía en el *arrondissement* dieciséis. Se había divorciado de su mujer hacía años por incompatibilidad de caracteres. Sus enemigos lo acusaban de tener sangre judía.

No había hecho nada de importancia en sus cuarenta y cinco años de edad, excepto jugar bien al polo en Deauville.

Una chica con medias de rejilla servía ginebra, pero Spatz prefería el güisqui escocés. Acababa de coger el vaso pesado en la palma de la mano, sintiendo el peso como un alivio, cuando un hombre se deslizó en el asiento vacío junto a él.

—Es una mesa privada.

—Me da igual —soltó el hombre—. He estado buscándolo durante horas, Von Dincklage. Es ridículo lo difícil que resulta encontrarlo.

Spatz lo observó. Era quisquilloso y pequeño, tenía un mostacho recortado por los lados y el tipo de ropa que proclamaba que era un oficinista bien pagado; los ojos húmedos y penetrantes recordaban a los de un chantajista. Pensó que lo conocía de algo.

—Usted es Morris —dijo meditabundo—. Emery Morris, ¿verdad? Está en el equipo del viejo Cromwell, cerca del Ritz.

—Sullivan & Cromwell —corrigió Morris—. La firma de abogados neoyorquina. Soy socio.

—Llámeme mañana a casa. No hago negocios aquí.

Emery Morris echó un vistazo a su alrededor con un mohín de disgusto.

—Tendrá que hacer una excepción. Hay un asunto extremadamente grave...

Pero Spatz no le prestaba atención. Se había puesto de pie, y su mirada huidiza como la de un pájaro se había fijado en las cortinas ondulantes de la entrada, y en la diosa negra y alta que enmarcaban.

Había llegado Memphis.

—¿Qué demonios quieres decir con que Jacquot no está aquí? —protestaba sin mover los labios y sin perder la sonrisa, aquella sonrisa dividida por un hueco entre los dientes que practicaba día y noche frente a un espejo dorado enorme colgado en el salón de la Rue des Trois Frères, mientras su cara morena se fundía con las sombras. No le importaba quien pudiera verla haciéndole gestos al espejo de cuerpo entero, totalmente desnuda, dando vueltas mientras Raoul u otra persona miraba: «No soy *má'* que una chica negra de las colinas de Tennessee, no sé cómo voy a sobrevivir en esta gran *ciudá'* blanca, tú crees que debería ir por ahí con la cara blanqueada, haciendo que los franchutes quieran ser como yo, todo el mundo con una máscara blanca todo el tiempo, como si fuéramos a morir de hambre o de frío cualquier día».

—Te lo dije —refunfuñó Raoul, moviendo los dedos nerviosamente en los bolsillos y contrayendo la cara en una sonrisa. Era la sonrisa de pregón de carnaval de un hombre que maneja los hilos, solo que Memphis decidía quien sostenía los cabos de los suyos, y hacía mucho, mucho tiempo que no era Raoul—. No apareció. Nena, tenemos que irnos de viaje. Se me eriza la piel estando aquí. Tenemos que coger un tren.

—Yo no me largo a ningún sitio —murmuró, con los ojos fijos en un hombre calvo sentado en la primera fila, de mirada boba como la de un sabueso, uno de sus habituales; pensó que se llamaba monsieur Duplix—. Voy a hacer mi número. —Contoneó su cuerpo interminable en dirección a Duplix y le acarició la cabeza ahuevada con las manos enguantadas, tarareando algo que su madre le había enseñado hacía años, Dios santo, ¿cuántos años hacía? Memphis había cumplido veintiséis ese verano, y los años no eran más que un collar de cuentas alrededor del cuello. Se casó por primera vez a los trece. Seis meses más tarde huyó y se volvió a casar, esta vez en Chicago. A los diecisiete ya era bailarina en París y a los veinte ya hacía giras por Escandinavia y por Berlín, donde la policía tuvo que protegerla de los disturbios que provocaba su comportamiento depravado. Más recientemente, se había casado con el hombre que había organizado su gira en París y que le había ayudado a hacerse un nombre: Raoul, un judío francés, de más de treinta y nueve años, de mostacho negro enroscado e historias vagas sobre la realeza rusa titulada, cuya conexión había perdido en algún punto del camino. Con el cuerpo y la voz aniñada de ella y su inteligencia, habían ganado dinero a puñados, la mayoría de los años, a pesar de la Depresión. Memphis nunca se iba de su espectáculo. Memphis nunca dejaba de bailar. Hacía bailes vespertinos en los Campos Elíseos a las cuatro, en el Folies a las diez y en el Alibi Club a la una de la mañana; si dormía, era algo que nadie más que sus amantes sabía, envuelta en las finas sábanas de lino hasta bien entrada la mañana. Memphis cantaba para ganarse su cena y la de Raoul también. Él era el propietario del Alibi Club; eso era lo que los mantenía unidos, a pesar de las discusiones constantes por el dinero y los extraños a los que no podía resistirse. Él toleraba la fila interminable de hombres por el dinero que traían y por la forma en que la divertían; Memphis era agotadora para estar con un solo hombre. A su manera, Raoul tampoco dejaba nunca de bailar.

Ambos eran extranjeros, marginales, el judío y la negra de Tennessee que embaucaban a la ciudad más elegante del mundo con atrevimiento, *jazz* y una ropa exquisita. Los fascistas de todas las franjas y países odiaban a Memphis y a Raoul, y odiaban los ritmos que vendían como si fueran cocaína por las calles de Montmartre. «Música degenerada», la llamaban. «Una alianza de medio monos y judíos que los convertía a todos en artistas circenses; en cómplices». Los fascistas odiaban al alemán Kurt Weill, odiaban a Irving Berlin, a Dizzy Gillespie y a Josephine Baker y montaron una exposición oficial de Música Degenerada para probarlo. El catálogo del espectáculo tenía un trompetista negro de *jazz* en la cubierta con una estrella judía amarilla cosida en la solapa. Memphis enmarcó la página que mencionaba su nombre y la colgó en la pared del Alibi Club.

Siguió cantando de esa manera insinuante, como una muñequita con un vestido algodonoso, una niñita que pudiese dar saltitos en tu regazo y hacerte el amor durante toda la noche. Suspiraba arriba y abajo de la escala, de forma velada y anhelante, todas las canciones que Raoul creía que se ajustaban a su estilo; le traían los últimos discos que se editaban en Nueva York, igual que otros hombres importaban caviar. Memphis nunca cantaba la misma canción dos veces a menos que un hombre pagara por ello. Memphis siempre les hacía pagar, fuesen quienes fuesen, y todos y cada uno la adoraban por ello; adoraban la falta de sensibilidad sin tapujos, sus exigencias imperturbables, su avaricia descarada. Memphis arrebatando un billete de mil francos de una mano abierta; Memphis vengándose por todos los años de hoteles y comedores vedados y de servicios exclusivos donde solo los blancos podían hacer pis, y cantando mientras lo hacía. Fuera del escenario estaba muerta, se sentía frustrada; en escena, los focos bañaban su piel de un brillo tan raro que parecía luminosa, incandescente, la mujer negra más blanca de la faz de la Tierra. Los raros días en que no actuaba, porque había perdido la voz o tenía la garganta irritada por haberse excedido, se angustiaba por los rincones de su habitación como un perro enjaulado.

Todo el mundo sabía que los nazis habían atravesado las líneas en Sedán, y Raoul estaba seguro de que venían directamente hacia el Alibi Club. Decía: «Tenemos que coger un tren, antes de que los nudillos golpeen la puerta, nena. Antes de que nos caigan encima las porras de la policía, antes de que se abra una fosa y nada ni nadie puedan salvarnos. ¿Sabes lo que les hacen a los judíos, a los negros y a la gente como Jacquot? Estrellas amarillas. Triángulos rosas. Deportaciones y campos de trabajo. No me extraña que el cabrón de Jacquot no haya venido a trabajar».

En ese momento, ella les lanzaba besos a los habituales y le ponía ojitos a Spatz, moviendo ostentosamente el trasero en su dirección para decirle que era solo suya, la muñequita de dedos electrizantes y de voz ronroneante de sus sueños, incluso mientras intentaba esconderse el pánico en los zapatos. Memphis no se iba, no señor, de ninguna manera, no importaba cuántos mierdas nazis marcharan con sus botas sobre París por la mañana, no importaba cuánto se lo suplicara y llorara Raoul. Memphis se quedaba. Una ciudad llena de soldados significaba una ciudad llena de dinero, un club repleto de bolsillos que vaciar y eso era un mundo para esta chica, el mundo que había nacido para dominar. Memphis se quedaba, sin importar que Raoul se fuese o no. Si volvía a huir una vez más, se moriría.

En la pequeña plataforma que hacía las veces de escenario en el Alibi Club, todo el mundo podía oírla. Eso era lo que más le gustaba del sitio: cuando abría la boca allí, el mundo se quedaba en silencio. Se colocó en la banqueta que había en el centro de la sala y cantó.

—Qué extraño —murmuró Spatz mientras la estudiaba a través de un velo de humo del puro, compuesta como una estatua en un círculo de luz—. Falta Jacquot. Normalmente gira a su alrededor mientras ella canta. Hace un número vestido con corbata negra y frac. ¿Estará enfermo?

—Está muerto —dijo llanamente Emery Morris—. Eso es lo que había venido a decirle. Está muerto en un apartamento de la Rue de Rivoli. Yo mismo lo he visto.

—¿Solo?

—No. Con uno de los nuestros.

Admitir esto le llevó un tiempo a Morris y por un segundo Spatz no supo adivinar por qué. El abogado era famoso en París por su discreción. Emery Morris era absolutamente respetable y merecedor de una confianza ciega. Tenía una esposa con la que vivía en la zona residencial, sin vida social, y rechazaba la bebida incluso en nombre de la amistad. No tenía líos amorosos. No había indicios de que tuviera sentido del humor. A Spatz le gustaba encontrar la debilidad de los hombres con los que trataba; en el caso de Emery Morris, adivinó que era la falta de imaginación.

Jacquot, la llama ardiente del cabaré, el homosexual desinhibido, encontrado muerto junto a un abogado americano. La boca de Spatz reprimió una sonrisa.

—Estoy anonadado.

—Ya sabe lo que era —escupió Morris amargamente—. Un miserable pervertido, un desnaturalizado... cobraba por lo que él...

—Desde luego. Simplemente me asombra que ahora le gustaran los americanos. Jacquot era un esnob, con todos esos látigos y esa crueldad. Supongo que lo mató su hombre, ¿no?

Tras las gafas de alambre, las pupilas de Morris se encendieron ligeramente.

—Probablemente fue al contrario. Es un asunto sórdido y tenemos que evitar que salga en los periódicos a toda costa. Con las noticias de la guerra, gracias a Dios, el suicidio de un maricón no va a aparecer en portada.

—Pero ¿y el abogado muerto?

Morris se le acercó y bajó la voz:

—Por eso he venido a hablar con usted. Tenemos un problema.

Para cuando terminó de cantar, él ya se había ido sin que Memphis lo hubiera visto: las luces brillantes la cegaban, no podía ver las caras que tenía enfrente ni las mesas, que estaban llenas. Cantó durante casi una hora, luego hizo una pausa para tomarse una copa de champán tan seco que le quemaba en la garganta; no era lo más adecuado para cantar, pero la copa le quedaba muy elegante en la mano y era importante cuidar la imagen. Charló con los clientes habituales mientras se deslizaba entre las mesas, evitando mirar hacia atrás, hacia Raoul, que estaría furioso de impaciencia, con la mente llena de horarios. Maldijo a Jacquot por haberle fallado; tendría que irse a casa antes, y entonces todo volvería a empezar: Raoul queriendo irse. Raoul amenazándola. Raoul.

Notó una mano en el hombro; no era la de Spatz, ni la de su marido, sino la de An Li, el chófer, un vietnamita ágil y remilgado que Memphis había contratado para mantener el aire de exotismo, que iba vestido pulcramente de uniforme. Se inclinó disculpándose.

—El señor Raoul se ha llevado el coche. Me ha pedido que le de esto, *madame.*

Ella le arrebató la hoja de papel y la leyó rápidamente. En su hogar, en Tennessee, hubo gente que se atrevió a decir que no sabía ni leer, pero Memphis se encargó de que su segundo marido le enseñara, y no dejó de aprender, siempre leyendo; ahora hablaba francés y leía los periódicos parisinos. Tenía la visión algo borrosa esta noche por el humo o por lo avanzado de la hora, o tal vez era el pánico de nuevo, que le subía reptando desde los zapatos, esos preciosos zapatos que se había comprado en la Rue St-Honoré, hechos de la mejor piel de lagarto y de serpiente, con punta afilada.

> Nena, Jacquot está muerto; hay un policía en la entrada, y si nos metemos en los asuntos de la policía nunca saldremos de París. Nena, cierra el club y saca nuestro dinero del banco cuando abra por la mañana y dile a todo el mundo que nos hemos tomado unas vacaciones largas porque Memphis Jones no canta para los alemanes. Reúnete conmigo en Marsella en cuanto puedas. Te estaré esperando en el Hôtel d'Angleterre. R.

Arrugó el papel y lo aplastó con el tacón.

—Llévate al jaguar —le dijo a An Li— y vete a casa. Esta noche Memphis se va de fiesta hasta el amanecer.

3

Sally King temblaba sin control. La noche de mayo era fría, así que le permitió a Max Shoop que le encendiera un cigarrillo mientras la metía en el taxi. Ahora avanzaba dando tumbos por la Rue St-Honoré, y la ceniza se le cayó sobre el vestido de seda. No le importó. No volvería a ponerse más este Schiaparelli: odiaba el color rosa chillón y el estampado abigarrado, le resultaba tan obsceno como la última visión del cuerpo de Philip; la quemadura de ceniza le serviría de luto.

Max había pagado al conductor para que la llevara de vuelta a su apartamento, pero en la oscuridad del murmullo de las calles, con las hordas de gente que aún pululaban desesperadamente en dirección al sur de la ciudad a pesar de la hora, Sally sintió claustrofobia. Los espasmos secos y demoledores de la histeria y la incredulidad que había sofocado con un trago de brandi en la portería amenazaban con volver a salir a la superficie. Cerró los ojos y le dio una calada al cigarro, esperando que le aclarase la cabeza.

«Sospechábamos hacía tiempo que Philip estaba preocupado.» le había dicho Max Shoop en aquella habitación espantosa a un lado del patio que apestaba a salchicha quemada y a moho. «Philip había estado comportándose de forma extraña. Reservado y desconfiado. Veía complots por todas partes. Probablemente era porque se sentía culpable.»

Intentó encajar esta imagen con la del Philip que había conocido, intentó recordar la última vez que lo había visto, dos días antes, mientras caminaba con paso enérgico por la Place des Vosges. Las hojas de los árboles desmochados empezaban a asomar; en algún lugar había una soprano practicando escalas, y el sonido formaba una espiral que inundaba agradablemente la antigua plaza, resonando en las bóvedas de los arcos. Corrió los últimos metros hasta donde estaba ella y la cogió en brazos, sin preocuparse de quien pudiera estar mirando. «Primavera en París», dijo exultante. «¿Quién dice que estamos en guerra?».

¿Philip, culpable? ¿Philip, preocupado?

No le dijo nada a Shoop acerca de la nota que Philip le había mandado, de la supuesta reunión con un miembro de la firma. Resultaba obvio incluso para ella que Philip había pasado el rato de otra forma. La imagen de su cuerpo tendido, del pene brillante y duro y de sus ojos vidriosos le vino a la mente sin poder evitarlo. La mano que sujetaba el cigarrillo le tembló.

«Lo importante», le había dicho Max, «es no decirles la verdad a sus padres. Wilson Stilwell es juez, por Dios. Que no haya el menor escándalo. Se lo debemos a su familia. ¿Va a acompañar el cuerpo a casa?».

El cuerpo. Philip, con veintiocho años, un cadáver.

Miraba por la ventanilla empañada por el humo del cigarro, como si el mismo París hubiera muerto. La multitud de refugiados a medianoche era tan densa en la Rue du Pont Neuf que el taxista maldijo y dio marcha atrás bruscamente. Giró hacia el oeste, calle arriba por la Rue de Rivoli, en dirección opuesta al Barrio Latino. Sally estaba demasiado aturdida para protestar.

«Quiero que se vaya de Europa, Sally», le había dicho Max. «Antes de que se desate el infierno, ¿entendido? Mañana hablaré con alguien de la embajada».

La embajada.

Habían llegado a la Place de la Concorde, y allí estaba: el edificio de la cancillería de los Estados Unidos, donde estaban las oficinas del Departamento de Estado, del Ejército y de unos cuantos tipos que trabajaban para Comercio. Aunque era nuevo, parecía abandonado e inhóspito, con un resplandor azulado por las luces apagadas. La cancillería daba los visados y se encargaba de asuntos delicados como la expatriación de los fallecidos, pero el embajador Bullitt vivía en realidad en otro lugar, en una elegante casa adosada cedida a la nación americana. Ni siquiera los alemanes desconcertaban a Bill Bullitt; el embajador americano estaría ahora mismo sirviendo champán a cualquiera que sostuviera una copa. Sally lo había conocido en la fiesta de Navidad de la embajada: una dinamo calva, de barriga acusada, que la había mirado de arriba abajo con ojos de *connoisseur*. Llevaba el mismo vestido que esta noche.

—Conductor —dijo con claridad—. He cambiado de opinión. Lléveme a la Avenue d'Iléna. —La residencia del embajador Bullitt.

Fue Joe Hearst quien tuvo el placer de hablar con la chica americana más famosa de París, fotografiada por Horst y cuya cara había favorecido la portada de *Vogue* durante los desfiles de otoño del 39; la joven increíblemente alta, de pómulos marcados y sonrisa amplia. La esposa de uno de los miembros del Departamento de Estado la había reconocido mientras subía sola las escaleras, sin invitación para esta fiesta dada en honor del primer ministro Paul Reynaud y del ministro de Defensa francés, Edouard Daladier, dos hombres que intercambiaban constantemente su posición en el gabinete y que se despreciaban cordialmente. Mims Tarnow recordó las Navidades, recordaba el vestido rosa, tan llamativo, y aunque era lo bastante esnob, una mujer de Radcliffe, como para sentirse superior a Sally King, comprendió que era su penoso deber informar acerca de la gorrona al *chargé* de Bullitt, Robert Murphy.

Murphy manoseaba su encendedor mientras Mims le susurraba al oído, tenía la cabeza inclinada en dirección al vestíbulo donde bastantes invitados franceses ya estaban poniéndose el abrigo. Bullitt era conocido como *Champán Bill* por sus espléndidas fiestas, pero las noticias que habían llegado hoy de Sedán le habían quitado las ganas a todo el mundo de celebrar nada; además, la amante de Daladier se negaba a hablar a la de Reynaud. Sally King se había detenido, insegura, nada más pasar la puerta, con el rostro inexpresivo y serio. El estuche que llevaba de bolso colgaba de su hombro escultural aportando una nota moderna; una mancha negra le bajaba por la falda como si se hubiese rozado con un parachoques sucio en algún lado.

Murphy se dejó dominar por la impaciencia. Pensó: *inocentes. Son ridículas. No deberían dejarlas salir solas.*

—Averigua qué quiere, Joe —le dijo al secretario político que estaba de pie en silencio, a su derecha—. Treinta francos a que es un pasaje a casa.

Joe Hearst había pasado en París casi dieciocho meses. Antes, había estado en Moscú, y antes de eso, en Ginebra y en Nairobi. Hearst tenía treinta y cinco años, había estudiado en Yale y era hijo de un diplomático. Hablaba cinco idiomas. Su mujer le había dejado de repente el invierno pasado y nadie en la embajada podía olvidar este hecho. Dejaban ver que lo sabían con gestos incómodos de compasión o de regocijo mal disimulado. Solo Bullitt, que había tenido muchas mujeres y había vivido en un palacio sobre un acantilado que daba al Bósforo con la conocida Louise Bryant, parecía dar por sentado que Joe Hearst aún tenía futuro profesional. El resto estaba esperando oír que lo habían llamado para volver a casa.

Hearst cruzó el suelo de mármol con aire de indiferencia, la mano en el bolsillo: era un hombre alto en traje de gala, tenía el cuerpo demasiado delgado para la amplitud de los hombros y los ojos duros, de un gris intenso que intimidaban al mirar abiertamente. La chica con el vestido del año anterior dio un paso atrás al acercarse a ella. Su rostro se llenó de aprensión.

—Es la señorita King, ¿verdad? Joe Hearst. —Se inclinó, una de esas costumbres europeas que había adquirido en su infancia, y le alargó la mano—. Nos conocimos en la fiesta de Navidad.

—¿De verdad? —La voz sonaba frágil como el papel de arroz—. No lo recuerdo, Estoy buscando al embajador Bullitt.

—Me temo que el embajador está ocupado. ¿Puedo ayudarla?

Estaba desempeñando el papel formal de diplomático, demasiado educado para ofenderse por una gorrona y decidido a bloquearle el acceso al Gran Hombre. Pero se distrajo mientras recitaba sus frases, al captar la expresión de confusión que se escondía en la cara de la chica y los mechones de pelo que se le habían escapado del *chignon*. *Parece que la han golpeado en la cabeza,* pensó. *O que la han violado en una esquina. ¿Qué demonios le habrá pasado?*

—Es por las tres copas —dijo sin venir a cuento—. No las vi en ese momento, pero luego, en el taxi, me acordé. Dos en el alféizar. Una rota en la papelera. No tiene sentido, como el resto de lo que Shoop ha dicho.

Hearst frunció el ceño:

—¿Se encuentra bien, señorita King?

Parpadeó y se movió ligeramente, contrayendo los dedos en la correa del estuche de la careta antigás. Él adivinó que la había traído en lugar del bolso de noche; como todo el mundo.

La cogió por el codo y se la llevó sin decir nada a una de las habitaciones de paneles de madera que había a ambos lados del vestíbulo: eran habitaciones íntimas, con chimeneas que no estaban encendidas, uno o dos sillones, estanterías llenas de libros encuadernados en piel y una pintura aislada de la Escuela Hudson River colocada sobre el mantel de la chimenea.

Se desplomó en un sofá y se miró los zapatos inexpresivamente.

—¿Qué ocurre? —le preguntó Hearst amablemente—. ¿Qué ha pasado?

—Han asesinado a Philip —dijo.

4

El hombre conocido como Jacquot había vivido en varios sitios a lo largo de los siete años en los que había considerado París como su hogar. Siendo un joven recién llegado de provincias, se alojó en una pensión donde la comida dejaba mucho que desear, con la esperanza de poder conseguir un puesto en alguna compañía de danza famosa como la de Diaghilev, tal vez, pensando que la escasa calidad de la comida sería un buen acicate para mantener la figura. A los treinta años, el sueño del ballé clásico hacía ya tiempo que se había desvanecido; consiguió un papel muy codiciado en un club llamado Shéhérazade, y mantuvo un breve romance con el exquisito Serge Lifar, el bailarín de ballé clásico más famoso de París, por aquel entonces muy joven y solo un principiante. En este periodo también, Jacquot se aficionó a la cocaína, lo que resultó una ruina para su aspecto y para su bolsillo. La depresión económica mundial de los últimos años y el paso del tiempo habían acabado con la promesa de su juventud: en los últimos meses, Jacquot había descendido de las alturas del Boulevard Haussman y el champán al amanecer hasta un apartamento de dos habitaciones en un barrio infestado de ratas del *arrondissement* veinte, no muy lejos del cementerio Père Lachaise.

Max Shoop llegó al apartamento miserable de Jacquot unos pocos minutos después de las dos de la mañana, tras haberse deshecho de la policía y de sus preguntas capciosas en el apartamento de Philip Stilwell. Fueron ellos los que le dijeron la identidad del hombre colgado y la dirección de su apartamento. Shoop ya casi había acabado de revolver las pertenencias de Jacquot, penosamente escasas.

La habitación principal tenía una estufa y una pila en un rincón; Jacquot las había ocultado con una cortina de terciopelo descolorido. Había un diván del mismo material, una mesa de madera llena de marcas que serviría igual para los cócteles que para las cenas; una estantería con unos cuantos libros y fotografías, una de ellas del perfil oscuro de Lifar, firmada. Un retrato de Cocteau. Una boa de plumas que había llevado en una producción, hacía mucho tiempo. Era la parte donde recibía a las visitas y Shoop no encontró nada de interés.

Sin embargo, la habitación interior era privada, y aquí Jacquot había dejado volar su imaginación. Las paredes estaban cubiertas de seda azul marino, la cama estaba decorada *à la polonaise.* Un escritorio con una escultura modernista, podía ser de Braque, o podía ser una copia, quedaba justo bajo una ventana estrecha que daba a un callejón monótono y a la zona de lavandería del edificio de enfrente.

Shoop se concedió un momento para mirar a su alrededor; consideró brevemente la impresión vívida de apetito carnal y abandono sexual reinante y luego se dedicó a registrar el escritorio.

Era un hombre bastante preciso, con un autocontrol escrupuloso; un hombre de inteligencia aguda y una sutileza con las que podría haber regido una nación entera. En cambio, se había conformado con establecerse como abogado en París, donde la vida era elegante y la libertad completa. En Nueva

York se sentía encasillado: Max Shoop, Amherst 1910, abogado por la universidad de Columbia. En París podía ser cualquier cosa: un criminal, un seductor, un constructor y un destructor de mundos. En París, con su mujer francesa, no podían saber que era americano.

Se había puesto guantes para lo que estaba haciendo. No tenía problemas para ver en la oscuridad absoluta porque llevaba una linterna pequeña con una lente azul, cuyo haz era estrecho como un cable. Colocó todos los papeles y facturas que el fallecido había dejado en montones ordenados. Estaba buscando algo que no sabía definir, pero que reconocería en cuanto lo viese. Shoop estaba tranquilo, siempre estaba tranquilo, pero era consciente de que el tiempo pasaba. La policía debía estar a punto de llegar en cualquier momento.

Acababa de abandonar el escritorio y estaba abriendo la puerta de un armario ropero cuando oyó que una llave giraba en la puerta principal.

Una llave. ¿Sería de un amigo o de la ley?

Shoop se quedó inmóvil. Volvió inmediatamente la cabeza plateada en dirección a la ventana, pero ni siquiera un hombre con una constitución tan estrecha como la suya podía escabullirse por aquel vano, que quedaba a casi diez metros de la calle.

En lugar de eso, se deslizó silenciosamente en el armario.

¿Y si era la policía? Entonces, ¿qué?

Lo descubrirían. Lo interrogarían. Pero Max Shoop, ciudadano americano, socio directivo de la oficina de París de Sullivan & Cromwell, se las arreglaría para salir de esta por las buenas.

Estaba pisando un par de zapatos viejos de charol, de claqué. Intentó sofocar su respiración y aguzar el oído para distinguir los sonidos que venían del otro lado de la puerta del armario.

Oyó las pisadas de un par de pies que entraban en el piso. Ligero, *staccato,* unos pasos vacilantes que desconfiaban del suelo que pisaban. No era la policía.

—¿Jacquot? Hola, muñeco...

Era la voz de una mujer, potente y entrecortada; una voz americana. Shoop abrió ligeramente la puerta con cuidado y estudió a Memphis Jones, que estaba de espaldas a la habitación y no paraba de moverse con impaciencia: sin duda, dedujo Shoop, se preguntaba sin cesar dónde se había metido su pareja de baile. No tenía más que esperar a que se fuera.

Pero ella le fastidió el plan, al volverse ágilmente hacia el dormitorio y cruzarlo sin vacilación. Ahora no estaba buscando a Jacquot; aquel rostro seductor tenía un propósito claro. Shoop notó el aroma a rosas mezclado con el olor a puro que dejaba a su paso, por delante de él. Levantó bruscamente las sábanas de la cama y pasó las manos con habilidad por debajo del colchón. Maldijo en voz baja y fue hacia el escritorio. Otro buitre sobrevolando los huesos.

Los montones ordenados que había hecho con los papeles de Jacquot no tenían interés para esta mujer; los esparció como si fueran hojas de árbol. Luego se volvió sin previo aviso y abrió de golpe la puerta del armario.

Se miraron directamente a los ojos.

—Señorita Jones —la reconoció Shoop—. Es un placer.

—¿Qué demonios hace ahí, hombre blanco? ¿Y cómo es que sabe mi nombre? Mierda. —Retrocedió dos pasos hacia la cama, perdiendo momentáneamente el aplomo.

—Todo el mundo en París la conoce. —Si hubiera llevado un sombrero, se lo habría levantado ante ella. El arte de la ironía era su favorito.

—Le he preguntado quién es.

—Max Shoop. Abogado.

Estaba claro que el nombre no le decía nada. La cantante de *jazz* entornó los ojos.

—¿Qué quiere de Jacquot?

—Yo podría preguntarle lo mismo.

—No ha venido a trabajar esta noche. Le pago un sueldo y quiero verlo en el club, ¿lo entiende?

—Sí. Pero Jacquot está muerto, señorita Jones, y no creo que fuera su cuerpo lo que estaba buscando debajo del colchón.

Ella parpadeó.

—Jacquot me cogió algo de dinero hace unos días y ahora lo necesito.

No hizo preguntas acerca de la muerte del hombre, ni fingió lamentarlo, pensó Shoop.

—No hay dinero en el piso, y la policía viene para acá. Sería incómodo para usted que la encontrasen aquí.

Echó la cabeza hacia atrás y se rió. Sonó tan infantil y tan alegre, que él se asustó.

—¿Se cree que nací ayer, caballero? ¿Se cree que Memphis es la clase de chica que hace lo que le dicen? No me voy sin mi dinero, y si la policía hace preguntas, les presentaré a mi abogado. El señor Max Shoop puede decirles por qué está escondido en el armario de Jacquot.

Él estudió su cara con detenimiento: atenta y calculadora, sin señal de cansancio o de no haber dormido. Era una fuerza de la naturaleza, la tal Memphis Jones, inagotable en sí misma.

Decidió que podía comprarla.

—¿Cuánto? —le preguntó, sacando la billetera del bolsillo.

—Lo suficiente como para llegar hasta Marsella. Digamos... unos dos mil francos.

—Podría ir en tren por doscientos.

—Ahora mismo no. El mundo entero quiere huir hacia el sur hoy mismo, y yo no voy a esperar a mañana. No señor.

—Estoy sorprendido —dijo Shoop, lentamente—. Una chica como usted debería aprovechar la ocasión de encandilar a medio millón de soldados.

—Debería hacerlo —coincidió—, solo que mi hombre se largó de la ciudad anoche llevándose hasta el último penique que habíamos ahorrado. «Ve al banco mañana, Memphis. Diles que nos vamos de la ciudad, Memphis». Solo que los bancos no pagan ni diez centavos de las cuentas judías esta semana porque vienen los alemanes y creen que les va a llover del cielo una gran cantidad de efectivo duramente ganado, ¿me entiende? No hay cuenta que esta chica pueda tocar hoy. Si me da el dinero, caballero, me voy de aquí.

—No es tan sencillo.

Ella inclinó la cabeza, frunciendo el ceño. Shoop adivinó que él era el tipo de hombre que iba de cuando en cuando a su club: adinerado, mayor, con los apetitos firmemente abotonados bajo un cuello blanco almidonado. Ella creyó que sabía lo que quería.

—¿Está buscando un trocito del dulce trasero de Memphis, caballero? Porque si es así, tengo que decirle que no vendo el mío por dos mil francos de nada. A lo mejor no hay dinero en el mundo para convencerme de que se lo venda a usted.

Shoop consideró la oferta, y todo lo que la seguiría. Sonó un débil canto de sirena en su cabeza al pensar en las habilidades que esa mujer demostraría a ciertas horas de la noche.

—Quiero información —dijo con cautela—, acerca de uno de sus hombres.

—Esos son muchos, caballero. —Se dejó caer sobre la cama de Jacquot y cruzó las piernas, con aire de profundo aburrimiento.

Él sacó una pluma y un libro de cheques del bolsillo delantero de su chaqueta. Firmó bajo la suma de dos mil dólares, canjeable por efectivo en la oficina de American Express. A unos treinta francos el dólar, era más que suficiente para que Memphis llegase a donde quisiera ir.

Sujetó el cheque delante de su nariz.

Los ojos de ella, intensos y cálidos como el caramelo recién hecho, parpadearon; él estuvo a punto de perder la firmeza y de suplicarle que se acostara con él.

—¿A qué tipo se refiere?

—Al alemán —le respondió con suavidad, mientras ella cogía el cheque con los dedos—. El que suele andar por su club. Se llama Spatz.

5

—Así que era marica —reflexionó Bullitt mientras el coche negro y largo enfilaba el morro hacia el oeste, en dirección al Bois du Boulogne—, ¿y la chica no puede aceptarlo? Tonterías. Sally King es una de las chicas de Coco. No es tan inocente.

El embajador sacó una pitillera de oro del bolsillo de la chaqueta del esmoquin; Joe Hearst le ofreció fuego. La embajada estaba cerrando, ya habían mandado a Sally sola a casa en un taxi y los últimos rezagados descendían tranquilamente las escaleras; Bullitt le puso la mano en el hombro a Hearst de manera informal y le dijo:

—Monte conmigo.

Eso podría haber significado una hora a caballo por el Bois antes del desayuno —una de las costumbres inveteradas de Bullitt—, pero esa noche se refería al coche conducido por un chófer, y a un viaje en dirección oeste, al *château* que había alquilado en Chantilly. Bullitt odiaba estar solo. Especialmente a altas horas de la madrugada.

La llama amarillenta iluminaba ahora bajo la barbilla una mueca que recordaba las calabazas huecas de Halloween, encendidas por dentro; una cara astuta, que la luz parpadeante endurecía. Pertenecía a una de las mejores familias de Filadelfia, sangre azul de verdad, de la vieja escuela, y aun así había momentos en que Bullitt parecía un gánster. Tenía la mezcla de buena crianza y brutalidad que atrae a las mujeres como moscas.

—No intentaba parecer inocente —replicó Hearst con calma—. No negaba las circunstancias de la muerte. Le inquietaba la existencia de un tercer vaso en la habitación donde solo había dos cuerpos.

—El vaso estaba roto —desestimó Bullitt—. ¿Qué hace usted, Hearst, cuando se le rompe un vaso? Tirar los trozos y sacar otro.

—Pero ¿por qué sacar la cristalería fina? Según parecen haber sido las cosas, la noche se prestaba más a beber directamente de la botella o a fumar droga en pipa. Estoy de acuerdo con la señorita King. Ese detalle no encaja.

—Sally es muy bonita, ¿verdad? —observó Bullitt—. ¿Quiere levantarle la falda?

—Quiero enviarla de vuelta a los Estados Unidos en el primer barco que salga —respondió Hearst—. Con el cuerpo, si es posible.

—Conozco al *père* de Stilwell. Al juez, debería decir. Es una auténtica vergüenza para la familia. Tengo entendido que ese tipo, el marica, trabajaba en Sullivan & Cromwell.

—Sí. Por eso es particularmente interesante —dijo Hearst en un tono neutral—. Los hermanos Dulles.

Los hermanos Dulles.

John Foster y Allen, uno de ellos, el abogado mejor pagado del mundo y socio directivo de Sullivan & Cromwell, y el otro, socio recién llegado a la misma firma. Ambos con muchos contactos sociales en varios continentes y educados en Princeton.

Bullitt había estudiado en Yale y despreciaba a los hermanos Dulles.

—¡Dios! —resopló con rabia—. ¿Ha visto la basura que Foster está vertiendo incesantemente en el *New York Times?*

—Sí, señor, la he visto. —Los periódicos se enviaban por valija diplomática y generalmente llegaban antes de que pasara una semana desde su publicación.

—¡Dulles dice que Roosevelt ha traicionado a su propia clase! Insiste en que hemos malinterpretado a los nazis, y que deberíamos elegir a su amigo Lindbergh, en su lugar. Proclama a los cuatro vientos los mercados libres y la reducción de la deuda como fundamentos de la paz. El mundo se está derrumbando y en lo único que es capaz de pensar Dulles es en cómo sacar un dólar. Siempre fue un mierdecilla y un mercenario ese Foster.

—No sabía que se conocieran, señor —dijo Hearst, algo rígido.

—Hace años. El cabrón apareció en Versailles en 1918, pero no como diputado, como cabría pensar, ni como miembro del Departamento de Estado, sino como abogado.

Bullitt había asistido a la Conferencia de Versailles, por supuesto, como negociador oficial del entorno del presidente Woodrow Wilson.

—Enviaron a Foster desde Nueva York por pura especulación y cayó en la conferencia diplomática más importante de la historia reciente desde Waterloo. —El embajador exhaló una nube de humo como si el sabor le resultase amargo—. Finalmente nos fuimos todos a casa y dejamos solo a Foster. Llegó a hacerse indispensable para los poderes aliados como instrumento para lograr un compromiso. ¿Sabe por qué podía comprometerse, Joe? Porque Foster Dulles no tiene un solo principio. Ahora los alemanes le pagan por horas para que diga que los hemos jodido en Versailles. Dulles es el mayor defensor en Nueva York de los nazis; y el más rico. Deberíamos fusilarlo por traición.

—Pero su hermano...

—Oh, Allen es mejor. —El cigarrillo dibujó un arco incandescente—. Se dedica a engañar a su mujer, por supuesto, pero me gustan los tipos que saben vivir. Qué pena que dejase el Departamento de Estado por S&C; se decía que necesitaba el dinero para comprarle una joya a su mujer cada vez que sentía remordimientos. Dudo que el sueldo del Departamento llegue para comprar algo en Tiffany, ahora mismo.

O en Balenciaga, o en Cartier, pensó Hearst, asintiendo al recordar a su mujer, que lo había abandonado. Bullitt ya era rico; nunca se preocupó por asuntos como el sueldo.

—Allen sabe que Francia caerá como un castillo de naipes ahora que los alemanes han cruzado la frontera —añadió el embajador, sombriamente.

Eso no era lo que les había dicho a los ministros del Gobierno francés reunidos, hacía tan solo una hora; para ellos, el embajador Bullitt había estado excesivamente alegre. La mayoría de los asistentes a la fiesta de esta noche parecían tan hechos polvo como un puñado de agentes de bolsa en el Martes Negro. Bullitt había intentado animarlos con frases grandilocuentes acerca del espíritu de lucha de los franceses. Les llenaba las copas de champán una tras otra. Halagaba a las mujeres. Reynaud y Daladier y el ministro de Armamento, Raoul Dautry, hablaban sin esperanza de un combate cuerpo a cuerpo por las calles para salvar el alma de París. Sugirió que Winston Churchill, al que habían designado como primer ministro en Gran Bretaña hacía tan solo tres días, podría enviar más tropas. Habían planeado mandar una delegación oficial a la catedral de Nôtre-Dame, con la siguiente estrategia defensiva: rezarle a Dios, que sin duda sería francés, para que enviara a los alemanes de vuelta a casa.

—Si Francia cae, Inglaterra se hundirá en cuestión de semanas —continuó Bullitt—. Al final Oswald Mosley ocupará el diez de Downing Street y la familia real tendrá que huir en busca de refugio. La cuestión principal es conseguir que la flota británica llegue a Canadá, como ya le he dicho a Roosevelt, confidencialmente, por supuesto. ¡No permita Dios que se escuchen estos consejos en público! Tenemos que parecer neutrales, sea como sea, a causa de gente como Foster Dulles.

Joe Hearst también había saludado a Foster una vez, durante un verano idílico en Long Island, a principios de la década de los treinta: fumaba en pipa, era extremadamente reservado, hasta el punto de parecer ausente, y absolutamente falto de emociones. Habían contratado a Hearst para que les enseñase a los niños de Allen Dulles a jugar al tenis. Era verdad que engañaba a su esposa; aquel verano había seducido a una hermosa tenista rusa, mujer de un buen amigo. A Foster se le respetaba en Nueva York, y a la sufridora Clover Dulles la consideraban una santa, pero a Hearst fue Allen quien le cayó bien de inmediato; Allen, que era tan despiadado como su hermano mayor, pero que enmascaraba su falta de vida bajo un barniz de encanto, encandilando a niños y adultos con un simple movimiento de ceja. Hearst había seguido en contacto con Allen todos estos años porque una carta suya le había hecho sentirse como un brahmín más: «Mi amigo Hearst. Es algo en la embajada». Las cartas desde Nueva York se habían hecho más largas y frecuentes en los últimos meses, y estaba claro, pensó Hearst, que Allen Dulles estaba preocupado por la situación de Europa, por la de Sullivan & Cromwell y por el estado del alma de su hermano...

—Cómo me gustaría relacionarlo con Foster —meditó Bullitt, melancólicamente—. Dejar expuesta su empresa pequeña y pomposa en todos los periódicos del mundo: abogado de Sullivan asesinado en pleno acto sexual, o algo parecido. Pero no se puede hacer, por supuesto. Hay que pensar en la familia del joven.

Bill Bullitt podía despreciar a Stilwell por ser «maricón», pero Philip Stilwell tenía dinero y contactos que lo respaldaban, y en el mundo de Bullitt, esas cosas eran absolutas.

—La señorita King cree que han asesinado a Philip Stilwell —observó Hearst.

—Tonterías —repitió el embajador.

—Me ha enseñado una nota que le había enviado esta tarde. La tenía guardada en el estuche de la careta antigás.

—¿Jurándole una pasión inmortal? ¿Amor eterno? Vamos, Joe. Los hombres llevan mintiendo a las mujeres desde el principio de los tiempos. Especialmente los que son maricas.

—«Sally, querida, tal vez llegue un poco tarde a la cena esta noche, porque tengo una cita con un miembro de la firma», recitó Hearst. «No podemos permitir que el asunto Lamont continúe. Es inmoral, es ilegal y va a conseguir que nos hundamos todos».

El embajador frunció el ceño.

—Lamont. ¿Lamont?

—Rogers Lamont—le informó Hearst—. Otro de Princeton. También es abogado de S&C. Dejó la firma el pasado septiembre y se unió a la Fuerza Expedicionaria Británica. Probablemente esté ahora mismo retirándose de Sedán.

—¿Qué demonios tiene que ver Lamont con dos maricones muertos?

—La señorita King cree que Philip Stilwell encontró algo sucio entre los papeles de Lamont —dijo Hearst pacientemente—, algo que no debería haber visto. Cree que Stilwell era una amenaza para alguien que está en el poder. Cree que lo han silenciado.

—¿Alguien de la firma de Foster Dulles?

Hearst asintió.

En algún lugar, en la noche, una sirena antiaérea saltó. Bullitt se sumió entre las sombras del coche.

—Averígualo —dijo.

6

Emery Morris tenía casi cincuenta años. Había alcanzado una cierta posición en la vida a base de discreción y trabajo constante. Si le hubieran pedido que describiese la dimensión y la localización exacta de esa posición, los parámetros que cumplía, Morris habría vacilado o habría sido comedido. Habría mentido. No era un hombre al que le gustase que lo definieran. Aunque en asuntos legales Emery Morris exigía precisión, en el terreno de lo personal era obstinadamente impreciso.

Pero el disfrute de la posición que había alcanzado se apoyaba en ciertas reglas inviolables. Una de ellas era estar siempre libre de implicaciones personales. Las implicaciones eran simples medios para llegar a un fin, que en opinión de Morris era siempre el control de uno por parte de gente que despreciaba. Su mujer, a la que se había unido como un requisito necesario, por aquello de llevar una existencia respetable, estaba incluida en esta categoría.

Con sus clientes aplicaba una regla parecida. Sus asuntos legales podían necesitar del genio de Emery Morris, y si lo recompensaban bien por la dedicación de su tiempo e inteligencia, entonces, de acuerdo. La naturaleza de la persona que le pagaba, fuese encantadora o repugnante, compasiva o malvada, era irrelevante. Morris haría su trabajo. Los criterios que establecía y la forma en que alcanzaba su objetivo eran solo asunto suyo.

La tercera ley de Morris era que necesitaba exactamente ocho horas de sueño al día. El haber incumplido esta regla le hacía ahora tener un tic nervioso, mientras pagaba indignado el taxi en la Rue Cambon a las dos y doce minutos de la mañana. Estaba agotado y todo por culpa de Philip Stilwell.

Esperó hasta que las luces traseras del taxi desaparecieran al doblar la esquina. Los comercios bulliciosos de la Place Vendôme, la entrada silenciosa del Ritz, las verjas cerradas sobre las *vitrines* de las joyerías, la base del obelisco cubierta de sacos de arena por si acaso la estatua de Napoleón se cayese derribada por una bomba alemana, todo estaba inmóvil y silencioso a estas horas. El resto de París balbuceaba en sueños, pero aquí una luz aislada perforaba la negrura del hotel Ritz. Morris nunca había sentido el pulso de París como si fuese algo vivo, así que le dio la espalda a la plaza y metió la llave en la puerta exterior del edificio de oficinas. Maldiciendo a Stilwell, que estaba muerto, y a Rogers Lamont, que podría estar en estos momentos retirándose de Sedán. La mayoría de la gente pensaba que Morris y Lamont eran amigos. Semejante idea les habría sorprendido a ambos.

Bostezó, abriendo mucho la boca, mientras subía los escalones sin alfombrar. Faltaba una hora para que llegase el segundo taxi. Habría cajas, demasiado pesadas como para cogerlas una sola persona. Tendría que darle una propina al conductor.

Spatz no había visto irse a Emery Morris. Los dos hombres se ahorraron las formalidades y los apretones de manos. Se fueron del Alibi Club, uno hacia el taxi que lo esperaba en la calle y el otro con los puños en los bolsillos, como si no se conociesen por el nombre de pila. Esa indiferencia podría ser crucial algún día.

Como todo el que escogía surcar las calles oscuras de la ciudad, Spatz llevaba una linterna de bolsillo con la lente pintada de azul oscuro. Sin embargo, era una noche de luna llena y no se molestó en encender la linterna mientras caminaba. Sus ojos de pájaro brillaban y llevaba la cabeza hacia delante, como si quisiera escuchar alguna conversación privada. A Spatz le gustaba esta hora de la noche en París, esa libertad de las calles, la manera en que los edificios antiguos y todo lo que habían vivido quedaban al alcance de su abrazo. Nunca había habido un reino que desease más que este.

La carrera del alemán había sido una serie de enredos, de compras y ventas con financiación ajena, de chantajes, de emociones y pérdidas de las que no llevaba la cuenta. Mientras caminaba pensaba en Jacquot colgado de una araña y en la manera en que ese americano llamado Morris había olvidado guiñarle un ojo mientras hablaba rápidamente y en voz baja, salpicándole la mejilla de palabras. La voz susurrante de Memphis Jones se filtraba en sus pensamientos; por la mañana estaría furiosa por su deserción.

Anduvo unos treinta y tres minutos, dando un paseo sin objetivo aparente que dibujaba una serie de círculos concéntricos que se estrechaban cada vez más y más alrededor de una diana aún por definir. Podría haber vuelto a la residencia suntuosa de la que se había apropiado para vivir en el *arrondissement* dieciséis, pero su prima, que era la propietaria, estaba a punto de llegar de un momento a otro y no tenía ganas de verla. La guerra había cambiado sus relaciones indiferentes, había puesto precio a sus cabezas. Durante meses había preferido pensar que no ocurriría nada que fuera terrible: el hecho de que el ejército alemán hubiera cruzado las líneas en Sedán le forzó a pensar en su futuro. Igual que a Emery Morris, aunque de una forma diferente.

El problema de Morris era una ficha de juego servida en bandeja de plata. El abogado esperaba que Spatz diera la noticia de la muerte de Philip Stilwell a sus superiores en Berlín; pero Spatz no tenía prisa. Stilwell estaba muerto. Habría que ver qué oportunidades había dejado el joven tras de sí.

Enfiló la Rue St-Jacques, calle arriba, pensativo, justo cuando las campanas de Saint-Séverin y Saint-Julien-le-Pauvre anunciaban las dos y media. La acacia enorme de la plaza Viviani era casi tan vieja como las campanas. Fumó un poco, sintiendo el aire primaveral temblar a su alrededor como si se hubiera convertido en unas aguas profundas. En el silencio que siguió a las campanadas, advirtió que sus ojos se habían fijado en una ventana de un apartamento del edificio de enfrente, en el segundo piso, a la izquierda de la entrada. Un resplandor azulado indicaba que había una luz matizada en el interior. Una silueta caminaba, oscura contra la oscuridad de las sombras. La chica de Stilwell seguía levantada.

Spatz sonrió para sus adentros, divertido por las exigencias incansables del subconsciente, que había guiado sus pies hasta el mismo lugar que le había sugerido Emery Morris, y tiró el cigarro a la alcantarilla. Al cruzar la calle empezó a silbar un fragmento de una canción, algo, cómo no, de Memphis.

Tres pilas de archivos se bamboleaban en el suelo delante de Emery Morris: aquellos que no significaban nada, los que quería guardar y los que tenía que destruir.

Había registrado todos los cajones del escritorio de Rogers Lamont, había desvalijado las cajas amontonadas cuidadosamente detrás del mostrador de recepción de madame Renard e incluso había abierto con una palanqueta la cerradura endeble de la pequeña oficina de Philip Stilwell. Los tímidos diplomas estaban expuestos en la pared de yeso, las fotos de sus padres enmarcadas en blanco y negro, y había una foto publicitaria de la chica que había aparecido hacía unas horas en la Rue Rivoli. Morris había conocido a Sally en el Ritz Bar, y no le gustó de entrada; una mujer honrada no marcaría el cuerpo de aquella manera, día tras día, ni se quedaría ante los fotógrafos tranquilamente como una vaca en un *abattoir.*[1] *Cerda,* murmuró entre dientes mientras recorría con sus manos blancas el puro. *Furcia. Putón.* Un débil aroma a sudor y a fracaso se le metió en la nariz.

Habían pasado cuarenta y un minutos y finalmente comprendió lo que faltaba. El único archivo que no se debería haber abierto. El archivo que no debería existir.

Se detuvo un instante en mitad de la oficina de Philip Stilwell. Aquel joven inconsciente se lo había robado a Lamont, de entre sus cosas, por supuesto, pero, ¿qué había hecho con él?

Entonces se le ocurrió, con una claridad meridiana.

—La chica —dijo.

Estaba hojeando todos los papeles que Philip le había escrito durante los últimos ocho meses: notas sueltas, retazos sin firmar y la extraña carta de regalo que le había dejado en la almohada. Los miraba como si la caligrafía descuidada y elegante fuese efímera, como si pudiese evaporársele de las manos como su aliento o la luz de sus ojos. Había guardado la mayoría de sus notas con la creencia absurda de que un día le traerían buenos recuerdos, un poco de absurdidad que podría recuperar de algún ático de Connecticut con unas palabras imprecisas: «estas son de cuando conocí a tu padre en París, antes de la guerra».

Estaba bebiendo Pernod porque era la bebida preferida de Philip, y necesitaba encontrar algún modo de llegar hasta

---

[1] N. de la T.: Matadero.

él. El pánico la había invadido como una ola de un océano helado desde el instante en que cerró la puerta de su apartamento, un pánico que podría haberse debido a la negrura de la hora o a la imagen del cuerpo de Philip, que no podía quitarse de la cabeza, pero que creyó que tenía más que ver con la absoluta certeza de que volvía a estar sola, sin perspectivas, ni dinero, ni nadie que la ayudase, mientras los alemanes se acercaban marchando a ritmo constante a través de Bélgica. Sally estaba llorosa y mareada, sentada en el suelo con las piernas cruzadas, y vestida con el albornoz de baño, porque no había cenado nada y aquel fuego de sabor a regaliz se le había subido a la cabeza. Estaba aterrada porque no sabía si ahora podría quedarse en París y no quería volver a Denver o a la casa desconocida de Round Hill, donde una mujer sin duda la culparía a ella, Sally, simplemente por haber estado en París y haber permitido que Philip muriese.

Cuando llamaron a la puerta con los nudillos se asustó tanto que se le derramó el Pernod por el albornoz. Luego pensó, *Tasi,* la mujer que vivía al lado, una *émigré* rusa llamada Anastasia que se ganaba la vida de forma dudosa como acompañante en uno de los clubes nocturnos. Tasi trabajaba a todas horas, nunca dormía; su apartamento era una nube de humo y vapores del samovar.[2] Habría sabido por el sonido de sus pasos que Sally estaba levantada, y cuando abriera la puerta, encontraría a Tasi con un cigarrillo en la mano y los ojos perfilados con *kohl,* a la espera de un trago de vodka. Sally abrió la boca para contestar, pero la cerró de nuevo. No podía ver a Tasi esta noche.

La segunda vez que llamaron fue más fuerte, perentoria; una citación que no podía rechazarse.

[2] N. de la T.: Recipiente ruso para preparar el té. Funciona con carbón.

—¿Mademoiselle King? Es la policía. *Ouvrez la porte, s'il vous plaît.*

El suspiro que se le escapó a Sally fue casi un sollozo. Entonces, lo habían entendido. No estaba loca. Habían comprendido por fin que habían asesinado a Philip y que toda la escena de la Rue de Rivoli era una farsa macabra. A lo mejor se lo había dicho el hombre de la embajada: si a los franceses no les preocupaba la justicia, a los americanos sí.

Sally se pasó el dorso de la mano por los ojos húmedos y fue hacia la puerta.

El pasillo estaba oscuro como si hasta las bombillas pintadas de azul se hubieran apagado, pero advirtió el traje de fiesta del hombre, la elegancia de su cara y la forma en que parecía sonreírle mientras avanzaba hacia ella intentando agarrarle el cuello con ambas manos. Ella jadeó mientras el mundo se oscurecía, como una mujer sorprendida por el amor.

7

Joe Hearst no había vuelto a dormir bien desde que Daisy le abandonó. Es posible que se hubiera acostumbrado al sonido protector de la voz de su mujer, que se hubiera habituado a refugiarse en el escenario que ella había hecho de su mundo, a confundirse con el fondo. Se sentía cómodo al moverse sin ser visto. Ahora, en el eco de las habitaciones altas y destartaladas de la Rue Lauriston, estaba intimidado, demasiado consciente del silencio y de su incapacidad para llenarlo. A veces captaba su propia imagen en los espejos, furtiva e irreconocible. Comenzó a andar por los mil seiscientos metros cuadrados con su albornoz de baño y en zapatillas, por el pasillo apagado, mientras tarareaba una canción alegre.

El amanecer del día siguiente a la muerte de Stilwell, Hearst estaba por el suelo con una taza de café en la mano y los sentidos embotados. Había hecho una lista de preguntas y las estaba repasando con el mismo fervor de un niño para aprenderse a Shakespeare.

1. ¿Guardaba la secretaria de Stilwell un registro de sus citas fuera del despacho?
2. ¿Le preguntó alguien a la portera del edificio si había visto a Stilwell o a sus invitados?
3. ¿Había un tercer hombre? ¿(O mujer)?
4. ¿Qué bebían en las copas?

5. ¿Cómo murió Stilwell? (¿Qué hombre de veintiocho años sufre un ataque al corazón!).
6. ¿Por qué los abogados de París de Sullivan & Cromwell siguen presentándose a trabajar en mayo si Foster Dulles cerró la oficina en septiembre pasado?

Se le ocurrían aún una docena más de detalles que lo dejaban perplejo y que requerían una investigación, pero la imagen persistente de la cara de Sally King los ahuyentaba de su mente y los esparcía a los cuatro vientos.

Había notado su angustia anoche, pero también un deseo intenso de justicia que rayaba con la compulsión. ¿Amaba a Stilwell? ¿O era solo un matrimonio de conveniencia, un billete a casa que la sacara de una vida autocrática siempre a disposición de Coco Chanel? ¿Se convenían mutuamente, Sally y Stilwell, un homosexual y una trepa, o se amaban?

Hearst había buscado respuestas referentes a la naturaleza del amor durante algún tiempo, pero era consciente de que su preocupación personal, su vagabundeo por los vestíbulos de la filosofía, no tenían nada que ver con Philip Stilwell. Dos hombres habían muerto y los alemanes se acercaban. Los detalles de los amoríos de Sally King eran irrelevantes.

Dejó la taza de café, que había perdido el platillo en alguno de sus viajes, y ojeó de nuevo las páginas que había estado leyendo mientras salía el sol sobre París. Una carta fechada hacía más de dieciocho meses, que relataba los acontecimientos que habían tenido lugar en el otoño de 1935.

> «[...] es absolutamente inadecuado que debamos continuar representando a clientes alemanes en estos momentos, cuando las firmas de Nueva York ya han cerrado las oficinas o han cortado las relaciones con sus agentes de Frankfurt, Munich y Berlín. [...] Le he explicado a mi hermano que su

dedicación a esos amigos durante varias décadas es comprensible, pero que esa amistad está condicionada por las circunstancias presentes [...]. No se debe permitir que el interés personal se anteponga a la obligación pública [...]. Él mantuvo que era una cuestión de principios, bien fundamentada en el intelecto y la experiencia, y que si no fuera por el liderazgo oportunista y explotador de nuestros días, tales dificultades no se presentarían [...]. Pero aceptar tal tratamiento de nuestros clientes judíos en todo el mundo, sin mencionar a nuestros socios judíos, por parte de las políticas nacionalsocialistas es inaceptable [...].».

Allen Dulles

Hearst casi podía oír la voz seca y ensayada, aquellas frases sardónicas que encubrían una violencia soterrada. Allen Dulles era un hombre de temperamento frío y pasiones controladas, lo que en opinión de Hearst era preferible al talento de su hermano Foster para no sentir nada.

Se había producido una escena desagradable en la sala de reuniones de los directivos en S&C el día en que Foster Dulles fue obligado a cerrar en Berlín, en 1935. Allen intentó razonar con él en privado. Le dijo que estaba mal visto que atendiese a los clientes nazis de S&C cuando estos estaban convirtiendo a los judíos en cabeza de turco, pero Foster se negó a escuchar a su hermano menor y por eso Allen expuso el asunto para que lo votasen todos los socios. Y ganó.

Hay quien dice que Foster lloró.

Luego le dio efecto retroactivo a la decisión en los registros de la firma hasta 1934.

Si Allen sacaba a colación el asunto en su carta a Hearst tantos años después, no era porque le gustase airear los trapos sucios de su hermano, ni porque fuera un cotilla impenitente, sino porque no era un hombre que se dejara arrullar por el canto de una paz falsa. La oficina de Berlín se cerró y la mayoría de sus abogados se marcharon. No a Nueva York, por cierto, sino a París...

> «[...] Naturalmente, Joe, te estaría agradecido si me avisaras con tiempo de cualquier deterioro de las circunstancias...».

¿Qué quería decir Allen exactamente? ¿Que le avisara con tiempo del avance alemán? ¿Que le notificase puntualmente la caída de Francia? Allen Dulles tenía amigos en Washington que podían enviarle por cable las noticias antes de que ocurrieran. No necesitaba un secretario político en París para eso. Hearst manoseó la taza de café, ya vacía, y consideró cómo era el Dulles que había conocido: ojos implacables escondidos tras unas gafas de montura de acero, mostacho recortado, labios sensuales, delineados con precisión y dedos infatigables. Dulles debía saber a estas alturas que Philip Stilwell estaba muerto; su socio, Max Shoop le habría enviado un telegrama inmediatamente a Nueva York. Algo indirecto y lacónico, le mandaría los detalles después, en una carta personal. Hearst se imaginó a Dulles cogiendo un coche con chófer en estos momentos, teniendo en cuenta la diferencia horaria, y dirigiéndose hacia el hogar de Stilwell en Connecticut para dar la noticia.

¿Sentía cernirse la amenaza? ¿Sabía que el escándalo, y el intento de evitarlo, dependían de la habilidad de su firma para silenciar a Sally King?

Fue Tasi Volkonskaya, al volver del Club Shéhérazade al amanecer, quien la encontró.

La puerta del apartamento de Sally estaba entreabierta y la luz azulada se metía reptando hasta el pasillo, que estaba previsiblemente oscuro. Tasi golpeó en la madera y dijo *bonjour* como si tuviese la intención de pasar de largo e ir a su piso, pero al no obtener respuesta se extrañó y se asomó al umbral del pequeño apartamento.

Estaba destrozado.

Papeles, bufandas, ropa y libros estaban esparcidos por todo el suelo; había comida enlatada, posos de café y tinta derramados por la alfombra. Incluso la ropa interior de Sally estaba tirada en el respaldo de una de sus dos sillas Luis XV, que había comprado en un rastrillo con Philip y que había pintado de blanco para que parecieran salidas de Elsie De Wolfe. La misma Sally estaba tendida como una reina en el sofá que servía también de cama. Irritada, Tasi pensó que se había ido a dormir en medio de todo aquel destrozo, como una niña agotada después de una pataleta. Luego le vio los cardenales morados en el cuello.

Cuidadosamente, cruzó la habitación de puntillas, con sus zapatos de baile. Por un instante se movió sobre la figura boca abajo como si temiese molestar a los muertos. Tenía los ojos cerrados y Tasi pensó que era una buena señal: todos los cadáveres que había visto los tenían abiertos, y la mirada fija. Le alcanzó la muñeca, vacilante, e intentó encontrarle el pulso.

Más tarde, cuando madame Caullebaut, la portera, acabó de gritar y la sirena de la ambulancia dejó de sonar en su carrera hacia el Hôpital des Étrangers, Tasi se quedó en el estudio vacío de Sally lo bastante como para encender un cigarrillo. Era difícil saber por donde empezar. Cogió un par de libros, colocados en pilas ordenadas contra la pared, recogió un jarrón y tiró las flores marchitas. Fresias del mercado de St-Louis, así era el Philippe de Sally, siempre flores blancas de todo tipo perfumándole el pasillo. ¿Habría sido su amante el que le había hecho esos cardenales y había tirado los libros de las estanterías?

Tasi se quedó en la puerta, siguiendo con la mirada el humo del cigarro. Tal vez Sally no volviera a despertar, podría morir *enfin,* y tendría familia en su casa que querría saber el nombre del responsable de aquello. Supervisó el apartamento con ojo crítico, buscando... ¿qué?

Estaba el diván donde dormía, el armario con la puerta abierta hasta atrás, el biombo detrás del cual se cambiaba Sally, el espejo de cuerpo entero, las dos sillas Luis XV, un quemador de gas, que apenas usaba y la pila. El baño comunitario estaba al final del pasillo.

Los ojos de Tasi repararon en el estuche de la careta antigás, tirado como un trozo de carbón entre el armario y el biombo. A menudo le había envidiado a Sally esa careta; las habían repartido entre los ciudadanos de París, pero no entre la mayoría de los extranjeros. Tenerla era una señal de identidad. Se preguntó una vez más dónde la habría conseguido. *Philippe,* decidió con disgusto, y la cogió.

Dentro estaban la careta, como una gárgola de goma enrollada, y los papeles de Sally, su *carte d'identité* de ciudadana americana y, por tanto, neutral. Una mujer rubia nunca era bastante precavida en estos tiempos: había espías alemanas por todas partes, quintacolumnistas, las llamaban, la policía las interrogaba constantemente.

Había enviado a Sally al hospital sin su carné, una complicación para la pobre; pero *tant pis,* Sally nunca podría probar que Tasi hubiera tocado sus cosas; estaba totalmente inconsciente cuando los de la ambulancia se la llevaron. Tasi se guardó el carné; una mujer judía que conocía daría cualquier cosa por tener papeles neutrales. Rebuscó en el fondo del estuche, esperando encontrar un pasaporte, pero solo encontró cuarenta y nueve francos en monedas, cigarrillos, polvo compacto y una barra de labios de un tono rosa llamativo.

También una tarjeta de visita con el nombre de «Joseph W. Hearst, Embajada de los Estados Unidos de América» escrito en ella.

Tasi frunció los labios y manoseó el contorno de la tarjeta. El teléfono más próximo estaba en el *tabac,* en la esquina de la Rue St-Jacques, y probablemente era demasiado temprano para llamar. Tendría que ponerse algo más adecuado. Hacer café. Decidir exactamente qué historia debía contar, y cómo lo haría.

—Han asaltado a Sally.

Bullitt levantó la vista de su escritorio, donde estaba leyendo un cable de la Casa Blanca, y frunció el ceño en dirección al hombre que le hablaba desde la puerta. Hearst tenía las manos apoyadas contra la jamba, y la cabeza hacia delante como un galgo. El embajador estuvo tentado de echarle un buen rapapolvo por la interrupción, pero le intrigó la furia en el rostro del hombre más joven. Bullitt nunca había visto a Hearst perder la compostura diplomática, ni siquiera cuando charlaron, como les obligaban las convenciones, la mañana después del cataclismo que supuso la marcha de Daisy. Entonces, Bullitt admiró la indiferencia casi británica de Hearst al dolor. Hoy estaba presenciando algo bastante menos controlado.

—Siéntese.

Hearst hizo caso omiso, y se puso a andar sobre la ancha alfombra turca que Bullitt había encontrado en un bazar y había colocado delante del escritorio como recuerdo del palacio sobre el Bósforo.

—Está en el Hôpital des Étrangers, con fractura de cráneo y unos cardenales que indican que alguien ha querido estrangularla. No han perdido el tiempo, ¿verdad?

—¿Han?

—¡Los que hayan matado a Stilwell! No puede negar la conexión, señor. La mujer que llamó, una vecina, dijo que la casa de Sally estaba destrozada.

Con que Sally, ¿eh? meditó Bullitt, y dijo:

—¿Han robado algo?

Hearst se encogió de hombros con impaciencia.

—Sabe Dios. Todavía no ha vuelto en sí. Tal vez nunca... Es una pérdida tan grande.

—¿Cree que existe una relación con ese asunto de Sullivan & Cromwell?

—¡Por supuesto!

—¿No cree que sea un atraco casual a una mujer que llegó a casa demasiado tarde, sin protección?

Hearst se quedó mirándolo con incredulidad.

Bullitt se recostó en el sillón enorme y apartó con fuerza las instrucciones de Roosevelt a un lado con la mano izquierda. En la derecha, colgaban las gafas de leer.

—Dígamelo sin rodeos, Joe. ¿Qué ha dicho la policía acerca de la muerte de Stilwell?

Hearst había llegado a la embajada justo después de las siete treinta de la mañana y a Bullitt le habían dicho que el joven ni siquiera había esperado a tomarse un café antes de salir con un francés llamado Petie para la *préfecture de police.* Petie era Pierre duPré, un hijo de puta sardónico con una boina azul oscura que había trabajado para la embajada durante casi toda la última década. Él mismo le contó la incursión al embajador.

—Exactamente lo que esperábamos —escupió Hearst—. La muerte de Stilwell es accidental y lo de su amigo lo consideran un suicidio. Tienen que hacerles la autopsia.

—Pero usted no se lo cree.

Hearst se detuvo por fin ante el escritorio de Bullitt.

—La señorita King nos contó su historia, señor, y casi la matan pocas horas después. Han registrado su piso minuciosamente con una excavadora. Alguien está buscando algo. Una cosa por la que han sido capaces de matar para tratar de ocultarlo.

—¿Qué quiere que haga, Hearst? ¿Llamar al primer ministro Reynaud y exigirle una explicación?

—Podría llamar al superintendente de la policía, señor.

Se oyó una tos seca que sugería una interrupción desde la entrada al despacho del embajador. Hearst se puso tenso; Bullitt enarcó una ceja extrañado ante su *chargé,* Robert Murphy.

—¿Qué ocurre, Bob?

Murphy miró una hoja de papel.

—Estamos recibiendo informes de la llegada por tren de muchos refugiados belgas y holandeses en la Gare du Nord. Son trenes de evacuación de la Cruz Roja, repletos de mujeres y niños. La mayoría están heridos o muertos.

—¿Muertos?

—Parece ser que los alemanes están ametrallando los trenes sin importarles que vayan marcados con letreros que dicen *«Enfants. Croix Rouge»*. —Los ojos de Murphy se cruzaron con los de Bullitt—. Están llevando a los supervivientes a varios hospitales, señor. Me gustaría que Hearst fuese allí, que hablase con quien le sea posible, para ver si esa gente conoce el avance nazi. Son los únicos testigos que vamos a poder conseguir para que nos informen de lo que ocurre en el frente.

—El maldito hijo de puta de Krauts... —gruñó Bullitt, luego miró largamente a Hearst—. Joe, ¿por qué no empieza por el Hôpital des Étrangers?

—Voy por mi sombrero —dijo tranquilamente.

—Una cosa más, señor —siguió Murphy, mientras Bullitt volvía a coger el cable del presidente—. Sé que es un engorro en una mañana como esta, pero se niega a aceptar un no por respuesta...

—¿Quién?

—El señor Max Shoop, de la firma de abogados Sullivan & Cromwell. Exige verlo.

8

A Hearst le recordó a un cardenal mientras esperaba ante la puerta; los observaba en silencio, juzgándolos bajo unos párpados pesados. Max Shoop había venido a presentar batalla, y ya había ganado el primer asalto. Bill Bullitt había accedido a verlo.

—Max. Es un placer. —Bullitt se levantó y le alargó la mano—. Creo que no nos hemos visto desde la fiesta de Navidad. ¿Cómo está Odette?

—Bastante bien, señor embajador —le respondió Shoop—, aunque está preocupada por los alemanes, naturalmente. Se acuerda de 1914.

—Llévesela a Nueva York, mientras dure esto.

Shoop sonrió con esfuerzo.

—Dudo que Odette fuese.

—¿Conoce a mi secretario político, Joe Hearst?

—Nos conocimos en Navidad. —Shoop alcanzó una silla, despreciando al joven por completo.

La enemistad de Hearst se disparó. Quería agarrarle por el cuello blanco almidonado y gritarle: *¿Quién de vosotros intentó estrangularla anoche?*

—¿Qué podemos hacer por usted, Max? —le preguntó Bullitt.

El abogado se puso el sombrero sobre las rodillas, moviéndolo con los dedos.

—Bien, Bill, ha ocurrido algo desafortunado en S&C. Uno de nuestros miembros más jóvenes murió anoche repentinamente, de un ataque al corazón.

—Philip Stilwell.

—Así que ya lo sabe. ¿La policía...?

—La policía —confirmó Bullitt—. Hearst, aquí presente, ha hablado con la Sûreté.

Sus ojos desconfiados se centraron en el rostro de Hearst, que al sentir la inteligencia calculadora del abogado recorrer su cuerpo como si fuera un par de manos enguantadas, se ofendió. Decidió sorprender al hombre.

—La señorita King apareció anoche en la embajada y nos dijo que habían asesinado a su prometido.

—¿Asesinado? —La expresión de Shoop no se alteró—. Qué afirmación tan extraordinaria. Supongo que estaba... alterada.

—Esta mañana está ingresada en el hospital con el cráneo fracturado —observó Bullitt.

—¡Dios mío! —Dio la sensación de que un temblor le recorría el cuerpo al abogado, pero lo disimuló acomodándose en la silla—. No tenía ni idea. ¿Qué ha ocurrido?

—Alguien ha intentado estrangularla —dijo Hearst—. Buscaba algo, parece que han saqueado el apartamento de la señorita King. ¿Sabe qué podía estar buscando, señor Shoop?

El señor Shoop no respondió.

Hearst caminó despacio por la habitación y se quedó de pie junto a la silla de Shoop.

—Su abogado muerto y la chica herida gravemente. No es una coincidencia. Es inexplicable. Será mejor que nos diga qué es lo que está pasando en Sullivan & Cromwell antes de que alguien más muera.

Shoop torció la boca.

—Estoy tentado de llamar a mi abogado. Pero yo soy abogado, ¿verdad? Así que no servirá de nada decirlo.

Estaba decidido a proteger algo, o a alguien. ¿A algún colega, a la propia firma, a él mismo? Hearst esperó, con los ojos fijos en el rostro rígido del abogado. Casi notaba cómo Shoop elaboraba las respuestas cuidadosamente.

—¿Me promete que lo que les diga no saldrá de esta habitación?

—No. —Bullitt, pesaroso, movió la cabeza—. Mi primer deber es para con el presidente, Max, como bien sabe. Si puedo mantener en secreto su confidencia sin traicionar su confianza, lo haré. Palabra de caballero.

—Si tengo la menor razón para pensar que han asesinado a Philip Stilwell y que usted está implicado —dijo Hearst—, haré todo lo que esté en mi mano para ver cómo lo cuelgan, señor Shoop. Palabra de caballero.

—En este país usan la guillotina. —Shoop le dio un golpe al ala del sombrero con un dedo; su expresión no se alteró—. Muy bien; me arriesgaré. Sabe que Foster Dulles, nuestro socio directivo de Nueva York, cerró oficialmente el despacho de París el pasado mes de septiembre, cuando se declaró la guerra entre Alemania y Francia.

—Pero usted aún va a la oficina todos los días y ya han pasado ocho meses. ¿Qué hace allí?

—Convierto la paja en oro, señor Hearst, antes de que los alemanes entren en Francia y toda la paja se convierta en humo.

—¿Qué quiere decir?

—Los negocios de los judíos. Los bancos judíos. Las sociedades judías que gobiernan algunas de las empresas más lucrativas de Europa. Millones de dólares en activos y en acciones, y las relaciones financieras estarán en peligro en cuanto los alemanes invadan Francia, lo que, como sabrán, es probable que hagan en cuestión de semanas.

—Pero Hitler confisca los negocios judíos —objetó Hearst—. Ha ocurrido en todas partes: Checoslovaquia, Austria, Noruega. En la misma Alemania.

—Exacto —confirmó Shoop—. Por eso, durante los últimos ocho meses, hemos trabajado día y noche para nuestros clientes judíos. Hemos falsificado pistas con papeles que indican que sus activos, sus negocios y sus acuerdos financieros son en realidad propiedad de entidades de países neutrales. Suecia, por ejemplo. España o Portugal. Incluso, a veces, entidades de los Estados Unidos.

—¿Cree que a los nazis les importa algo lo que digan los papeles? —soltó bruscamente Hearst.

Shoop lo miró inexpresivamente.

—Hasta la fecha, el gobierno nacionalsocialista ha respetado los derechos y la propiedad de los neutrales. El truco está en conseguir bastantes voluntarios neutrales como para llevar a cabo nuestro programa. Hemos tenido que encontrar socios con unos bolsillos muy grandes para que nos sirvieran como compañías de reserva durante un periodo de tiempo indeterminado. Ha sido difícil. Una transferencia de propiedad falsificada exige un cierto nivel de riesgo, o un compromiso solidario suicida. La familia Wallenberg ha sido de gran ayuda en Suecia, pero son muy astutos, no podemos estar seguros de que cumplan su acuerdo cuando la guerra haya acabado.

—¿Lo que significa...?

—Que hay una estipulación verbal en todos los casos que establece que cuando la guerra haya acabado, si es que alguna vez acaba, los socios judíos podrán recuperar sus activos.

—¿Y sus clientes judíos están de acuerdo con este procedimiento?

Shoop se encogió de hombros.

—Algunos sí. Los que llevan más tiempo trabajando con nosotros y los que están más desesperados. Otros... He notado que les cuesta creer que está a punto de ocurrir lo peor. Desean creer que Francia detendrá a los alemanes y que los negocios seguirán como hasta ahora. Esa no es la imagen del futuro que yo les he dado a mis clientes, pero no todos están dispuestos a seguir mi consejo.

—¿Sabe Dulles lo que está haciendo?

—Sí —Shoop sonrió—. Después de todo, son negocios. Foster entiende el concepto de conseguir un dólar mejor que nadie en este mundo.

Bullitt soltó una carcajada.

—A eso es a lo que se dedica.

—¿Trabajaba Philip Stilwell en ese proyecto de transferir la propiedad judía? —preguntó Hearst.

—Sí.

—¿Sería capaz alguien de matarlo por eso?

Shoop juntó las palmas de las manos —parecía el papa, considerando la doctrina de la infalibilidad— y añadió:

—¿Quiere decir matar a Philip para evitar que se transfiriese la propiedad de una compañía en particular? Seguro que hay formas menos dramáticas de impedirlo. Como esperar una semana a que lleguen los alemanes y que tengamos que cerrar definitivamente.

—Usted fue al apartamento de Stilwell anoche —insistió Hearst—. ¿Por qué?

—Philip me pidió que fuera. Quería discutir un asunto privado.

—El asunto de Rogers Lamont.

Por primera vez, Shoop miró a Hearst a la cara sin poder evitarlo. No se esperaba ese ataque; pensaba que había satisfecho su curiosidad por completo con su cuento de las transferencias de propiedades.

—«No podemos permitir que el asunto Lamont continúe» —recitó Hearst—. «Es inmoral, es ilegal y va a conseguir que nos hundamos todos».

—No sabía que fuera usted un espía, señor Hearst. —Shoop se levantó de la silla con brusquedad—. Esa era una nota privada entre Philip y yo. Creía que estaba tratando con hombres honorables.

Hearst sacó un papel doblado del bolsillo delantero de la chaqueta.

—Stilwell envió esto a la señorita King antes de morir. Ella me lo dio anoche. ¿Estaba vivo cuando usted llegó a la Rue de Rivoli, ayer?

Shoop vaciló. Miró a Bill Bullitt, que se había recostado en el respaldo de su silla y estaba mirando al techo, como esperando pacientemente a que el drama acabase. Shoop suspiró.

—Si ha hablado con Sally, ya sabe cómo lo encontré. —Se pasó la mano por los ojos, al recordar—. No lo podía creer... Nunca pensé que Philip fuese... Al principio pensé que era un suicidio. Algo que había elegido para arrojármelo a la cara, aunque no puedo llegar a imaginarme por qué. Pero ahora, no lo sé...

Porque si de hecho lo han asesinado, tú eres el primer sospechoso, pensó Hearst.

—¿Había alguien más en el apartamento cuando llegó?

—No. La puerta estaba entreabierta. Entré y vi el cadáver colgado de la araña, retorcido de forma horrible, con la lengua fuera; nunca había visto nada parecido, ni siquiera en la última guerra, y entonces llamé a Philip. Al no responder, me obligué a mi mismo a caminar por la habitación...

—¿Estaba caliente?

Shoop abrió ligeramente los ojos.

—¿Perdón?

—¿Le tocó la piel a Stilwell? ¿Estaba caliente?

—Yo... sí. Le toqué el cuello —el lado izquierdo, creo— y comprobé si tenía pulso. Nada. Pero sí, estaba caliente.

—¿Qué hizo entonces? ¿Se puso algo de beber?

—¿Qué? No, me temo que... me fui. Fui a buscar a la portera en el bajo —madame Blum— y le pedí que llamara a la policía. Sin duda ya conoce el resto.

Hubo un breve silencio.

Entonces Bullitt tiró la silla al suelo con estruendo y dijo secamente:

—Lamont. ¿Qué hay de Lamont?

—No lo sé. No llegué a enterarme. Philip estaba muerto.

—Pero seguro que tiene alguna idea. —Bullitt adelantó enérgicamente su cabeza cuadrada, beligerante, taladrando a Shoop con la mirada fija en su rostro? Cuénteme algo de ese tipo. Es de Nueva York, ¿verdad?

—Sí. Estudió Derecho en Columbia, y antes de eso en Princeton. Era capitán del equipo universitario. No estaba casado, pero era el objetivo de todas las madres de la alta sociedad, razón por la cual se marchó a Europa. Rogers renunció a su condición de socio el otoño pasado y embarcó para Canadá. Creo que los británicos le dieron el rango de comandante.

—¿Cómo se lo tomó, el bueno de Foster Dulles?

Shoop vaciló.

—Foster no interfirió, por supuesto, pero creo que no le gustó. Mandó un memorando, después de que Rogers se fuese, diciendo que todo aquel que dejase la firma para irse a la guerra no recuperaría su puesto de trabajo cuando volviera.

La carcajada hiriente de Bullitt resonó en la habitación.

—Un verdadero patriota y un caballero, ¿verdad? Dios mío.

—Pero ese asunto —insistió Hearst— que es inmoral e ilegal y que puede hundirles a todos, y que Stilwell quería discutir... ¿qué era?

La tensión del cuerpo de Shoop ahora era evidente. Seguía ocultando algo.

—Una de las tareas de Philip en los últimos meses era purgar los archivos que la firma está guardando en cajas para su almacenaje. La mayoría de los expedientes eran de Lamont. Había traído consigo su propia cartera de clientes desde Alemania, cuando cerró la oficina de Berlín...

—¿Lamont trabajaba en Berlín? —preguntó rápidamente Hearst.

—Durante años. —Shoop miró a Bullitt—. Rogers gestionó las reparaciones alemanas tras la última guerra. Las deudas a los bancos americanos y cosas así.

—...Entonces aterrizó en París con su cartera de clientes nazis, cuando la oficina de Berlín cerró —concluyó Bullitt—, y se marchó hace ocho meses, en cuanto se declaró la guerra con Francia, para matar a esos mismos alemanes. Interesante.

Shoop inclinó su cabeza gris y austera:

—Le pregunté a Morris acerca de eso, pero no pudo explicármelo.

—¿Morris? —repitió Hearst.

—Emery Morris, uno de nuestros abogados. Emery trabajaba con Rogers Lamont en Berlín, lo conoce desde hace más tiempo.

—Ya veo. ¿Qué ha pasado con los expedientes de Lamont, señor Shoop? Los que Philip Stilwell estaba purgando.

El abogado se mordió el labio, como si intentara tragarse las palabras.

—Los fui a buscar hoy —repuso—. Simplemente... han desaparecido.

Más tarde, en los pocos minutos que le quedaban antes de empezar su ronda por los hospitales de la ciudad, Hearst se sentó y le puso un cable a Allen Dulles, en Nueva York.

9

Después de haber hecho el amor, Memphis cayó en uno de sus sueños difíciles, tendida boca abajo, desnuda, con los brazos abiertos como un espantapájaros, apenas consciente de que Spatz yacía a pocos centímetros o de que el sol empezaba a asomar la nariz a través de los pesados cortinajes. La cama era antigua, como el resto del mobiliario del apartamento de la condesa, bastante grande para las formas pequeñas del siglo XVII pero no para la reina de las amazonas o para el *übermensch*[3] de la Baja Sajonia. Estaba soñando con el pene de Spatz, lo notaba introduciéndose, ancho y enérgico, en su sexo, inmensamente placentero, y cuando se arqueaba para seguirle el ritmo, separando las piernas, notó que el instrumento romo se afilaba, la carne humana se convertía en acero, notó los golpes y los cortes de una bayoneta en sus órganos vitales. Gritó.

Se sentó en la cama, temblando, con los sentidos aún aferrados al sueño.

Spatz no se movió.

¿Había gritado? ¿O el terror que la había arrastrado le había atenazado las cuerdas vocales? Lo miró fijamente, su

[3] N. de la T.: Superhombre

perfil perfectamente dibujado, la cascada de pelo rubio libre de fijador, las arrugas alrededor de los ojos. Tenía la costumbre de estirarse las patas de gallo con los dedos, porque la edad era el único punto débil de aquel hombre; Spatz debía ser unos veinte años mayor que ella y el desgaste de su piel era la única fisura en su hermosa fachada aristocrática. No quiso tocarlo y pensó, *¿por qué te tengo miedo? ¿Es porque eres alemán?*

¿O es porque la palma de la mano te huele a sangre?

Se tapó el pecho con la sábana y se volvió a tumbar, silenciosa como un ratón, pensando. La sangre podría ser de cualquier cosa: un corte, una astilla. Seguro, se había marchado del Alibi Club anoche sin decir adiós, y pasaron unas horas desde ese momento hasta que ella paró en esta dirección de Fabourg, justo después de las cuatro de la mañana, pero eso no quería decir que hubiera ido a hacerle daño a alguien. Apartó de su mente la muerte de Jacquot, la deserción de Raoul, y la llegada de los alemanes, la llegada de los alemanes...

Spatz era alemán, sí, pero ¿nazi? No. No era del tipo que abusaba de sus mujeres y decía que ponerles un ojo morado era una cuestión de principios. Había sido ese abogado capullo con sus preguntas el que le había fastidiado el sueño.

—¿Qué hace Spatz exactamente en la embajada alemana?

—Está cerrada, caballero, desde que estalló la guerra. Spatz es un hombre económicamente independiente, la mayoría de mis hombres lo son.

Se acordó de haberse acostado en la cama de Jacquot, del terciopelo verde oscuro de su vestido, que se mezclaba sutilmente con la seda azul de la colcha, y de Max Shoop moviéndose por la habitación como un juez.

—¿Se reúne con gente en el Alibi Club?

—Se reúne conmigo. Spatz es un habitual, tiene su propia mesa. Y no son baratas, se lo aseguro.

—¿Con quien pasa el tiempo? ¿Con otros alemanes?

—A veces. A veces también con franceses, con ingleses. Esta noche estaba con un tipo americano, uno flacucho con un mostacho como el de Hitler. No sé cómo se llama.

«Yo sí», le había dicho Shoop.

Memphis tiró de la sábana para ajustársela más al cuerpo al recordar la mirada en la cara pétrea del abogado. El tipo de mirada que cabe esperarse de un miembro del Ku Klux Klan justo antes de cubrirse la cabeza con el capuchón; la mirada de un ejecutor. El jueguecito de las veinte preguntas y el cheque por valor de mil dólares agarrado, se habían desvanecido en un repentino ataque de miedo, y no quería nada más que salir de la habitación de un hombre muerto.

Así que le dijo lo que el abogado no llegó a preguntar, atropellándosele las palabras al salir de sus labios.

—Esa rata americana... el que no quería beber champán esta noche con Spatz. Solo lo vi en otra ocasión, tras el escenario del Alibi Club, sacudiendo a Jacquot en el vestuario de los chicos.

Sally King abrió los ojos en el Hôpital des Étrangers, y vio un rayo de sol primaveral inundando la habitación a través de la ventana con bisagras. Hizo una mueca y volvió la cara; le dolía la cabeza como si se la hubiera atravesado un rayo.

—Sally —dijo una voz cerca de ella, amable, pero con una nota insistente en su tono, como la voz de un maestro o de un padre—. Señorita King.

A regañadientes, volvió a abrir los ojos. La enfermería medía de largo como la calle de una bolera, era tres veces más ancha, y llegaba hasta una puerta batiente. Las camas estaban todas ocupadas por mujeres a ambos lados, y había un hombre: estaba sentado en una silla recta, con las piernas cruzadas, y tenía un ramo de azucenas en la mano. Lo miró a la cara, que recordaba vagamente haber visto en algún lado.

—Joe Hearst —le recordó—. Nos conocimos en la embajada, anoche.

—Claro...

Intentó sentarse, pero fue un error. Apretó los ojos y volvió a dejar caer la cabeza con toda la delicadeza que pudo, como si depositase una frágil cáscara de huevo sobre la almohada rígida de la cama de hospital, intentando fervientemente recordar. Notó que tenía sed; sentía un dolor de cabeza palpitante e infatigable y estaba muy avergonzada porque no sabía si llevaba la ropa puesta.

—¿Qué ha pasado?

—Esperaba que me lo pudiera contar.

La voz tenía un tono divertido y a la vez, de disculpa; como la de un amante rechazado sin despecho.

—Estaba oscuro —dijo en voz alta—. Alguien manipuló la bombilla del descansillo. Me agarró por el cuello.

—¿Quién?

Empezó a encogerse de hombros, pero se lo pensó mejor.

—¿Estoy de una belleza radiante, señor Hearst?

—Las manchas de sangre están a la última, esta temporada. Tiene suerte de estar viva.

—Perdí el conocimiento.

—Pero no sola. ¿Se acuerda de qué aspecto tenía, el hombre del descansillo?

—Alto. Más alto que yo, y eso no es frecuente. Un metro ochenta y dos, tal vez. Y fuerte. Tenía unos dedos como los tornillos de un banco. Pero aparte de eso...

—¿Joven? ¿Viejo?

—De mediana edad. ¿Hay un poco de agua?

Él se puso en pie, buscó una jarra y le sirvió un vaso con sus dedos largos. No hablaron mientras lo hacía, Sally se conformaba con mirar en silencio cómo Hearst conservaba su extraordinaria economía de movimientos. Pensó que era relajante; mantenía un autocontrol perfecto.

Esperó obedientemente hasta que se la bebió, luego preguntó:

—¿Pelo claro? ¿Castaño? ¿Tenía bigote? ¿Barba?

Ella reprimió un deseo absurdo de romper a llorar.

—Claro. Sin pelo en la cara.

—¿Un trabajador? ¿Un matón?

—Llevaba ropa elegante, de estilo inglés, no francés. —La imagen fue trascendental, como un regalo inesperado—. Llevaba una bufanda de seda blanca alrededor del cuello. Le brillaban los ojos como a un pájaro. Le centelleaban al mirarme.

Joe Hearst no replicó inmediatamente. Buscó en el bolsillo delantero de su chaqueta y sacó un pañuelo, que ofreció a Sally. Así que estaba llorando; debe haber sido una reacción al dolor o el despertar a la idea de Philip —sin previo aviso, vio en su cabeza la imagen del cuerpo muerto de Philip y empezó a llorar aun más—, lo que le produjo una sensación de desesperación que se adueñó de ella.

—¿Es por Philip? —jadeó mientras se llevaba el pañuelo a la cara—. ¿Por eso han intentado matarme?

—Creemos que estaba buscando algo en su apartamento —dijo Hearst. Su voz había perdido toda la diversión y la autoridad; volvía a ser un diplomático inasequible. No le pareció bien devolverle el pañuelo usado que le había dado, así que lo mantuvo agarrado entre los dedos. *Buscando algo. Ha buscado entre mis cosas.*

—Lo que significa —dijo cautelosamente— que buscase lo que buscase, no estaba en casa de Philip, o no habría venido a la mía.

—Probablemente es cierto. ¿Le dio algo Philip, señorita King, para que se lo guardase, algún documento? ¿Algo de la firma de abogados, tal vez?

Ella movió la cabeza negativamente.

—Ni siquiera un anillo.

La condesa llegó a su apartamento de París a las diez en punto de la mañana, y abrió la puerta ella misma con su llave. Su chófer Jean-Luc sacó el equipaje del maletero del coche que a ella le gustaba conducir y esperó con deferencia junto a la doncella de su señora a pocos pasos de la condesa mientras luchaba con la llave recalcitrante. Cuando hubo abierto la puerta de un empujón, se quitó los guantes y el sombrero en el recibidor, con su cara de muñeca juguetona marcada por el cansancio del madrugón de la partida, la tensión general de los tiempos que vivían y las noticias deprimentes de la guerra que los habían aguardado a la entrada en la ciudad. Jean-Luc se acercó al umbral de la habitación de la condesa y dijo sin emoción:

—*Madame.*

Ella volvió la cabeza y se puso junto a él, dando unos pasitos ligeros; se quedó inmóvil mientras miraba a la pareja dormida en su cama. El aroma a sexo, a alcohol y a tabaco la asaltó.

—Muy bien, Jean-Luc, lleve las bolsas a la habitación del señor conde —dijo la condesa con indiferencia; pero le pareció oír, mientras se iba, la explosión de la palabra *bâtard* entre dientes.

10

Como muchos parisinos, Pierre duPré estaba harto de la larga depresión económica y simpatizaba a medias con Hitler. No se podía decir que los socialistas de Blum le hubieran hecho a Francia ningún favor; a lo mejor ya era hora de darle una oportunidad al fascismo. Esta guerra en la que habían entrado, todo por una promesa que alguien le había hecho a Polonia, un país que Petie nunca había visto, ¡ni le interesaba! Una paz por separado era el camino más claro. Se acabó el luchar en guerras inglesas: ya había quedado más que harto cuando a los diecisiete años tuvo que hacer guardia al pie de una trinchera, en algún punto perdido de Verdún. No, le había dicho Petie a Hearst: devolvedle Alsacia a Hitler y traed a nuestros muchachos de vuelta.

Pero al saber que el ejército francés se batía en retirada esta mañana, estaba irritable. Revivía viejos recuerdos: él, boquiabierto en Flandes, envuelto en una nube de gas mostaza que flotaba en el viento.

Pensaba que los niños tenían la culpa: todos esos niños, de cara asustada y bobalicona, que lo miraban desde las enfermerías del hospital. Su edad iba desde los dieciocho meses hasta los doce años, algunos eran huérfanos en una ciudad extraña y habían dejado su mundo seguro en los Países Bajos, que las armas de los aviones Messerschmitt, en vuelo rasante, habían mandado al infierno para siempre. Las enfermeras le habían dicho que un número considerable de madres había muerto —holandesas, flamencas— al parar con su cuerpo las balas para proteger así a sus niños. Petie conocía el sonido de las balas al clavarse en la carne, cuando rebotaban en los marcos de acero de las ventanas y surcaban los asientos de piel. Habían ametrallado cinco trenes mientras cruzaban hacia el sur a través de Bélgica y el tanatorio se estaba llenando con rapidez; se estableció una zona de reconocimiento improvisada para las identificaciones a un lado de la Gare de Lyon. Algunas familias quedaron separadas, por supuesto, la madre en el hospital y los niños atrás, en los vagones ensangrentados; con la confusión de París y la presión de los Gobiernos para que se llevaran a los refugiados inmediatamente a los alojamientos preparados en las provincias, ¿quién sabe si se volverían a ver?

—¿Qué sabes, Petie? —le preguntó Joe Hearst mientras sacaba el coche del Hôpital des Étrangers—. ¿Saldremos con vida de esta?

—Debería hacer la maleta, jefe —repuso—. Ya. Coja el coche y vaya hacia el sur antes de que cierren las carreteras del todo. Esta no es su guerra.

—Bullitt no me dejará. Se lo ha tomado como algo personal: ningún embajador americano ha huido nunca de París. Lo que significa que su personal tampoco. Le ha hecho prometer a Roosevelt que no le ordenaría marcharse si el Gobierno lo hacía; creo que espera ser un mártir y morir en las barricadas contra los nazis. Ya ha dictado una nota de despedida para que se la entreguen al presidente en caso de que muera.

—No es ninguna broma —insistió Petie—. Es usted demasiado joven para recordar la última guerra. Esos cabrones de alemanes son unos carniceros, créame. Defenderemos la ciudad hasta nuestro último aliento, eso seguro, pero con esos tanques avanzando... Si la Línea ya se ha roto...

—Solo hay un problema serio con la Línea Maginot —le explicó Hearst—: que no es lo bastante larga. Hay un espacio grande en blanco, cerca del bosque de las Ardenas, y si Hitler ha lanzado los panzer por este punto estamos todos jodidos. La gente se cree que es algo parecido a la Gran Muralla China, cuando en realidad la frontera belga es un puñado de torres defensivas con banderas de señalización para comunicarse en código Morse. Los franceses pensáis en términos de trincheras e infantería, pero cuando comience, va a ser una guerra aérea.

Una guerra aérea. Lo que significaba bombas, por supuesto, los hermosos edificios de París acabarían derrumbados como en las imágenes que Petie había visto en los noticiarios de Polonia. Mechones de pelo y trozos de huesos incrustados en los asientos de piel de los trenes, niños de tres años desgarrados y paralizados de cintura para abajo. Petie alcanzó la bolsita de tabaco y los papeles de fumar y se lió un cigarrillo con una mano mientras con la otra manoseaba una pistola que llevaba en el bolsillo. La había traído para proteger al jefe: se decía que los refugiados robaban los coches, que rociaban a la gente con gas. A Petie le encantaba el coche de su jefe, un Buick Special del 37, azul oscuro, enviado desde Nueva York en el *Normandie*, un cupé descapotable con un asiento trasero abierto y una rejilla de cromo tan ancha y tan larga como la proa de un trasatlántico. La mitad de la ansiedad que Petie sentía a causa de su jefe era en realidad ansiedad por su coche. *Abandonar París. Hacer las maletas y marcharse. No puedo soportar ver un Buick ametrallado.*

—Si los alemanes llegan por aire, será mejor que aceptemos esos aeroplanos que *l'ambassadeur* nos ha prometido —sugirió con una mirada de soslayo a Hearst—. Hay dos o tres mil personas que aseguran que va a ocurrir en cualquier momento.

Hearst no respondió. Estaba comenzando a adelantar a un carro tirado por un caballo, cargado de muebles hasta arriba, pero no había nada más que decir, en cualquier caso. En un momento de bravuconería, Bullitt le había dicho al primer ministro Reynaud que los Estados Unidos contribuirían con una flota aérea, pero Roosevelt no tenía dos mil aviones para prestarle a Francia, ni siquiera a Churchill, sin mencionar la neutralidad americana ni el movimiento América Primero, de Lindbergh y la batalla del presidente por la reelección en otoño. No habría ayuda desde el otro lado del Atlántico, Petie lo sabía. Pero cuando sus *copains* le daban con el codo o sus vecinos se lo preguntaban abiertamente, él daba a entender que sabía algo, pero que era secreto. Un plan de contingencia. Una confianza que no tenía razones de peso para sentir. Le dijo a Emmeline que estuviera lista para marcharse hacia la costa en cualquier momento.

El tanatorio de la ciudad de París seguía donde siempre había estado, justo a la salida del Quai de la Rapée en el *arrondissement* doce, no muy lejos de la Gare de Lyon donde al menos uno de los trenes belgas ametrallados había conseguido llegar con los vagones cargados de muertos y heridos. Al otro lado del Sena, enfrente del tanatorio, había cinco hospitales en un radio de tres kilómetros y Hearst tenía previsto visitarlos todos. Continuó conduciendo mientras Petie murmuraba acerca de los Messeschmitts y de Weygand, y cruzaba los pantanos del Marne de hacía dos décadas. Hearst escuchaba a medias, y a medias estudiaba el tráfico, que era peor de lo habitual: París se había puesto en marcha, los colchones viajaban atados a los techos de los coches. Unos cuantos tenían matrícula belga, pero la mayoría de los que eran lo bastante ricos como para viajar en coche hacia el sur desde Bruselas, ya habían salido y estaban cruzando la ciudad bajo el manto de la oscuridad. Pensó brevemente en su mujer, abandonada y sin amor en Roma. Había tenido noticias de ella hacía un mes, cuando Noruega cayó ante los alemanes. Andaba desesperada por conseguir papeles, por un pasaje a Nueva York, y le preguntó si él o la embajada la podían ayudar. Él no respondió a su carta y ahora, mientras miraba a los refugiados, con sus pertenencias apiladas en carretillas y en cochecitos de bebé, estaba lleno de remordimiento y de culpa.

Dejó el coche delante del tanatorio. Petie andaba encorvado hacia delante, con la pistola levantada, como si los nazis pudieran salir de pronto por un lado de la calle, en cualquier momento.

—No se preocupe, jefe —dijo el viejo francés, con el cigarrillo firmemente sujeto a un lado de la boca—. Yo le cuido el coche.

«Bullitt es tu jefe,» le había dicho repetidamente: «Bob Murphy es tu jefe. Yo soy el escalón más bajo de la pirámide». Pero la metáfora se le escapaba a Pierre duPré y se quedó con «jefe», a pesar de todos los esfuerzos de Hearst.

Antes el tanatorio era famoso por la *salle d'exposition,* donde se exponían los cuerpos sobre losas de mármol, por debajo de las cuales se veía una franja del frío Sena fluyendo, una forma natural de refrigeración. Hasta un millón de turistas al año venían en masa a contemplar el macabro espectáculo y algunos de ellos hasta obtenían un placer sexual de la escena, pero la *salle* se había cerrado en 1907 y los gustos eróticos de Hearst iban por otro rumbo diferente. Había camillas por todas partes donde mirase, algunas tapadas discretamente, pero la mayoría expuestas a la mirada de los extraños: mujeres de todo tipo y edad, que miraban sin ver a la nada. Mujeres bien vestidas, que se habían entretenido en maquillarse antes de meter a sus hijos en los trenes de la Cruz Roja y que se habían dirigido a París, probablemente con la esperanza de ver las tiendas de la Rue St-Honoré antes de sacar su carta de refugiadas. Mujeres mayores vestidas de negro, mujeres de veinte años. Había una chica boca abajo en el suelo, los mechones negros le caían por la nuca. Hearst miró los omoplatos frágiles y afilados, expuestos por el corte de su vestido primaveral y ligero. No quiso verle la cara.

—*Stil...ewell* —dijo el hombre de bata blanca que se acercaba por el pasillo delantero, con un portapapeles en la mano—. El doctor Mauriac le hizo la autopsia. Se habrá ido a comer, *tant pis.*

Hearst había dejado a Petie montando guardia junto al Buick, rodeado de una nube de chiquillos cuyos padres, inexplicablemente, no los habían sacado todavía de París; fue a buscar al doctor al café cercano a la estación de trenes. Mauriac era un hombre de rasgos suaves con un mostacho exuberante y una cabeza tan ahuevada como la de Bullitt: una cúpula brillante de calvicie en forma de torpedo. Invitó a Hearst a unirse a él ante un plato de cordero asado, guisantes, patatas tempranas y un vino blanco, de sabor metálico, de Lorena; Hearst declinó la comida, pero aceptó sentarse enfrente del doctor.

—Querrá saber cuando entregaré el cuerpo, ¿verdad? —dijo Mauriac bruscamente, mientras pinchaba con el tenedor la tierna carne rosada y se la llevaba a la boca—. ¿Tiene familia en América?

—Es costumbre de la embajada ocuparse de estas cosas —le confirmó Hearst—, pero el embajador se ha tomado un interés especial en el asunto.

—Ah, entonces ¿le gustan los *pédés?*

Hearst hizo caso omiso a la calumnia —algo parecido a maricón, en francés— y dijo:

—El embajador conoce al padre del señor Stilwell.

Mauriac frunció los labios, asintió y se dedicó a la patata.

—¿Qué quiere saber?

—¿Cómo murió?

Levantó los ojos castaños, divertido, hasta encontrarse con los suyos.

—Estuvo jodiendo hasta que se murió.

—Doctor Mauriac...

—¿Se lo digo más finamente? El joven murió de un infarto. Por el aspecto del corazón, ya había tenido algún problema anteriormente, ¿eh? Posiblemente una enfermedad infantil le había dañado las válvulas. Una fiebre reumática, la escarlatina. No sabría decirle. Por el contenido del estómago puedo asegurarle que había comido suficiente polvo de cantárida como para tumbar a un elefante.

Ante la expresión de incomprensión de Hearst, Mauriac añadió con impaciencia:

Ustedes lo llaman «mosca española». Se supone que acentúa la erección, ¿eh? Pero se usa por vía tópica, como sustancia *d'exitation;* no es algo que se coma. El joven Stilwell habrá experimentado un torbellino en las tripas antes de morir. La inflamación de los órganos era exagerada. Igual que la erección, que persistía incluso después de muerto. Fue un *naïf* o un loco, elija usted, y pagó por ello.

—¿Podría haber consumido la sustancia sin saberlo? Digamos... en una bebida que le hubiesen dado.

Mauriac levantó los hombros como Gargantúa, moviendo las mandíbulas.

—Es posible. No tenía mucho más en el estómago. Solo los restos de un *bifteck* que habría tomado a mediodía.

—¿Tenía algún signo de violencia en el cuerpo?

—Lo habían azotado, por supuesto, pero debemos pensar que era de común acuerdo con su acompañante. Le habían atado las manos. Vi las rozaduras en las muñecas, las tenía en carne viva, así que presumiblemente no estaba muy contento con ese tipo de juego.

A Hearst se le apretó más aun el nudo en el estómago. Atado y envenenado, y posiblemente obligado a presenciar el ahorcamiento del hombre llamado Jacquot, mientras su frágil corazón latía enloquecido de terror; esos fueron los momentos finales de Stilwell. ¿Lo habrían amordazado para que no gritase?

—Si le trajese un vaso del apartamento de Stilwell, ¿podría decirme si la bebida contenía la mosca española?

Mauriac apuró el vino.

—Me confunde con un químico, *monsieur le diplomate.* Le sugiero que se busque uno por el barrio. Ahora tengo que volver a mi trabajo. Como habrá podido comprobar, estamos inundados: esos *sales boches.*[4] Además me marcho de París esta tarde.

—*¿Les vacances?* —le preguntó Hearst irónicamente.

—*Mais oui.* —Mauriac era imperturbable—. Un amigo tiene una casa junto a la frontera española. Informaré a la policía de que la muerte de su Stilwell se debió a causas naturales. Puede mandarlo a casa cuando quiera.

---

[4] N. de la T.: Sucios alemanes. *Boches* es un nombre despectivo.

11

—¿Ha venido ya el señor Morris? —preguntó Max Shoop.

Madame Renard era quien dirigía de verdad la oficina de París de Sullivan & Cromwell. Había dejado de sobresaltarse siempre que Shoop se materializaba junto a su escritorio, pero odiaba su paso silencioso, la sensación de que la observaba. Durante veinte años, su pelo rubio peinado a la perfección se había inclinado como si estuviera en oración en el mostrador de recepción de la firma, dándole a la oficina gris un cierto toque de elegancia. A *madame* no le gustaban los americanos: eran infantiles con sus bromas, demasiado ruidosos, de hábitos informales y relajados. Ella había aprendido sus propios valores con su madre, una mujer estricta, y en la cama de Thomas Cromwell, el anciano socio fundador de S&C que había abierto la oficina de París por puro interés personal. Monsieur Tommy, como Jane Renard se dirigía a él, se había pasado la mayor parte de su vida en un apartamento grande en el Boulevard de Boulogne, había sobrevivido a las privaciones de la Gran Guerra mudándose sensatamente al Ritz y se había marchado en barco a Nueva York hacía tres años, para no volver, pero madame Renard se quedó, con su vestido exquisito, y el resto del mundo no era más que alimento para su desprecio.

Excepto Max Shoop. Una mirada valorativa de sus ojos suspicaces era capaz de erizarle el vello en la nuca.

—El señor Morris no se ha dignado aparecer —respondió—. El señor Canfield ha atendido sus llamadas esta mañana. Sin embargo, hay un mensaje de la mujer de Morris. Se lo he dejado en su escritorio.

Los ojos de Shoop se dirigieron hacia la puerta abierta de la oficina de Frank Canfield, de la que salía un murmullo que indicaba que estaba ocupado. El resto de las habitaciones estaban a oscuras. La de Rogers Lamont estaba vacía; la de Philip Stilwell, también; la de Monod estaba oscura desde que el abogado francés se había alistado en el ejército. *Vamos cayendo uno a uno,* pensaba Jean Renard: *tengo que hacer planes para irme pronto.*

—¿Hay rastro de los expedientes perdidos?

Lo miró con frialdad.

—Pues no. No tienen patas para andar de aquí para allá. No estarán escondidos para asomarse cuando menos lo esperemos. Se los han llevado de esta oficina, eso está claro. Quizá cuando llegue el señor Morris, nos diga por qué.

Shoop alzó las cejas una fracción de segundo, como sorprendido ante la impertinencia. Le parecía impensable que ella verbalizara la sospecha que rondaba en la oficina desde que se había descubierto que los archivos habían desaparecido.

—Creo —dijo él con cautela— que debería venir a mi oficina, Jane. Tengo que dictarle un cable para Nueva York.

Ella cogió el portapapeles, un lápiz y pasó delante de él por la puerta hacia su silla de madera preferida, retirada de la pared y colocada amenazadoramente, pero lo justo para no comprometer, frente al hermoso escritorio Biedermeier de Shoop. Tenía tantos secretos, este Shoop; había tantas cualidades en su silencio. Bien, ella decidió acabar con su silencio y su actitud de orante. Los alemanes venían y los americanos se irían todos a casa. Ya notaba el pánico de su marcha, flotando en el aire alrededor de Shoop.

———

Cerró la puerta de la oficina, parpadeando mecánicamente ante el mensaje de la esposa de Emery Morris: «Mi marido no se encuentra bien hoy, se va a quedar en casa hasta que se recupere».

—¿Ha hecho correr la noticia de la muerte del señor Stilwell? —le preguntó, como si fuera el pronostico del tiempo para la jornada, o el menú de mediodía en el Ritz.

Por fin apareció la primera fisura en la fachada perfecta de madame Renard; se le arrugó el rostro y se afligió.

—*Pauvre enfant.* Ha sido el corazón, ¿verdad? ¿Quién lo iba a decir? Parecía tan sano y tan fuerte. Mi padre también murió así...

—Sí, bueno... —la interrumpió Shoop—. He hablado con la embajada esta mañana. Todo está arreglado. El retorno de los restos. Pida una corona de flores. Algo para la familia, con los nombres de los miembros de la oficina. Nuestro pésame. Puede ir con el ataúd, en el barco.

Escribió una breve nota a lápiz.

—Haré una colecta.

—¿Falta algo más? —preguntó Shoop—. ¿Algo aparte de los expedientes de Lamont?

—No he peinado la oficina tan detenidamente. No falta dinero y no se han forzado los cajones. La persona que lo ha hecho tiene llave.

—¿Su llave?

—Una copia, tal vez.

—Usted sabe más que nadie de esta oficina. Sabe qué cajas se han movido, que informes del trabajo de Lamont faltan...

Entrecerró los ojos como una gata siamesa:

—Monsieur Shoop, ¿no estará sugiriendo que yo he perdido el sueño para venir a hurtar en la oficina en plena noche, eh? Porque si es así, tengo muchas cosas en casa que requieren mi atención, antes de que esos *sales boches* lleguen a París y nos agrien la vida, ¿me entiende? ¡Puedo marcharme en este mismo instante! —Chasqueó los dedos sucintamente—. No tengo que esperar a que monsieur Morris explique qué ha hecho con las propiedades de la firma de abogados. A mi me da igual, *comprendez-vous?*

La claridad de su opinión —esta mujer de cincuenta años con una sensualidad de burdel, siempre inquieta bajo el vestido ajustado— tenía el poder de alterarle. Shoop no pretendía centrar la atención en Morris, o de relacionarlo con los expedientes desaparecidos. O con la muerte de Stilwell. No quería que madame Renard fuese hablando con el personal.

Se sentó en su silla, con las manos unidas por la punta de los dedos y la cabeza plateada inclinada, la imagen auténtica de un jurista de edad, y consideró el factor que suponía Memphis Jones. Las palabras atropelladas que había vertido sobre él durante la noche y la imagen que conjuraron: Morris de rodillas, vestido con su elegante traje Savile Row, con el pene de un bailarín de cabaré en las manos. El mismo bailarín, colgado en una habitación donde estaba Philip Stilwell. Shoop frunció el labio como si degustara un trago de vino. La cuestión, según lo veía él, no era intentar entender el problema, sino contenerlo y minimizar el daño potencial para la firma.

—Lo que me preguntaba sencillamente, Jane, es si usted sabía con exactitud qué expedientes han desaparecido.

Ella se quedó rígida en su asiento, agarrando el portapapeles con unos dedos hermosos, muy arreglados.

—Todos los del señor Stilwell. Y... los de I. G. Farbenindustrie.

—I. G. Farben —repitió él—. La compañía alemana.

—Sí.

Shoop sintió una nausea repentina. Para encubrirla, alcanzó un abrecartas y empezó a darle vueltas en las manos, mientras reflexionaba, como si pudiera leer el futuro en su superficie brillante. Sullivan & Cromwell —Rogers Lamont en particular— actuaba como consejero para un cartel internacional de manufactureros químicos, del cual I. G. Farbenindustrie era miembro. Este cartel también incluía una compañía americana, Allied Dye and Chemical Industries; una belga, Solvie et Cie., y una empresa química británica. Las cuatro corporaciones tenían parte de las acciones de las otras y sus cuadros directivos eran tan incestuosos que apenas se distinguían; pero todas estas relaciones habían quedado cortadas hacía ocho meses, como resultado de la guerra. I. G. Farben ya no era cliente de S&C. Los expedientes desaparecidos tenían solo interés histórico.

O no.

—Los expedientes estaban activos hasta la semana anterior a la marcha de monsieur Lamont —le informó madame Renard.

A pesar del embargo de los negocios alemanes en la empresa. Los ojos de Shoop se desviaron del abrecartas hacia la cara de la mujer.

—¿Por qué?

Ella se encogió de hombros.

—Yo sería la última en saberlo. Monsieur Lamont nunca requirió los servicios de una secretaria. Escribía él mismo a máquina, *voyez vous.*

Recordó esa costumbre de Lamont, las bromas que el neoyorquino tuvo que aguantar, las comparaciones con las mecanógrafas y los corresponsales de guerra enviando sus boletines desde el frente..., las insinuaciones de que lo que escribía realmente eran sus memorias o la gran novela americana que estaba componiendo tras la puerta cerrada de su oficina. Él devolvía las bromas con su habitual ingenio, sin llegar nunca a darle a Jane Renard para mecanografiar ningún trabajo. *Fue Jane,* pensó Shoop, *la que inició el rumor de que Lamont despreciaba a las mujeres.*

Shoop era abogado de valores. Entendía de dinero, no de química. Nunca había trabajado con Lamont ni con Morris o sus clientes, pero como socio directivo de la oficina de París, debería haber conocido todos los asuntos que pasaban por los despachos de sus abogados. ¿Qué fabricaba I. G. Farben? Tinte, por supuesto. Nitratos. Había un proceso nuevo para extraer el níquel del mineral... Lamont había trabajado en esa patente hacía años. Y Morris también.

«Ilegal, inmoral, nos va a hundir a todos...».

Ese entrometido de la oficina de Bullitt: Hearst. Hacía unas preguntas difíciles. Tenía el aire irritante de negarse a retroceder; Shoop conocía a los de su clase. Siempre había clientes que no se comprometían, que no entendían que la vida continuaba más allá de lo que se concedía o se perdía, que las firmas y las guerras seguían existiendo independientemente de los individuos y de su muerte...

—¿El cable, monsieur Shoop? —sugirió madame Renard—. ¿No quería dictarme uno para Nueva York?

Él se quedó mirándola como si fuese una extraña. *Las firmas y las guerras,* pensó: *son cosas que deben continuar.*

—Al señor John Foster Dulles —comenzó—. «Rumores ejército alemán cruzando ayer río Meuse. *Stop.* Solicito permiso para cerrar oficina y evacuar personal de París inmediatamente. *Stop...*».

La portera de Philip Stilwell era una mujer jorobada de pelo blanco llamada Léonie Blum. Miró a Joe Hearst con suspicacia cuando llamó a la puerta de su pequeño cubículo, que se abría al patio del encantador edificio antiguo de Stilwell, y quiso saber si era alemán.

—Americano —le respondió en su francés de diplomático—. De la embajada.

—Es un tipo estupendo de Washington, vieja bruja —la regañó Petie, junto a Hearst—. Alemán, ¡por el amor de Dios! —Solía intervenir con ignorantes como madame Blum, y se figuró que el jefe le había traído con él por eso.

Se volvió hacia el vaso que contenía su dentadura postiza, se la puso en la boca con dignidad y dijo, con el mismo francés gutural de Petie —Solicité ese visado hace dos meses para visitar a mi sobrina en América. No he tenido noticias. ¡Nada! Supongo que ha venido a entregármelo en persona.

—¿Ha solicitado un visado? —dijo Hearst.

—¡Por supuesto! ¡Hace dos meses! No sabe nada, ¿eh? Nadie sabe nada cuando se trata de una anciana judía y los nazis se acercan. ¡Pero tengo una sobrina! ¡Y vive en Nueva Jersey! ¡No pueden impedirme que le haga una visita!

—Yo no lo haría. No estoy en la sección consular —explicó Hearst. Alcanzó su identificación y le mostró su nombre—. He venido a hablar con usted sobre su inquilino, Philip Stilwell.

—Pobre muchacho —dijo brevemente—. Será mejor que entre. Tengo café y coñac.

Le dijo a Petie que se quedara en el coche, luego siguió a Léonie Blum al oscuro y abarrotado cuarto en el bajo que ella llamaba hogar.

—Pobre Philippe —repetía mientras buscaba las tazas y los vasos—. Siempre fue un buen chico, tan respetuoso. Acabar así...

Se detuvo de pronto y lo escudriñó, agarrando la botella de coñac contra su pecho.

—¿Sabe cómo murió?

—Sé cómo lo encontraron.

—Es terrible —dijo moviendo la cabeza—. Yo lo vi. Cuando el abogado me llamó, monsieur Shoop. Temblaba como una hoja, pálido como una pluma de ganso. ¡No era de extrañar! Yo aún no me lo puedo creer.

—Usted no tenía ni idea de que el señor Stilwell era...

—Un *pédé?* No. Estaba enamorado de una chica, esa tan guapa que pasa ropa. Y luego esto, semejante espectáculo, ¡en mi edificio! No me lo puedo creer. Yo no me creo eso del pobre Philippe.

—Yo tampoco, madame Blum. Por eso estoy aquí.

Le sirvió un dedal de coñac a Hearst, y le ofreció un café solo aceitoso. Él dio un sorbo a ambos por cortesía. Le sorprendió agradablemente la calidad.

—Lo han acordonado todo —añadió sagazmente—. El apartamento de Philippe. No puedo dejarle entrar más allá.

Si era un intento de soborno, él hizo caso omiso.

—¿Ha vuelto la policía por aquí?

—No. —Bajo su atenta mirada, Hearst tomó otro sorbo de coñac—. Ha dicho que no está usted en la sección consular. Pero tal vez conozca a alguien que sí lo esté.

—Sí, conozco a alguien —contemporizó.

—Sin duda usted sabe exactamente dónde están los alemanes ahora mismo y cuáles son los últimos trenes que salen para el puerto de Cherburgo.

Hearst se rió.

—Yo no sé más del avance alemán que usted, madame Blum, y me imagino que habrá memorizado los horarios.

—Mi hermano tiene setenta y ocho años y vive en Munich, *monsieur*. No he sabido nada de él en dos años. Me han dicho que está en un campo de trabajo. ¡Un campo de trabajo! ¿Qué debería estar haciendo a los setenta y ocho años, le pregunto? ¿Cavar zanjas? —Le agarró la manga en un impulso repentino—. Tengo que salir de Francia. Nadie me va a ayudar *monsieur,* pero tengo que salir de Francia, ¿lo entiende? Mi sobrina...

—¿Dónde vive su sobrina, *madame?*

—En un lugar llamado Bayonne. —Lo pronunció como si fuese francés; solo el nombre, pensó Hearst, la confortaría por la familiaridad.

Sacó su agenda del bolsillo delantero de la chaqueta, y la abrió por una página nueva.

—Escriba su nombre y su dirección. Yo me encargaré de comprobar su visado.

Madame Blum lo miró fijamente. Él se dio cuenta de que no se fiaba. Seguro que le habían ofrecido ayuda sin mucho interés varias veces y lo olvidaron en cuanto se dieron la vuelta. Se preguntaba si Philip Stilwell le habría prometido algo que no pudo mantener.

—Escríbalo —le dijo—. Le doy mi palabra.

Ella se sirvió otro trago y lo dejó en la mesa de golpe, vacío.

Diez minutos más tarde estaba en el apartamento de techos altos y poco amueblado que Stilwell había adorado, pensando sin querer lo bien que quedaría Sally ante aquellas paredes.

La habitación estaba desordenada, los muebles fuera de su sitio para permitir el paso a las camillas, la alfombra pisoteada por demasiados pies. La Sûreté se había llevado los cuerpos, había tomado fotos y había anotado las mediciones, pero había dejado todo lo demás donde estaba. Alguien debería coger los efectos personales de Stilwell para empaquetarlos y mandarlos a casa: un abogado de la firma, o Sally.

Comenzó su recorrido por la habitación, evitando conscientemente el espacio entre la araña donde se había colgado el hombre de Montmartre y estudió el cristal de los vasos.

—¿Está usted siempre en su mostrador del patio, madame Blum? —le preguntó a la portera.

—Me siento allí desde las nueve de la mañana hasta que me hago la cena —dijo desde donde estaba, en la puerta—, normalmente a las seis, más o menos. Escucho la radio, me ayuda a pasar el tiempo.

—¿Vio al señor Stilwell ayer?

—Salió poco después de las nueve —era muy alegre, siempre me saludaba— y luego lo vi al volver, unos minutos antes de las tres. Eso era raro. Era muy pronto.

Hearst sacó un pañuelo de lino de su bolsillo y con cuidado levantó uno de los vasos. Una gota de sirope de color caramelo del tamaño de una moneda se había solidificado en el fondo. En el segundo vaso había lo mismo. Se volvió y buscó la papelera que Sally había descrito; algo tirado sobre la alfombra, el contenido esparcido por el suelo. No encontró nada. Quizá la policía lo había cogido.

—¿Vio llegar a Max Shoop?

—¿El abogado? Llegó justo cuando yo estaba pensando en irme a cenar.

—Alrededor de las seis —sugirió Max Shoop.

—Cinco minutos antes o después.

—¿No a las cuatro y media?

Ella frunció el entrecejo.

—No, *monsieur*. A la hora de la cena, como le he dicho.

Aun así, su reunión iba a ser a las cuatro y media. Qué extraño.

—¿Cuándo llegó el otro hombre?

—¿Cuál?

—El tipo que murió con Stilwell.

Bajó los ojos.

—No lo sé. La policía me preguntó lo mismo. Bueno... ha tenido que ser entre las tres y las seis, cuando ese monsieur Shoop apareció, ¿eh? Pero no puedo estar siempre en el mostrador, tengo que aliviarme. Y quizá hubo un repartidor que me distrajo con una entrega de flores para madame LeCamier, del tercero, que acaba de tener un bebé. ¡Todos esos escalones! Y el hombre no quería subirlas, tenía prisa, así que al final accedí a llevarle las flores a *madame...*, solo me quedé un minuto para admirar al bebé...

Cualquiera podría haber entrado en el apartamento de Stilwell, pensó Hearst, y asesinarlo tranquilamente. Incluso Shoop podría haberlo hecho, y volver a las seis para tener una coartada.

Disgustado, entró en la habitación y miró la cama desordenada. Su mirada giró desde la foto de Sally escondiendo la cabeza en una almohada, hacia la idea difusa que tenía de Stilwell, atado y tendido de bruces, con una erección del tamaño de un elefante. Pero no flotaba el terror en este sitio; no había miedo. Si Stilwell era un fantasma, ya se había ido.

Se volvió hacia madame Blum.

—Necesito llevarme esos vasos de cristal del salón. ¿Podría darme una bolsa?

Ella se sintió penosamente obligada. En su ausencia, él paseó de nuevo por el apartamento. Pensando esta vez en la respuesta al cable de esta mañana que había encontrado en su silla cuando volvió a la embajada después de comer.

> «Philip Stilwell trabajaba en transacciones, bancos, valores. *Stop.* No conozco a R. Lamont personalmente, pero creo es integro y valioso. *Stop.* Cierre oficina París pronto para evacuación personal. *Stop.* Evite mismo personal y trate directamente conmigo. Allen Dulles».

En este segundo paseo, Hearst encontró la papelera, colocada detrás de un sillón en el extremo más alejado del salón. Estaba completamente vacía.

Se puso a gatas y buscó por la alfombra. Al cortarse con un cristal en la palma de la mano, no pudo reprimir un grito de triunfo. Arrancó una página de la agenda, la dobló por la mitad y recogió los trocitos diminutos de cristal de entre los hilos de la Aubusson. Luego retorció el papel formando un paquetito y se lo guardó en el bolsillo.

—*Monsieur*—Léonie Blum murmuró desde la puerta, con una bolsa de tela de llevar verduras en la mano—, ¿se acordará de pedirme el visado?

—Por supuesto.

—Entonces, le diré... —Se pasó la lengua por los labios, sobre los dientes postizos mal hechos que le sobresalían como los de los caballos—. Llegó esto. Con el correo de la mañana.

Le alargó un sobre.

—Monsieur Stilwell lo mandó hace dos días. Lo han devuelto hoy. No hay destinatario.

El sobre era grueso y pesado, como si contuviera papeles. Hearst miró la dirección.

—Señor Jacques Allier —leyó en voz alta—. Banque de Paris et des Pays-Bas.

Intriga francesa

Martes, 14 de mayo de 1940 – miércoles, 15 de mayo de 1940

12

Jacques Allier ya no trabajaba en el Banque de Paris et des Pays-Bas. Le habían dado un uniforme y lo habían transferido, mientras la guerra durase, a esta celda incómoda que era su oficina, en el sótano del Ministerio de Armamento, cuyas ventanas a nivel del suelo estaban cubiertas con papel y los cimientos, completamente rodeados de sacos de arena que tenían el color y la forma de las salchichas. El sótano estaba mal ventilado y el aire era espeso por el humo de los cigarrillos y el olor de las flatulencias de la gente; le recordaba sin poder evitarlo la trinchera en la que pasó la mayor parte de 1917.

Allier aún sufría de claustrofobia como resultado de la última guerra, así que en este momento estaba sudando mientras revisaba el periódico de la mañana, que había quedado apartado y olvidado en el caos del día: sudaba y dejaba que el cigarrillo se consumiese hasta llegarle a las yemas de los dedos, luchando porque su rostro de rasgos suaves pareciese normal.

Había unos catres preparados para los que tenían que hacer guardia y vigilar el avance alemán, aunque solo eran las cuatro de la tarde y se rumoreaba que se había puesto en marcha una contraofensiva francesa. Allier esperaba que le dejaran marcharse a casa, aunque eso supusiera exponerse a un ataque aéreo. Iba a empezar a gritar de un momento a otro si le obligaban a quedarse en aquella habitación sin aire, con el sonido de las teclas de las máquinas de escribir, que parecían pequeños disparos.

—Los tanques han pasado por encima de nuestras fortificaciones —le decía Dautry a alguien más allá de la puerta—. Han roto el cemento como si fuera cristal, han destrozado a nuestros hombres con él. Nos han invadido. No podemos interponer nada de aquí a París, excepto los cuerpos de dos millones de hombres.

Menuda contraofensiva.

Allier mantuvo los ojos en el periódico, como si estuviera sentado frente a un café en su cafetería favorita. En esos mismos momentos, otros hombres gritaban mientras los tanques alemanes les aplastaban los miembros.

La ceniza del cigarrillo le quemó la piel. Sobresaltado, dobló el periódico en cuatro y lo tiró en la bandeja de las cartas. De pronto vio un titular en la contraportada que atrajo su atención.

—Allier —el ministro lo llamó con impaciencia desde la puerta de su cubículo—. *Mon Dieu,* solo usted es capaz de leer las noticias cuando el mundo está a punto de acabarse.

—Es el americano. —Le puso el titular a Dautry delante de las narices—. Ha muerto en su apartamento. No puede ser otro accidente, ¿eh? Como la filtración sobre mi tapadera de camino a Noruega.

Los ojos oscuros de Dautry recorrieron con ligereza las líneas que componían el texto, la fotografía inocua de Philip Stilwell.

—Los alemanes van detrás de usted. Tenemos un informador en algún punto de la cadena, más de uno, *peut-être.* Lo que significa que usted y hasta la última partícula del laboratorio Joliot estarán de camino para abandonar París al amanecer, ¿entendido?

Allier asintió, experimentando un alivio que se extendía por todo su cuerpo como el agua fresca. *Cualquier cosa con tal de salir de este sótano.* Se dio cuenta de que le estaba sonriendo a Dautry como un idiota, el grito interior se había convertido en una risa histérica.

Fue directamente hacia el laboratorio del Collège de France, la serie de salas donde Frédéric Joliot-Curie jugaba con sus aparatos estrafalarios y sus amigos, aun más extraños. Allier nunca se había preocupado por la física hasta que el chico americano que ahora yacía muerto en el tanatorio de París se le acercó en el Banque de Paris et des Pays-Bas, hacía ocho meses. Llamó a la puerta con una sonrisa de disculpa y un montón de documentos bajo el brazo. «Disculpe, monsieur Allier, pero me han dicho que es usted el agente de inversiones a cargo de HydroNorsk. Si tiene un momento, me gustaría hablar...».

Siguió una presentación concisa de los avances en la física, que se estaban produciendo en los últimos meses con tanta intensidad y rapidez como el avance nazi: el descubrimiento por parte de un alemán llamado Otto Hahn de que un átomo de uranio se puede dividir en dos; la sugerencia de un científico danés, Niels Bohr, en una conferencia en la antigua facultad de Stilwell, de que cuando tal división del átomo tiene lugar, desencadena una reacción capaz de liberar una fuerza enorme; la palabra «bomba».

—HydroNorsk fabrica agua pesada —le había dicho el joven Stilwell pacientemente—. Sabrá que es extremadamente difícil producirla, y que es extremadamente escasa, y que algunas personas —su laureado Nobel, Joliot-Curie, es una de ellas— cree que contribuye a reducir las partículas de alta velocidad. A controlarlas, tal vez, de manera que la reacción en cadena se pueda contener...

Allier llevaba la cuenta de HydroNorsk solo para adquirir alguna experiencia en banca. Era una empresa pequeña perdida en una bahía remota en el confín norte del mundo, de escaso interés para nadie excepto para un puñado de científicos que ansiaban su agua pesada. El Banque de Paris et des Pays-Bas tenía el sesenta y cinco por ciento de las acciones de HydroNorsk.

«Dejemos que Allier lleve HydroNorsk» habían dicho los directores del banco, con la seguridad que da la total ignorancia. «Es difícil que se la cargue».

Y lo habría hecho, si no hubiera sido por Philip Stilwell.

El periódico informaba simplemente de que habían encontrado al americano muerto, no hacían referencia a ningún asesinato ni siquiera a que hubiera habido violencia, pero Allier se preguntaba, mientras caminaba enérgicamente hacia la periferia de St-Germain, si habrían torturado a Philip antes de morir.

Si había hablado —si había contado tan solo la décima parte de lo que guardaba en su cabeza—, entonces ninguno de ellos estaba a salvo. La decisión de Dautry de marcharse, *parbleu,* había llegado demasiado tarde.

¿Quién era el informador? ¿Quién? ¿Quién? ¿Alguien del Ministerio —uno de los extranjeros del laboratorio de Joliot— o Joliot mismo...?

Allier echó a correr, sin preocuparse de las miradas curiosas de los que pasaban o de la imagen que daba: un hombre menudo, con aire de ser perseguido, inofensivo y sudoroso.

Se detuvo bruscamente cerca de la entrada a los jardines de Luxemburgo como si le hubiera explotado una granada a los pies.

Frédéric Joliot-Curie iba andando, cabizbajo, con una expresión de aguda concentración escrita en su rostro de rasgos marcados. Seguía un recorrido a lo largo del lateral del jardín, por uno de los caminos, como si no existiese nada más aparte de la ecuación que estaba resolviendo en su cabeza.

Cuando estaba a punto de llamar al físico por su nombre, Allier vaciló. Miró el reloj. Solo quedaban una o dos horas de luz.

Decidió seguir al hombre, y ver a dónde le llevaba.

El Hôpital des Étrangers le había dado el alta esa tarde, porque Sally insistió en que se encontraba bien, y el doctor admitió que la visión doble parecía haber desaparecido. En cualquier caso, necesitaban la cama. Había oído contar historias de los trenes ametrallados, cómo los habían detenido en vías muertas de camino a Francia desde Bélgica, para descargar a los muertos y a los heridos, a los niños llorosos y desorientados. Oyó algunas palabras sueltas en francés mientras caminaba tambaleándose por la enfermería en albornoz, las mujeres flamencas y holandesas la miraban fijamente. Muchas de ellas, los casos menos serios, estaban desplomadas en sillas cerca de la oficina de enfermeras, y Sally se dio cuenta de que llevaban allí todo el día. Si no la hubieran llevado antes del amanecer, no la habrían atendido por una estrangulación insignificante.

Apenas miró el formulario que tenía que firmar, la cabeza le palpitaba. La habían llevado al hospital sin ropa y sin el estuche de la careta antigás, lo que significaba que no tenía papeles ni dinero, pero supuso que el sistema sería flexible. ¿Cuántos refugiados de los que había visto estaban en las mismas circunstancias?

—¿Me envían la factura? —preguntó en el tono de voz más digno que pudo.

—Ya está pagado —le informó la enfermera que daba las altas—. Ha sido el caballero que ha llamado para llevarla a casa.

Hearst, pensó Sally, sintiendo un brinco absurdo en su interior, y volvió la cabeza para mirar. Pero lo que vio fue la austera figura de Max Shoop, atravesando las puertas oscilantes del pasillo.

Recompuso su expresión, aunque los latidos aumentaron. Shoop llevaba un abrigo oscuro con una bufanda de seda blanca anudada cuidadosamente al cuello, y por unos instantes se vio de vuelta en la entrada a su apartamento con un par de manos apretándole el cuello.

—Sally, querida. —Le ofreció la mano; el tacto era frío y apergaminado—. Lamento tanto todo lo que le ha pasado. Odette está furiosa conmigo. No debería haberla mandado a casa sola anoche.

—Pero, ¿qué más podría haber hecho? —repuso Sally, razonablemente—. Tenía que hablar con la policía.

—Sí —frunció los labios—. No fue directamente a su apartamento, creo. Paró... en la embajada.

—Sí. —Sally se sonrojó, al darse cuenta por primera vez de lo que le parecería a Max Shoop su visita impulsiva a la residencia del embajador: que no confiaba en él, que sospechaba de todo el mundo en S&C por el asesinato. Pero ¿quien se creía que era? ¿Una niña pequeña, para controlarla y reprocharle que desobedeciera a su papaíto? El apuro se convirtió en rabia frustrada. *Los hombres, siempre intentando dirigir mi vida...*

—Me sentía muy sola anoche, cuando vi a Philip— dijo claramente—. Todos aquellos policías franceses, echándome de la habitación, negándose a responder a mis preguntas... Necesitaba hablar con alguien que fuese americano. Alguien que me escuchara con objetividad.

—Ya veo. —Los ojos velados de Shoop recorrieron los moratones del cuello con la misma indiferencia que hubieran contemplado un cuadro en el Louvre—. No es buena idea estar sola. Odette me ha hecho prometerle que la llevaría conmigo a nuestra casa para cenar y para pasar la noche. ¿Ha recogido sus cosas?

—Preferiría irme a mi casa. —Se dio cuenta de que era una grosería—. Estoy muy cansada, Max, sería una compañía espantosa esta noche y solo tengo este albornoz.

—Tonterías. —Le agarró el brazo con sus dedos fríos—. Odette no volverá a hablarme si voy a casa sin usted. Ella le dará algo que ponerse.

Un escalofrío de duda le recorrió la espalda, pero no había forma de negarse; había pagado la factura del hospital. Lo hacía por Philip, claro está: Shoop estaba decidido a portarse bien con la chica que Philip había dejado atrás, aunque hubiera sido incapaz de impedir el asesinato.

—No estoy muy convencida —dijo ella, nerviosa, mientras él la llevaba por el pasillo del hospital— de lo de Philip. Había cristales en el salón...

—Ya se están ocupando de eso —la interrumpió Shoop—. He hablado con la policía esta tarde. Han dictaminado que ha sido una muerte accidental. Están dispuestos a entregar los restos.

—Pero...

Él la miró con frialdad.

—No va a haber ningún escándalo, Sally. Le he reservado un pasaje para Nueva York en un vapor mercante, el *Clothilde,* que sale de Cherburgo. Embarcará con el cuerpo de Philip el jueves por la tarde.

—¿El jueves? No puedo prepararme para marcharme de Francia en dos días. ¿Qué pasa con mi trabajo?... y mis cosas...

—Enviaré a alguien a su apartamento para que le haga el equipaje —dijo Shoop—. Se quedará usted con nosotros hasta que se marche.

—¡Pero tengo que ir a casa!

—¿Por qué? —La miró tan penetrantemente que Sally dio un paso atrás sin querer, buscando el apoyo de la pared con las manos.

—¿Se ha dejado algo allí? ¿Algo importante?

En su mente oyó la voz de Hearst como si fuera una advertencia.

«¿Le dio Philip algo para que se lo guardara, señorita King?»

—Mis papeles y el pasaporte —le dijo a Shoop—. Estaban en el estuche de la careta antigas. Y necesito ropa...

La cara del abogado se relajó.

—Creo que le han robado la careta. No encontrará los papeles, pero Odette estará encantada de llevarla de compras.

Finalmente lo acompañó en silencio. Inmediatamente, empezó a planear su fuga.

13

La *comtesse de Loudenne* no le pidió a la doncella que le deshiciera las maletas, ni se molestó en revisar el menú con el cocinero, aunque tampoco hubo palabras duras en la mesa donde estaba sentada con su primo, con un cigarrillo consumiéndose lánguidamente en la mano. Inclinó la cabeza en dirección a la diosa negra mientras salía enfundada en su traje de noche de terciopelo, pero no dijo nada acerca de habérsela encontrado en su propia cama. Von Dincklage fue quien la acompañó hasta la puerta.

—Vámonos de París —dijo Memphis de pronto, cuando él la besó en la mejilla—. Consigue un coche, Spatz. Sácame de aquí. Nadie te lo va a impedir. Eres alemán.

—Nos vemos esta noche en el club, querida.

Lo cogió por la solapa, pero no escuchó una sola palabra más. En ese momento entendió que su poder era limitado, y la impresión que le produjo el descubrimiento la dejó confundida, como una niña a la que hubieran dejado demasiado tiempo en una fiesta agotadora.

—Estaré allí alrededor de la medianoche.

Él la apartó con firmeza, se colocó la corbata frente al espejo recargado que ocupaba la pared entre dos ventanas, y se volvió hacia la condesa.

—Sin duda te has puesto cómodo —observó, impasible.

—¿No es maravilloso?

—Por decir algo. Una artista circense, supongo...

Levantó la cabeza, como un pájaro, hacia ella: el plumaje era dorado brillante.

—Una artista de *jazz*.

—¡Ah! —Aplastó el cigarrillo en el fondo de la taza, con los ojos fijos en los posos—. Esperaba que tuvieras el sentido común de marcharte de aquí, Spatz, antes de que yo llegara. A los sirvientes no les gusta, ya sabes... un alemán en casa, y el señor en el frente.

Él se rió, se movía inquieto, apoyándose en el alféizar.

—Nunca te ha importado un pimiento la opinión de los sirvientes.

—No. —Levantó la vista para mirarlo a los ojos—. Muy bien. Entonces: no me gusta a mí. Un alemán en casa, y el señor en el frente.

—Muy pronto habrá alemanes por todo París.

—¿A mí me lo dices? Tienes el cinismo de estar en mi propia casa...

—El cinismo, no —la corrigió—. El placer. De todas formas, tú y yo siempre nos hemos dicho la verdad...

Dejó que él le levantase la barbilla y la mirase a los ojos con afecto. Spatz, a quien no le preocupaba absolutamente nadie más que él mismo.

—No es que me guste que los alemanes estén por todas partes —dijo razonablemente—. Yo no les pedí que vinieran, así que, ¿qué es lo que te molesta de verdad? ¿No te habrá ofendido mi... artista circense?

—Lo que pasa es que estoy asustada —dijo con amargura; se puso de pie y fue hacia el salón para apartarse de él—. Jack está en París, ¿lo sabías?

«Jack» podría ser el nombre de cien hombres diferentes, de cualquier clase social o de cualquier país de origen, pero entre la condesa y Spatz solo podía referirse a una persona: Charles Henry George Howard, el vigésimo conde de Suffolk, que una vez jugó al polo con Spatz en Deauville.

—¿El conde loco? Tiene alguna relación con el Gobierno británico, según creo.

—Con la Dirección General de Investigación Industrial y Científica Británica. Puede que sea un rebelde o que esté totalmente loco, pero me advirtió sobre ti, Spatz. Me dijo que te habías manchado las manos, últimamente.

—Nell, lleva un par de revólveres a los que ha puesto de nombre *Oscar* y *Genevieve.* —El tono de su voz era deliberadamente alegre—. Bebe champán para desayunar, para almorzar y para cenar...

—Jack me dijo que eras peligroso.

La expresión divertida se esfumó de su rostro.

—No permita Dios que no lo sea.

—¿Qué demonios vas a hacer ahora que se acercan los nazis? ¿Qué vas a hacer, Spatz? Pronto no habrá ningún lugar al que huir, y no puedes trabajar para ellos. No puedes.

—En ese caso, a lo mejor tengo que negociar con Jack —sugirió.

Ella se quedó inmóvil.

—¿Qué quieres decir? Que tú... ¿ayudarías a los británicos?

Se encogió de hombros, estirando las alas.

—Sería un cambio. Pero necesito tener algo que venderles.

Ella torció la boca.

—Dios, a veces tienes una mente muy sucia. ¿Hay algo o alguien que te importe?

—Tú me importas Nanoo. —Así la llamaba cariñosamente, un recuerdo de la infancia.

—Oh, déjalo.

—Podrías ayudarme.

—¿Yo? —Se volvió hacia él con incredulidad—. ¿Cómo podría ayudarte? ¡Jack está loco por la ciencia!

—Conoces gente. —La cogió por los hombros y la atrajo hacia él—. Tú podrías conseguirme algo que pudiera vender.

—Por eso estás aquí todavía, ¿no? Para utilizarme. —Se quedó callada un momento largo—. Muy bien. Dime qué tengo que hacer.

Al final, ella llamó al chófer, Jean-Luc, para que la llevara a un hotel para pasar la noche.

El hombre llamado Hans von Halban la vio de pie junto al bordillo, con la puerta del coche abierta y una expresión ausente en el rostro. Era un extraño para la condesa, llevaba ropa demasiado larga para su cuerpo delgado, tenía los ojos oscuros y huidizos, eternamente lastimeros, y ella no dio muestras de conocerlo, ni siquiera miró en su dirección. Estaba embobado por su cabello negro y brillante que le llegaba a la barbilla, y por su perfil delicado. Pero en ese momento, el alemán bajó saltando los escalones y se inclinó para besarla en la mejilla; Von Halban pensó: *oh,* con una resignación amarga. Spatz siempre se fijaba en las mujeres más hermosas del mundo.

Los dos hombres se habían conocido hacía cinco años, cuando ambos eligieron París como refugio, un lugar donde hablar alemán sin decir *Heil Hitler.* El francés de Spatz era perfecto, el de Von Halban dejaba mucho que desear; Spatz se sentía como en su casa en todas partes; Von Halban era siempre un extraño. Sin embargo, compartían el mismo nombre de pila, y el amor por el *jazz.* Para salir, sentían predilección por Montmartre. Se habían conocido en el Alibi Club, mucho antes de que Memphis Jones comenzase a actuar en él, durante un momento de calma entre actuaciones en el que la alegría de hablar su lengua materna había forjado un lazo simple e inesperado. Spatz había asistido a la boda de Von Halban; su novia francesa estaba extasiada con su encanto. Pero si Von Halban hubiera hecho cuentas con lo que sabía realmente de Hans von Dincklage, si lo hubiera pensado en términos de cálculos como los que hacía en su cuaderno del laboratorio, habría obtenido muy poco. Unas cuantas anécdotas, algún hecho aislado o dos. Un mundo de especulaciones y de insinuaciones seguía a Spatz como séquito personal, conocido pero nunca poseído.

Von Halban estaba ahora frente a la escena que se desarrollaba en el bordillo con el sombrero en la mano y una ansiedad enfermiza en la cara, preguntándose por qué había venido. Su francés siempre lo abandonaba en los momentos de mucho apuro.

—¡Hans! —Spatz se lanzó a través del empedrado, con la mano extendida. El saludo nazi no le iba demasiado.

—Yo... espero no molestarte.

—Claro que no. Iba a salir a tomar algo. ¿Te vienes?

—Encantado. —Agachó la cabeza sin decir nada en dirección a la desconocida, que se asomó sobre el volante del coche, despidiéndose con la mano mientras comenzaba a circular.

—Es mi prima —le explicó Spatz—. La *Comtesse de Loudenne.* Me he quedado en su casa mientras ella estaba en Burdeos, pero ha regresado algo inesperadamente esta mañana.

—¿Y ahora tiene que irse otra vez?

—Está preocupada por su marido. Está en el frente.

—Ah, —consiguió decir Von Halban. Había oído hablar de la prima de Spatz. Nunca pensó que tuviera marido.

—Tienes aspecto de enfermo, Hans. —Spatz estiró su cabeza rubia y alerta hacia él—. ¡Joliot-Curie os hace trabajar demasiado en ese laboratorio!

—¡Si solo fuera eso!

Miró distraídamente el ancho bulevar, extrañado de que la calle estuviera tan vacía de vida. El resto de la ciudad se había inundado con una multitud creciente de refugiados del norte, de cara inexpresiva y paso exhausto, que arrastraban los pies con los niños en la cadera y los perros atados a los cinturones, y unas carretillas donde apilaban sus tesoros, ropa y sartenes, en cajas de cartón. ¡Carretillas! A Hans le resultaba increíble y horrendo, pero la indecisión lo paralizaba: quedarse y apoyar a Joliot hasta el final o huir, huir como le pedía su mujer. Annick se marcharía sin él de todas formas; llevaría a las niñas a casa de sus padres en el campo esa misma tarde; le había dicho que él podría ir cuando encontrara una forma de salvarlas. No sabía cómo empezar a decirle todo esto a Spatz, a él, que parecía que nada pudiera alterar su serenidad interior, que iba bien vestido y en busca de alcohol al café más cercano, como si su vida fuera un período de vacaciones continuo.

La tranquilidad del barrio de Passy se quebró de golpe por un motor muy ruidoso. Un coche largo, negro y reluciente se lanzó en dirección sur por la Rue de Longchamp.

—Belgas —observó Spatz—. Para mañana, ya estarán en España. Los que tienen dinero y coches rápidos son siempre los que se salvan de los desastres. ¿Tienes coche, Hans?

Von Halban movió negativamente la cabeza, con el miedo atenazándole la garganta.

Los dos caminaron sin hablar por las calles hermosas y elegantes del *arrondissement* dieciséis: la Rue des Belles-Feuilles, la Avenue Victor Hugo. La Place du Trocadéro estaba plagada de coches y habían reforzado los cimientos del palacio Chaillot con sacos de arena. Spatz se paró inesperadamente, con las manos metidas en los bolsillos de los pantalones, para mirar el edificio imponente; se había terminado hacía solo unos pocos años, según el estilo arquitectónico fascista.

—No se hace física en España —dijo Von Halban, como si terminara una conversación que hubieran mantenido hacía tiempo.

—Tampoco se hará aquí, dentro de poco. —Spatz tiró a un lado la colilla del Dunhill—. Todo se reduce a esto: te irás, porque ahora el honor está en otra parte y tú eres un hombre honrado. Los dos lo sabemos, Hans. Tu mujer no puede pretender que te quedes y trabajes para Himmler y su gente.

Heinrich Himmler, como ambos sabían, dirigía la SS, el cuerpo de élite criminal del partido Nazi. La SS y Himmler habían denunciado la existencia de una «física judía» hacía unas semanas con tanta ferocidad que incluso Werner Heisenberg, que no era judío y era la esperanza alemana de conseguir la bomba atómica, pensó que su carrera había acabado. Hans von Halban no tendría futuro en un mundo controlado por Himmler.

Spatz parecía saber ya todo lo fundamental, y a Hans no le sorprendía. Durante años, había corrido un rumor que relacionaba a Spatz con el almirante Wilhem Canaris, la cabeza visible de la Abwehr, el servicio de inteligencia de Alemania. Spatz era un espía. ¿Cómo si no había conseguido relacionarse con la embajada alemana en París tan vagamente, muchos más años de los que corresponden al desempeño del cargo de un ministro en el extranjero? ¿De qué otra forma podría ir y venir como si fuera el heredero de un principado, libre de convenciones, de expectativas y de la necesidad de ganarse la vida? Era un ave de paso, un pájaro migratorio. Seguramente por eso estaban los dos juntos al borde de una intersección principal, mirando la monstruosidad arquitectónica fascista... porque Spatz necesitaba lo que Hans sabía.

—Eres un buen físico, Hans, —dijo Spatz reflexivamente—. Uno de los mejores que ha tenido Europa. Eres austriaco, por supuesto, pero el Anschluss hace que esa diferencia sea irrelevante. Ahora todos somos hermanos bien avenidos en el Reich, ¿no? El problema de verdad es que tu madre es judía, y por ese motivo es ilegal que ninguna institución alemana o austriaca te contrate. *Verboten.* Tanto como valore uno su vida.

No esperó a que Von Halban expresase su acuerdo.

—...Así que tu decisión de convertirte en ciudadano francés al casarte probablemente fue una buena idea. O lo habría sido, si el ejército francés no hubiera decidido volver a luchar como en la anterior guerra en contra de Hitler. ¿Sabes que la infantería aliada no tiene tanques? Y se enfrentan a la brigada de tanques más grande que ha visto el mundo. ¿Sabes que la Luftwaffe supera en número a los aviones franceses en una proporción de diez a uno?

—Churchill va a enviar aviones británicos.

—Churchill no va a soltar ni uno. Los va a necesitar para luchar contra la invasión británica, en cuanto caiga Francia.

Von Halban se pasó la lengua por los labios.

—Hay demasiados rumores en el extranjero. Uno ya no sabe qué creer.

—A menos que ese uno haya leído los telegramas —dijo Spatz implacablemente—. La embajada alemana está cerrada, como bien sabemos, pero créeme si te digo que hay una fuerza alemana clandestina en esta ciudad. Hablo con ellos a diario.

—Tu lealtad a la madre patria debe levantar sospechas —repuso Von Halban, hiriente—. Dios sabe qué habrás averiguado para contárselo a tus... clandestinos.

—Mentiras. Verdades. —Spatz se encogió de hombros y dio una sacudida impaciente de alas—. Depende del día. Durante años he mantenido la cabeza baja y el culo fuera de Berlín, Hans. Solo que ahora Berlín está a mis puertas. ¿Crees que me gusta? ¿Crees que quiero ver a los muchachos de uniforme *feldgrau,* marchando al paso de la oca por los Campos Elíseos?

—Pero... —Tanteó buscando las palabras, en aquella mente siempre llena de números, de velocidades de partículas y de ecuaciones—. Acabas de decir...

—Que estoy ganando tiempo, sí. Si doy la impresión de que estoy cooperando, tal vez me dejen en paz, lo bastante como para que haga otros planes. Mi prima conoce gente en la legación británica.

Ser alemán era una broma de mal gusto, pensó Von Halban. Estaba Spatz: un ario perfecto, de físico enérgico y cabeza dorada, pero su madre era británica, su ex-mujer era judía y como el propio Hans, Spatz tenía un *«von»* que ennoblecía su nombre. El menor toque aristocrático y ya eras sospechoso desde la cuna, material de molienda para la rueda de Hitler. Tenía al menos tres condes en su contra, Hans Gunter von Dincklage, y todos los expedientes del Reich lo habían registrado en tinta.

Von Halban empezó a caminar de nuevo, sin propósito, como si los pies por sí solos quisieran salvarlo.

—*Gott in Himmel,* ¿qué debo hacer, Spatz?

—Decidir tu futuro, porque solo os quedan dos días de «período», como decís vosotros de las reacciones nucleares, según creo. Para entonces será mejor que estés en cualquier otro sitio.

Pero no tengo dinero. Ni coche. Tengo mujer y dos hijas.

—¿Te protegerá Canaris? —le preguntó.

El jefe de Spatz odiaba a Hitler, como todo el mundo en el Abwehr.

Spatz se limito a mirar a Von Halban.

—¿Te protegerá a ti el ministro Dautry?

Von Halban tomó aire. Entonces, Spatz sabía que el trabajo de Hans en el laboratorio de Joliot quedaba directamente bajo la autoridad de Raoul Dautry y del Ministerio de Armamento. Sin querer, el rostro huesudo de Joliot, con sus hoyuelos, le vino a la mente: los ojos de Joliot, penetrantes como los de Dios. «Ni una palabra», decía el gran hombre, «ni una sola palabra de lo que hacemos aquí debe salir nunca de esta habitación».

—Quizá —sugirió Spatz—, podamos protegernos el uno al otro.

—¿Cómo?

—Combinando nuestros recursos. —Se detuvo, centrando su atención en la lumbre de cigarrillo—. Tengo dinero y acceso a transporte. Podría sacar a Annick y a las niñas. Y tú...

—Te doy información —concluyó Hans. Se le hizo un nudo tan grande en la garganta que durante unos momentos fue incapaz de hablar—. Información por la que ciertas personas estarían dispuestas a pagar. Llevas planeando esto mucho tiempo, ¿eh, Spatz?

El «gorrión» deslizó el encendedor de oro por la chaqueta.

—Desde la noche en que tu gente me robó el agua de Noruega —contestó.

14

Joe Hearst miraba el sobre que había colocado perfectamente en su escritorio, con las esquinas de papel grueso dobladas por un manejo descuidado y demasiados desplazamientos. Tenía un dilema con este sobre, que había enviado dos días antes un hombre muerto. Había intentado respetar las intenciones de Stilwell: había aceptado confiadamente el paquete de manos de Léonie Blum y había ido a la oficina central del Banque de Paris et des Pays-Bas, donde había preguntado por Jacques Allier y le habían dicho, glacialmente, que ese *monsieur* ya no trabajaba para el banco.

Fin de la historia, no daban más información.

Luego pensó en Sally King; quizá esta carta era ahora de su propiedad, tanto como de la del desconocido Allier, y telefoneó al Hôpital des Étrangers.

—Se ha ido —le dijo simplemente la enfermera—. Un caballero vino a buscarla y pagó la cuenta, además. Supongo, con una cara como la suya...

Luchando contra los celos, solo en ese momento, en la oficina de la cancillería, Hearst se enfrentó al problema del sobre sin destinatario.

Los caballeros no leen el correo de otras personas, pensó mientras miraba los garabatos de tinta. Henry Stimson, el diplomático de carrera que había acuñado esa frase, deploraba el espionaje en todas sus formas. Stimson hubiera quemado la correspondencia de Stilwell y no hubiera vuelto a pensar en ello.

Hearst alcanzó el abrecartas grabado e insertó la punta plateada bajo la solapa resistente.

Llamaron a la puerta: suavemente, con determinación, como un beso en la oreja. *La llamada de una mujer,* pensó con un brillo de esperanza. *¿Sally?* Deslizó el sobre de Stilwell rápidamente en un cajón.

—Pase.

Una cara asomó tras la puerta.

—El señor Hearst, supongo.

Se levantó cortésmente e inclinó la cabeza.

—¿Usted es...?

—Emery Morris, de la firma Sullivan & Cromwell. —Era un hombre de aspecto sólido, muy atildado, algo remilgado—. Bob Murphy me dijo que podía volver...

—Sin duda. —Hearst fue hacia una silla—. ¿Conoce a Bob?

—Todo el mundo conoce a Bob, creo —observó Morris. Se inclinó y pasó una caja de cartón grande por el umbral—. Tuve el placer de servirle en un asunto legal insignificante, una vez.

—Ha venido por Philip Stilwell, supongo; el tanatorio ha accedido a darnos el cuerpo. Su firma debería decidir si quiere reservar el pasaje para los restos mortales, y en tal caso, si necesita la ayuda de nuestra sección consular. Hay que contratar a un enterrador y por supuesto, hay que comprar un ataúd...

Morris levantó la vista de la caja, moviendo las aletas de la nariz por encima del mostacho.

—Traslade esa sugerencia al director ejecutivo, el señor Max Shoop. Yo no pienso volver a las oficinas de Sullivan & Cromwell.

—¿No? —Hearst lo miró con curiosidad.

—En cuanto a los restos del señor Philip Stilwell... me importan un bledo, señor.

—Ya veo. —No volvió a invitarle a que se sentara otra vez—. ¿Qué puedo hacer por usted?

Morris sonrió.

—No, no, señor Hearst. La cuestión es qué puedo hacer yo por usted.

—¿Disculpe?

—Esta caja. —El abogado le dio un golpecito con el pie—. Contiene los expedientes de varios meses de trabajo de la oficina de Philip Stilwell. Me los llevé anoche, convencido de que si no lo hacía, lo haría Max Shoop. Y Shoop, señor Hearst, nunca se los habría entregado a usted. Antes los habría quemado. Estos expedientes podrían destruirle.

—¿De qué forma? —Hearst se dejó caer cautelosamente en su silla.

—Detallan escrupulosamente cómo Shoop ha violado sistemáticamente el Acta de Neutralidad Americana al ayudar e instigar al Gobierno francés en la guerra actual.

Hearst reprimió el impulso de reírse. Todos estaban ayudando e instigando al Gobierno francés, aunque no lo admitieran públicamente.

—¿Y me trae los expedientes a mí?

—La embajada americana debería estar al tanto —dijo Morris con énfasis—. Stilwell era una herramienta de Shoop. Uña y carne con los franceses. Ese tipo de colaboración con un país beligerante difícilmente se corresponde con la política de Sullivan & Cromwell. El señor Foster Dulles cerró la oficina de París el pasado mes de septiembre precisamente para evitar este tipo de cosas. Shoop le ha estado mintiendo al señor Dulles al perseguir sus propias simpatías e intereses infringiendo claramente la ley americana. Para ello, utilizaba a Stilwell.

—¿Por qué no le dijo todo esto a Foster Dulles?

—Oh, lo haré —le aseguró Morris—. La carrera de Shoop en S&C se ha acabado. Pero al ser tan incierta la vida en París, con los alemanes a este lado del Meuse y todo el mundo corriendo en todas direcciones, pensé que la cancillería sería el mejor sitio para guardar las pruebas. En caso de que Shoop huya, antes de que puedan juzgarlo.

—¿Por qué? ¿Por violar el Acta de Neutralidad?

—No, no, señor Hearst. —Morris sonrió con malicia—. Por asesinar a Philip Stilwell.

Había ocho expedientes en total, uno por cada mes de guerra, repletos de los documentos más extraños que Hearst había visto en su vida: notas escritas con la caligrafía de Stilwell que solo su autor podía entender; artículos tomados de lo que parecían ser publicaciones científicas; mensajes cortos firmados «MS» que interpretó serían de Max Shoop y unas cartas indirectas dirigidas al Banque de Paris et des Pays-Bas.

Todo se resumía en una lista de fechas que Hearst encontró en el último expediente, escrito a mano supuestamente por Philip Stilwell:

Marzo, 1939:

- Bohemia y Moravia anexionadas por Alemania. Nota: esta región es la única fuente de uranio de Europa, ahora está bajo control alemán.
- Joliot y sus colegas han demostrado que dividir el átomo de uranio con un solo neutrón provoca la emisión de más de un neutrón. Sugiere que es posible una reacción en cadena, que puede usarse como fuente de energía... o explosivo.

1 de abril de 1939: Joliot recibe telegrama de un colega de EE. UU. que le suplica deje de publicar resultados de experimentos, por amenaza de guerra de Alemania.

1 de mayo de 1939: Joliot saca cinco patentes de construcción y uso de reactores nucleares. Von Halban y Kowarski acompañan solicitud.

Junio, 1939: Más de cincuenta artículos hasta la fecha publicados en todo el mundo sobre fisión atómica. Experimentación a paso atropellado.

Sept., 1939: Llego a París. Francia y Gran Bretaña declaran la guerra a Alemania.

Nov., 1939:

- Llaman a Joliot para servir en el ejército. Capitán, Grupo 1 de Investigación Científica.
- Solicitud de compra del ministro del Gobierno francés Dautry de 400 kg de uranio a Metal Hydrides, Inc. de Clifton, Massachusetts (cliente de Sullivan & Cromwell). También solicitud de compra de todas las reservas de agua pesada almacenadas en ese momento en las instalaciones de HydroNorsk, en Noruega. El 65% de HydroNorsk era propiedad del Banque de Paris et des Pays-Bas. Cliente de Sullivan & Cromwell).
- Los clientes solicitan asesoramiento de S&C. Shoop me encarga del asunto.
- Descubrimiento de que la compra del agua pesada ya está prevista por un accionista secundario de HydroNorsk, I. G. Farbenindustrie (25% de las acciones. Cliente de Sullivan & Cromwell. Ver expedientes de Rogers Lamont).

Marzo, 1940: Un agente del banco negocia con éxito un préstamo de las reservas de HydroNorsk para Francia.

Abril, 1940:

- Los alemanes invaden Noruega, toman las instalaciones de HydroNorsk.

Mayo, 1940:

- Empiezan las hostilidades en la Línea Maginot.
- «Avisar a Joliot de la vulnerabilidad de su ciclotrón.»

Aquí es donde la lista se interrumpía de golpe.

Hearst se sentó muy quieto en su escritorio, con las notas de Stilwell en la mano. No sabía prácticamente nada de física, pero recordó algo sobre Albert Einstein que Bullitt le había dicho una vez, no hacía demasiado tiempo. El tipo estaba exiliado en Princeton y era un bicho raro a todas luces. Sin embargo, le había escrito una carta a Roosevelt avisándole de que los alemanes estaban trabajando en una bomba atómica. Algo que podía destruir toda la ciudad de Nueva York con quinientos gramos o un kilo de explosivo.

Roosevelt, dijo Bullitt, no sabía si debía tomarse en serio a Einstein o no. La mayoría de los científicos que el presidente había consultado, estaban de acuerdo en que no era factible hacer una bomba así.

Hasta que Philip Stilwell y los franceses lo averiguaron.

—Max Shoop parece capaz de cometer un asesinato —dijo Bullitt plácidamente cuando Hearst fue a buscarlo a su despacho—. ¿Cree que hay algo de verdad en lo que dice Morris?

—Nada que yo pueda probar... todavía, pero los expedientes son confusos; están llenos de investigaciones atómicas. De investigaciones atómicas francesas.

—Ese será Joliot-Curie. —Bullitt alcanzó un vaso de agua. Había estado quemando documentos en la papelera toda la tarde y los ojos le lloraban.

—¿Lo conoce?

—Ligeramente. Es un poco encantador de serpientes, en mi opinión, por algo ganó el Nobel. Muy cercano a esos malditos comunistas. Tiene a un ruso trabajando en su laboratorio.

—Y planes para fabricar una bomba —dijo Hearst— que podría hacer volar Berlín, Londres o Nueva York.

—Eso es imposible —Bullitt dejó el vaso de agua—. Lo hemos comprobado.

—Joliot-Curie no estaría de acuerdo, y con los alemanes de camino a París...

El despacho del embajador estaba cargado de humo y Hearst apenas podía distinguir a Bullitt en la penumbra espesa: cabeza ahuevada, traje impecable y dedos limpios de uñas abrillantadas. Bullitt no era un estúpido, pero las exigencias que le hacían eran interminables. Llevaba días sin dormir y no se le podía culpar, pensó Hearst, por no saber nada de una rama de la ciencia tan teórica que solo diez personas en el mundo entendían de verdad.

—Los alemanes ya han tomado Checoslovaquia, la principal fuente de uranio de Europa —insistió—. Acaban de tomar Noruega, el único lugar del mundo que tiene agua pesada. Ahora van a tomar París. Joliot tiene el único ciclotrón del continente y la inteligencia necesaria para diseñar esa bomba. Creo que deberíamos preocuparnos, señor. Deberíamos informar al presidente.

Bullitt volvió a llenar el vaso de agua.

—Dígaselo a los británicos, Joe. Nosotros ni siquiera estamos en guerra.

—¿Lo verá Roosevelt de la misma manera?

—Roosevelt está mucho más preocupado por la retirada de los aliados del Meuse —replicó el embajador—, y por el hecho de que el maldito Winston Churchill va a volar a París el jueves para una conferencia rápida. El primer ministro debe creerse que puede animar a los franceses y enviarlos de nuevo a la batalla. No sabe aún que hay un agujero de cien kilómetros de ancho en la frontera y que los alemanes se están colando como las mierdas por la alcantarilla. Nadie los detiene.

—La contraofensiva francesa...

—Es una porquería. —Bullitt alcanzó un montón de cartas y las echó en la papelera ardiendo—. He visto al primer ministro Reynaud hace una hora. Está a punto de dimitir. Voy a mandar a todo el personal que no sea necesario y a mi familia a Burdeos mañana. Puede reservar un pasaje a Inglaterra desde allí, a lo mejor incluso a Nueva York.

Hearst asimiló la noticia.

—¿Se refiere a mí, señor?

—Quiero que vaya a Burdeos, Joe —soltó Bullitt—. Necesito a Carmel Offie y a Murphy aquí, un par de guardas y otro par de operadores de teléfono, pero usted, Steve Tarnow y el resto tienen que irse. No tiene sentido que todos muramos.

—¿Sabemos siquiera si París es el próximo objetivo alemán? —Hearst explotó— ¡No llegan informes precisos desde el Frente! ¡Los panzer podrían estar avanzando hacia el oeste en dirección al Canal!

—No puedo esperar noticias que tal vez no lleguen nunca. —Bullitt tosió guturalmente, con flemas de fumador—. Reynaud está considerando retirar al Gobierno a algún lugar de Auvernia, y si él piensa sacar a su gente, yo haré lo mismo.

—¿Auvernia?

—Vichy, para ser exactos. El primer ministro tiene la vaga idea de que los panzer alemanes no podrán cruzar las montañas del Macizo Central.

—¿Qué pasa con «defender la ciudad, calle a calle» como decía que iba a hacer?

—Eso es labor del Ejército, no de los burócratas. —Los ojos del embajador se clavaron en Hearst, duros y fríos como el cristal—. Encuentre a Petie. Llévese la flota de coches de la cancillería y prepare un convoy para ir por carretera a Burdeos. Váyase antes de mañana por la noche, el jueves por la mañana como muy tarde. Proteja a las mujeres y a los niños si puede. No irán muy rápidos.

Hearst calculó mentalmente. Tendría que hacer de canguro para casi cincuenta mujeres y niños, algunos hombres de todo tipo que se apuntarían, personal de servicio ocasional, todos ellos riñendo por pertenencias y privilegios, y en el tipo exacto de barco del que podrían disponer en Burdeos. Necesitarían comida, hacer paradas para ir al lavabo, gasolina. Y no había gasolina en todo París.

—¿Qué pasa con Philip Stilwell? —preguntó—. Todavía está en el tanatorio de París.

Bullitt lo desestimó con un gesto de la mano:

—Shoop ha reservado plaza en un vapor comercial que sale de Cherburgo para llevarse el cuerpo el jueves. Me lo ha dicho esta tarde.

—Por Dios —murmuró Hearst—. ¿Y Sally?

—¿Por qué no la invita a una escapada romántica? —sugirió mordazmente el embajador—. Creo que los viñedos están preciosos en esta época.

Cogió el Buick y fue directamente a la Rue St-Jacques, con la esperanza de encontrarla en casa, pero la portera se había ido a la cama y cuando lanzó una piedrecita a una ventana al azar, fue la vecina, Tasi, la que se asomó a la puerta principal.

—Sally no ha vuelto del hospital —dijo, entrecerrando los ojos rasgados.

—Le dieron el alta esta tarde.

—Entonces, a lo mejor se ha ido de la ciudad.

—¿Sin sus cosas?

Tasi se encogió de hombros, aburrida y cansada con las nimiedades que le traía aquel hombre.

—La atacaron, *monsieur.* Estará asustada, ¿no? Además, *pauvre Philippe,* salía en todos los periódicos...

—¿No ha mandado algún recado?

Tasi le puso su delicada mano en el hombro y tiritó.

—Hace tanto frío fuera, *monsieur,* aunque estemos en primavera. ¿Por qué no sube? Le haré un té ruso auténtico...

—¿Conoce a algún amigo de Sally? ¿Una mujer o... un hombre, por ejemplo, con quien pudiera haberse alojado?

—Philippe era el único, ¿entiende? Se habrá ido a un hotel, *peut-être.*

—No tenía dinero para pagarlo —dijo bruscamente, dominado por la ansiedad.

¿Cómo es que estas imprudentes salían a la calle de noche, solas y sin protección? Daisy había hecho lo mismo: escaparse por la puerta principal con la risa aún burbujeando en sus labios. Sin besos de despedida, sin dejar una dirección. Se sentía culpable, por supuesto; sería su pecado eterno haber dejado caer a su mujer en las fauces de la violencia, sin posibilidad de salvación. Le había fallado. Igual que le estaba fallando a Sally. Apenada, asustada y herida...

Las lágrimas que recorrían sus mejillas en el Hôpital des Étrangers; el hombre que le puso las manos alrededor del cuello...

Hearst le dejó una nota y trescientos dólares para que Tasi se los diera. No confiaba en que recibiese ninguna de las dos cosas.

15

Cuando Joliot la vio por un instante en los Jardines de Luxemburgo, pocos minutos antes de las cinco, caminando enérgicamente por un sendero que conducía hacia el Boulevard St-Michel, pensó que había resucitado un fantasma, o más bien, un íncubo: la encarnación de todos sus anhelos más brutales.

No podía ser Nell, en carne y hueso, en París...

Se detuvo y aguzó la vista para seguirla mientras pasaba bajo la sombra de las hojas nuevas de los olmos. Su cintura, estrecha y modesta, podía ser la de cualquier mujer; igual que las piernas rebeldes; pero dos cosas gritaban su nombre a través de años de separación y desconfianza: los huesos del cuello, frágiles bajo el sombrero, y la forma decidida en la que pisaba el pavimento. Los tacones sonaban sincopadamente: luz, sombra, luz, sombra, el goteo del agua en alguna fuente cercana y el olvido de lo que iba a hacer al segundo de reconocerla.

La llamó. Nell.

Los pasos no titubearon; llevaba la cabeza baja, absorta en sus pensamientos. Al llegar al Boul-Mich iba inclinada. A lo mejor tenía una cita allí, pero de pronto se le ocurrió que ella le había visto a él, también; lo había visto incluso antes de que él aspirara su presencia, y deliberadamente caminaba a su manera inglesa y orgullosa, tan ligera como le era posible, hacia la promesa de una huida.

Él echó a correr, los papeles aleteaban y el lápiz que llevaba detrás de la oreja se cayó inadvertidamente al suelo. La llamó con más fuerza esta vez, provocando que un grupo de palomas levantase el vuelo estrepitosamente.

Ella volvió la cabeza, mientras agarraba espasmódicamente la correa del bolso con una mano enguantada. Luego se detuvo, para esperarlo.

—Ricki.

Ese era su nombre; nadie más le había llamado nunca así. Para el resto del mundo era Joliot, para sus colegas, Frédéric. Fred para su madre y su esposa. *Le professeur Joliot-Curie* para los estudiantes que asistían a sus clases en el Collège de France, a cuatro manzanas de allí. Ricki era el nombre que le había dado hacía quince años en Berlín mientras, mareado por la ginebra y la falta de sueño, apoyaba la espalda contra la pared del club al que ella había insistido en ir, mucho después de que todo el mundo estuviera deseando irse a la cama. «Ricki —le dijo—, dame tu mechero. Necesito algo de calor en la punta del cigarro».

Aquella noche de 1925 iba vestida de hombre, con un traje elegante que le había prestado su hermano: la honorable Nell Bracecourt, hija de un conde, por los callejones de los barrios bajos de Berlín, acompañada por un ramillete de poliglotas chiflados. Ese no era su ambiente habitual —hablar del radio, del modelo de Bohr y de los saltos cuánticos— y Joliot notaba que su aburrimiento se enroscaba entre ellos como un gato. Tenía veintiún años y ya estaba cansada de la vida. Se aseguró de que él supiera lo irrelevante e increíblemente viejo que era de verdad.

—¿Qué estás haciendo aquí? —le preguntó él, entre jadeos fatigosos.

—¿Es que es tuyo, el Luxemburgo? ¿Nadie más puede poner un pie en él?

—Nell...

Una sonrisa le deformó los labios, como si tuviera algo ácido en la lengua.

—Nunca cambiarás, Ricki. Siempre con ese sentido del ultraje. Como si al mundo le ofendiera el simple hecho de que yo camine sobre él.

—Sabes que no es cierto. —Le hablaba en inglés, un hábito ya olvidado, pero su dominio del idioma era irregular, y tanteaba buscando las palabras, tímido y abrumado—. Me alegro mucho de verte, Nell. Tienes... muy buen aspecto.

Estaba mayor, no podía negarlo: La cualidad luminosa de la juventud se había desvanecido de su piel, dejándola tensa sobre los huesos, marcando la belleza infinita de sus mejillas y sus cejas, como el vuelo de una golondrina sobre sus ojos azules. *Debe tener algo más de treinta y cinco años,* pensó. Sus formas no habían cambiado: eran ligeras, contenidas y perfectamente controladas, el cuerpo de una atleta disciplinada. Nunca entendió cómo lo conseguía; Nell rara vez era disciplinada o controlada.

—Gracias —dijo sucintamente—. No me gusta ir aireando mis miserias a la multitud. Tú te conservas bien, por lo que parece. ¿Aún sigues empollando con tus átomos y todo eso?

—Sí. —La pregunta lo trajo de golpe a la realidad: el laboratorio, el recado que iba a hacer, la guerra. Por un segundo quiso contárselo todo, dejar que las palabras salieran atropelladamente: la urgencia que dominaba su vida últimamente, cómo la certeza de la amenaza alemana había situado todas las elecciones que hubiera hecho bajo la luz de una bombilla inquisidora, como siluetas proyectadas contra una pantalla en blanco. Todos los remordimientos y las concesiones quedaban redimidas por dos cosas solo: la pureza de su trabajo y sus hijos.

Asintió distraídamente, mirando por encima del hombro de ella. No se dio cuenta de que ella fruncía el ceño y buscaba su rostro con la mirada, hasta que habló.

—Deja que te invite a un *fine,* Ricki. En el Boul-Mich. Podemos hablar allí.

Si él hubiera pedido el coñac, sin duda habría sido de poca calidad y ni siquiera lo hubiera notado; el ardor en la garganta era de esperar en estos tiempos, una muestra más de la chapucería generalizada. Incluso los propietarios de los cafés enviaban sus abastecimientos fuera de la ciudad por seguridad, o enladrillaban los sótanos. Pero Nell exigía calidad: su *domaine* en Burdeos suministraba vino a alguna de estas personas y conocía a todo el mundo en un radio de treinta kilómetros desde el Sena, desde el viejo Edouard en el Dôme, pasando por Héloise del Café Flore hasta el legendario André Terrail de Tour d'Argent. Sabía perfectamente lo que se atesoraba en la *cave* bajo sus pies y lo pedía directamente, con un acento francés ligeramente mejor que el suyo inglés.

—¿Estás en París de vacaciones? —le preguntó ya en la mesa, sentados justo enfrente de la entrada principal de la Sorbona y totalmente a la vista de una hueste de colegas que podrían extrañarse de que el laureado premio Nobel estuviera bebiendo a horas tan tempranas de la tarde con una mujer que evidentemente no era su esposa—. ¿Has venido de compras, tal vez? ¿A ver a unos amigos?

—¿En mitad de la ofensiva alemana? —le respondió fríamente mientras encendía un cigarrillo. Las manos de Nell. Estilizadas, artísticas y mimadas. Las de su esposa estaban cubiertas de quemaduras de radio.

Lo miró a través del humo.

—Hay un envío de cubas de vino que tengo que llevar de vuelta a Burdeos antes de que los nazis las confisquen. Son muy caras, de roble de Nevers muy joven. Veinte de ellas en una furgoneta alquilada. A lo mejor preferirías pensar que soy una inútil, uno de esos parásitos decorativos que sueles odiar,

Ricki, pero nadie lleva una bodega solo con títulos y buena apariencia.

—Bertrand...

—Mi marido está en el frente. —Unas palabras cortantes, lanzadas como un escudo ante su cara: *no quiero tu compasión.*

—No lo sabía.

—Naturalmente que no. No te has mantenido en contacto, precisamente. —Apagó el cigarrillo, aunque apenas se había consumido—. Hace semanas que Bertrand no me escribe. Creo que no se lo permiten, lo que significa, por supuesto, que donde está la situación es horrible.

—¿Todavía le quieres tanto?

—Dios, no. Simplemente, odio que no me hagan caso, Ricki, ya lo sabes. ¿Por qué dejaste de verme por completo, si no era porque te hacía daño?

Por un instante, la mano de Nell se posó sobre un cenicero, la luz oblicua de mayo doraba su cabello castaño, y todo revivió entre ellos: los celos, la traición y la dolorosa necesidad. Él quería rodearle el cuello con los dedos y decirle, de una vez por todas, que ella nunca le pertenecería a nadie más. No importaba cuánto tiempo hubiera pasado. No importaba con quien se hubieran acostado o casado.

—¿Te has dado cuenta de que solo quedan viejos en estos sitios miserables? —dijo por seguir una conversación, apartando los ojos de la calle para dirigirlos hacia el camarero que se aproximaba—. En Burdeos es igual. No se puede contratar a ningún trabajador robusto, y las vides están cargadas de uvas. Y va a empeorar. *Tchin.*

Bebía como la recordaba: tragaba el líquido ámbar con elegancia, como un insulto. Luego dejó el vaso —solo dejaba los posos amargos agazapados en el fondo— y preguntó:

—¿Cómo está Irène?

Era una táctica deliberada. Mencionar a su mujer para conseguir que se avergonzara. Pero su fidelidad no había sido el problema: Nell lo dejó antes, hacía quince años, en un andén de la estación con la maleta hecha y un billete que él hizo trizas metódicamente sobre las vías hasta que le sangraron las manos. Había leído en el periódico que se casaba.

—Irène no está bien. Se ha ido a Bretaña para hacer una cura de reposo, con los niños.

—Me sorprendes.

Irène asustaba a casi todo el mundo. Los mantenía a raya con su reputación de genio, su silencio y su autosuficiencia. Y con una ropa espantosa.

Adivinó que a Nell le molestaba un poco.

—No está huyendo de la guerra —le explicó—. Es por... gajes del oficio. Leucemia. Su madre murió de eso. Irène siempre tiene anemia.

—¿Y tú?

Se encogió de hombros.

—Estoy demasiado ocupado para ponerme enfermo. Me llamaron a filas el pasado mes de septiembre, como a Bertrand.

—Solo que tú estás a salvo en París.

—Por el momento. Mi frente es el laboratorio.

—Dios —exclamó ella con malicia—. ¿Es por esa bomba de la que he oído hablar? ¿La división del átomo?

Nell lo sabía, por supuesto. Ella no era como la mayoría de la gente. Había crecido rodeada de físicos, su hermano era el más importante de todos, el honorable Ian Bracecourt, que se afanaba con Rutherford en Cambridge. Ian le había enviado un telegrama de felicitación cuando los Joliot-Curie ganaron el premio Nobel en 1935. Pero las palabras de Nell le hicieron ser consciente de sí mismo: de la vida que llevaba de verdad: el secretismo desesperante; las patentes que había obtenido; los alemanes en la frontera y las cosas que no podía contarle ni siquiera a su mujer.

—No existe la bomba atómica —susurró.

Nell echó la cabeza hacia atrás y se rió.

Él dejó a un lado la copa de coñac, sin acabarla; levantó la mano para llamar al camarero.

—¿Puedo ayudarte en algo mientras estás en París? Conozco a Raoul Dautry, el ministro. A lo mejor podría conseguir noticias de Bertrand.

—Quédate conmigo —dijo inesperadamente—. Esta vez no saldré corriendo, te lo prometo.

Levantó la vista de la billetera para mirarla.

Había pronunciado aquellas palabras en voz tan baja que parecía que no las había dicho. En su cuidada expresión cabía una negativa: estaba preparada para fingir que no había dicho nada si él también lo hacía.

Si no hubiera salido corriendo hacía ya tantos años, en dirección a Bertrand y a su título, y a la fortaleza de Burdeos, ¿qué habría pasado? ¿Se habría vuelto loco lentamente queriéndola y odiándola hasta que solo la muerte lo hubiera salvado de sí mismo? Estuvo obsesionado. Obsesionado. Con su capricho y su encanto, su negativa siempre a ceder, su sexo líquido y dulce que olía a violetas. Podría habérsela comido viva en aquella cama de la Rue Martine.

Vete al laboratorio, Joliot. Busca un sitio blanco y estéril, no ese cuello delicado entre tus dientes.

Pagó mucho por los coñacs, los billetes se le escurrieron entre los dedos.

Cuando salieron del café ya estaba anocheciendo. Avanzaban a saltos rápidos como las hojas a través del jardín umbrío.

16

Hans von Halban estaba soñando con la cámara de niebla de Joliot cuando sonó el timbre de la puerta: el vapor de agua adherido al cilindro de cristal y Joliot con su bata blanca y las manos en los bolsillos. La habitación en la parte trasera del laboratorio estaba oscura y el ambiente era de silencio; el templo de Joliot, lo llamaba Kowarski, a su izquierda, enorme y encorvado, los puños como mazos y un rostro que era una mezcla usual en Rusia de brutalidad y locura. Joliot hablaba con reverencia de las partículas: cómo se podía describir la mínima trayectoria a través de la condensación en el vidrio, la mano de Dios que se veía en las gotas dispersas. Von Halban intentó interrumpirle —trató de que Joliot no alcanzase el pistón—, pero fue demasiado tarde. El chisme mecánico saltó hacia delante, sin control. El cristal se hizo añicos violentamente, como nunca antes había ocurrido, y Joliot gritaba, con las manos sobre los ojos y la sangre corriéndole entre los dedos.

Una reacción en cadena, pensó Von Halban. *Gott in Himmel, nos va a matar a todos.*

Se sentó en la cama, jadeando, con el zumbido del timbre en los oídos.

—¿Qué pasa, *mon cher?* —murmuró su esposa, medio dormida; no porque le preocupara, solo esperaba que la molestia desapareciese. Esa era su actitud ante la mayoría de las cosas.

Echó hacia atrás la colcha y alcanzó una bata; acostumbraba a dormir desnudo. Annick se dio la vuelta, y su pelo rubio adquirió un brillo plateado a la luz de la luna; inmediatamente, se volvió a dormir. El reloj de la mesilla marcaba la una y diecinueve de la madrugada.

Las llamadas en plena noche, pensó Hans amargamente. *Los golpes en la puerta.* Llevaba esperándolo durante meses, pero ni siquiera los alemanes podían haber llegado ya.

Caminó hacia la puerta principal, con los músculos tensos. El zumbido del timbre sonó de nuevo, con la misma violencia que la trayectoria de una partícula o de una bala. El sonido le martilleaba el tímpano.

Entreabrió un poco la puerta, esperando encontrarse una bota contra el marco, una fuerza arrolladora que lo empujase hacia atrás y a los soldados de negro atravesándola, al asalto.

Nada.

Se asomó al descansillo. El edificio de apartamentos estaba en silencio, a oscuras, no subía ruido de tráfico de la calle. Era una hora muerta. Un francés de rasgos suaves vaciló.

—¿Monsieur Von Halban?

—¿Sí?

—Jacques Allier, del Ministerio de Armamento.

Allier. Le sonaba el nombre: Allier trabajaba para el Banque de Paris et des Pays-Bas, una de las entidades más grandes de Francia y un poderoso aliado del Gobierno. Allier era teniente del Ejército, en estos momentos. Un espía.

—Siento molestarle a estas horas de la madrugada, pero no he podido encontrar a *le Professeur* Joliot-Curie, y...

—¿Ha probado en el laboratorio? —le interrumpió Von Halban, algo tieso.

—Está oscuro y cerrado.

—¿Y en su casa? Está en el sur, en Antony. —Aún en París, pero más cerca de las afueras, en Orly; a Joliot le gustaba vivir lejos del laboratorio, para dejar atrás el trabajo cuando podía.

—He ido en coche hasta allí hace una hora. No está.

—¿Y cómo me ha encontrado a mí?

—El Ministerio tiene la obligación de saber dónde están sus científicos más importantes en todo momento, *vous comprendrez.* —Allier se encogió de hombros, con las manos abiertas—. En la situación actual...

En la situación actual, había que tener vigilados a los extranjeros. Todos nos odian a muerte.

Von Halban retrocedió un paso y le invitó a entrar. No tenía elección.

El laboratorio del Collège de France había pasado a depender del Ministerio de Armamento en septiembre, justo después de la declaración de guerra. El trabajo de Fred Joliot —el laureado premio Nobel— era crucial. Lo que hacía más difícil, pensó Von Halban, que sus ayudantes principales fueran rusos y austriacos. Enemigos en la guerra, por así decirlo. Sospechosos.

De hecho, a él y a Kowarski los habían mandado fuera de París mientras a este estúpido de Allier —un banquero, *mein Gott,* que parecía que no era capaz de matar una mosca— lo habían mandado en misión secreta a Noruega. A Kowarski lo mandaron a Belle-Île, frente a la costa de Bretaña, y a Von Halban a Pôquerolle, en el Mediterráneo. Solo para asegurarse de que no conspiraran contra los franceses o de que no pudiesen ser traidores con lo que no sabían.

—Quizá hayan destinado a Joliot a Bretaña. —Von Halban oyó el acento alemán en sus propias palabras, enlazadas con la sintaxis inconfundible de un extranjero—. Sus niñas están allí, ¿sí? Su esposa, también, supone uno. ¿Conoce a Irène?

—Por su fama —respondió Allier despectivamente—. He puesto una conferencia interurbana a Arcouest. No está en Bretaña.

Von Halban estudió al hombre. Allier podía haberse inquietado; podía haber caminado agitadamente ante la chimenea descuidada que adornaba la habitación rígidamente modernista de Annick, de mesas cromadas y sillas de piel, pero en lugar de eso, se mantuvo quieto e impasible, con sus suaves ojos castaños fijos en la cara de Von Halban.

—He venido a preguntarle si podría haber otra dirección donde encontrar a Joliot-Curie.

—Dígame qué ocurre, por favor —le exigió Von Halban, bruscamente—. Fred estaba como siempre cuando dejó el laboratorio esta tarde. Si llama allí por la mañana, alrededor de las nueve, ¿sí? Sin duda podrá hablar con él.

—¿Cuándo vio a Joliot-Curie por última vez, *herr Doktor?*

Von Halban se estremeció al oír el título.

—A las cuatro, o cuatro y media, quizá. Iba a entregarle una carta al presidente del colegio. No regresó.

—Lo vieron en un café del Boul-Mich a las cinco y media. Se fue con una mujer que no era su esposa. Nadie ha sido capaz de localizarle desde entonces. Comprenderá ahora por qué le pido una dirección alternativa.

Qué impecablemente francés, pensó Von Halban. *Qué estúpido he sido al no verlo venir.* Joliot, cuya única amante era su cámara de niebla, aparte del magnetrón que estaba construyendo con componentes que había pedido a Suiza. *¿Y si se ha acostado con una mujer? ¿Qué me importa a mí o a este insignificante espía del ministerio?*

—No puedo ayudarle —replicó con firmeza—. Si es como dice, habrá ido a un hotel, ¿sí? O a casa de la mujer. Vaya al laboratorio mañana.

Hizo una pausa momentánea.

—O tal vez... pueda ayudarle yo.

Allier seguía estudiándolo con esa calma interior que sugería que era un hombre que se controlaba por completo, tanto como sus emociones. Su rostro no le traicionaba, pero el mismo silencio era muy revelador: el francés estaba considerando hasta qué punto podía confiar en ese científico con nombre alemán, tan cercano a Fred Joliot, demasiado dispuesto a escuchar en momentos críticos.

—Soy ciudadano francés —afirmó Von Halban, demasiado estirado por el orgullo y la rabia—. Mi mujer es francesa, igual que mis hijos y mis simpatías. He vivido y trabajado aquí durante años.

—¿Tiene llave del laboratorio?

—Por supuesto.

—Entonces tal vez sería tan amable de vestirse. Tenemos órdenes de llevárnoslo todo —todo, ¿me entiende?— antes del amanecer. Si tenemos suerte, Joliot se reunirá con nosotros allí.

—¿Recuerdas la noche en Birchmere Park? —le preguntó Nell—. ¿Cómo nos acurrucamos sobre las tejas, Ricki, esperando a que amaneciese?

¿Cómo podría haberlo olvidado? Era la casa de su padre, generaciones de nobles ingleses habían nacido y fallecido entre sus muros de piedra, el conjunto de torretas y los pabellones que habían sobrevivido al paso de los siglos. La familia de Nell tenía siempre apuros económicos y las tejas estaban rotas, pero a las tres de la mañana, ellos dos y su hermano Ian, con una botella de clarete, habían cogido unas mantas del viejo armario donde se guardaba la ropa de casa y habían escuchado en silencio cómo a quince metros más abajo, algún animal gritaba aplastado entre las fauces de un zorro. Eran tierras pantanosas, planas como las de Holanda, encharcadas y protegidas del hundimiento por una serie de diques. A su padre no le había gustado aquel jugador de fútbol de nariz aguileña y cuerpo atlético para su Nell. El conde necesitaba dinero. Joliot no lo tenía.

Ella se sentó en el entrante de la ventana de la habitación del Crillon, sin más ropa que la camisa de él. Apoyó la barbilla sobre las rodillas desnudas, absorta en este otro amanecer mientras la Place de la Concorde se despertaba bajo ellos, y el sonido sordo de los primeros neumáticos rodeaba la plaza. Habían hecho el amor durante toda la noche y se habían adormilado para despertarse con esa intensa hambre que Joliot había conocido solo una vez antes en la vida. Los conocidos de Bertrand siempre se alojaban en el Crillon, Nell debería haber sido más discreta y no haberlo llevado allí; pero era posible, se dio cuenta, que quisiera que supiesen que *Madame la Comtesse* hacía lo que quería. Era inglesa: nadie le decía lo que tenía que hacer.

—¿Volverás a Birchmere, ahora que se acercan los alemanes? —le preguntó él.

—Quiero que vengan —dijo en voz baja—. Estoy más que harta de esta guerra artificial. Quiero que las cosas se decidan. No, no voy a volver. Si el viñedo se considera francés o alemán es irrelevante, Si me quedo, puedo hacer algo positivo. Te vas a reír, Ricki, pero he llegado a amar Domaine de Loudenne. No permitiré que me lo arrebaten, de ninguna manera.

Se le quebró la voz al hablar, y él pudo advertir en su tono todo el miedo pasado en el último invierno —las noticias que llegaban de Sedán incluso ahora podían hacer pensar que su marido estuviera agonizando—, la indefensión y la tensión de la espera. Alargó la mano para acariciarle el pelo, pero ella se levantó, le dio la espalda bruscamente y se fue al baño. No quería su compasión; era echar sal sobre una herida.

Esto es lo que hacia a Nell diferente del resto, pensó: esa amargura orgullosa por debajo de su belleza. A lo mejor era por la edad, por la indiferencia de Bertrand o por la falta de hijos, pero llevaba la marca del superviviente escrita en sus ojos. Le apenaba verlo.

Estaba llenando la bañera. Él estuvo a punto de coger con cuidado la camisa que se había quitado y que estaba en el suelo, y escabullirse mientras ella se bañaba. Sería un alivio, después de los demonios que le habían acosado por la noche, al sentir su piel en las manos, el alambre enrollado de su cuerpo. Sería un alivio estar solo.

Si era bien sabido que todos los franceses tenían una amante, entonces Frédéric Joliot-Curie era la excepción a esa regla. Le había sido fiel a Irène desde el día en que se conocieron en 1925, cuando ella estaba abstraída en un experimento en su mesa del Laboratoire du Radium donde acababan de contratarlo como ayudante de Marie Curie; él, Fred, magullado y amargado tras el abandono de Nell, había cortejado a su futura esposa paseando por los bosques de Fontainebleau, durante los viajes para esquiar en los Alpes, donde ella se quitó la ropa de la forma más maquinal posible y le ofreció gustosamente su virginidad; en la casa de su madre en Bretaña, donde había aprendido a navegar; en el laboratorio donde ambos perseguían asuntos demasiado oscuros para explicárselos a los extraños. A Irène no le preocupaban nada las cosas habituales: las joyas, la ropa, la coquetería o las intrigas. La habían educado desde su niñez dos mentes formidables de la física, que le habían afinado la inteligencia. Cuando Fred pensaba en Irène, lo hacía como si fuese un Picasso antes del periodo cubista: los miembros macizos y regordeta, el rostro carente de emoción. Ella pensaba en él como un medio para tener hijos, «ese experimento tan eminente» como decía ella. Ahora tenían dos.

Irène había seguido trabajando en el laboratorio durante los embarazos, y había ganado el premio Nobel con él en 1935. A él lo llamaban más por el nombre de ella que por el propio, y aunque era irritante que lo vieran como un segundón frente a su mujer, ella había sido su pasaporte al respeto y la aceptación. Frédéric Joliot, que había suspendido su primer examen de habilitación, que había conseguido un título sin importancia en una escuela cualquiera, tenía muy poco interés para el estamento científico francés. Pero Frédéric Joliot-Curie, unido al nombre de la mujer más conocida de Francia, era alguien a quien no se podía desestimar.

¿Lo hice por eso? Se preguntaba ahora, con el aroma del cuerpo de Nell aún en su piel. *¿Por el éxito? ¿Por una carrera? Había algo. Una sociedad. Una vida. Sí que la quiero, pero no hasta la locura...*

La puerta del baño se abrió. Nell apareció, cálida y silenciosa, mirándolo como un halcón. Él fue hacia ella lentamente y le arrancó la toalla del cuerpo con sus manos ávidas.

17

Los Shoop vivían en un piso de habitaciones doradas de la Rue de Monceau, con vistas a una de las entradas al parque. Llevaban viviendo allí casi veinte años, no tenían hijos, y el interior de la casa iba adquiriendo esa peculiar pátina francesa que se adquiere a base de un gusto exquisito y medios ilimitados. Odette Shoop encajaba maravillosamente en la casa, como si la hubieran escogido a ella junto con la porcelana de Sèvres para adornar su hogar. Era pequeña, traviesa, siempre vivaz, del estilo de mademoiselle Chanel, cuyo salón financiaba. Sally reconoció el vestido de punto suelto que llevaba puesto Odette; ella misma lo había llevado en los desfiles del otoño pasado.

—Pobre niña —dijo Odette firmemente, mientras le rozaba ambas mejillas por turno con sus labios carmesí a la última—. Ha sufrido una barbaridad. Le van a preparar el baño y le llevarán la cena a la habitación, para que pueda acostarse pronto. Mañana iremos de compras y compraremos todo lo necesario para su viaje de vuelta, *oui?*

No se molestó en discutir, ni con Odette ni con el mismo Max, durante el breve trayecto desde el hospital hasta Parc Monceau. «*El Clothilde* —le repetía—, en el puerto de Cherburgo, el jueves. Tendrá los billetes preparados en la oficina de embarque, cerca de los muelles». No la amenazó;

no pensó que corriese ningún peligro físico, y aun así, se resistía a sus planes con toda el alma. Para Max Shoop era vital que ella no volviera por el estudio de la Rue St-Jacques, era vital que embarcase con el cuerpo de Philip en un vapor mercante pasado mañana. A Sally no le gustaba que los hombres mayores le organizasen la existencia. Su padre lo intentó una vez y ella se marchó del país sin más. Ahora, se sentía cada vez más inclinada a frustrar los planes de Max quedándose.

El baño fue una maravilla; la cena, un plato sencillo de *magret de canard* con un vaso de un borgoña excelente y la habitación que Odette le había preparado, estaba decorada en perfecta armonía a base de brocados de seda verdes y rosados. Pero los colores le recordaban al vestido Schiaparelli, y permaneció despierta hasta mucho después de que el resto de la casa estuviera inmerso en el sueño, mientras las campanas de Saint-Philippe-du-Roule seguían dando las horas. Podría escabullirse de Odette mañana en una de las tiendas concurridas del Boulevard Haussmann, o tal vez podría excusarse en la mesa de Fauchon, donde tomarían un té; pero cuando las campanas dieron las tres de la mañana, echó hacia atrás las mantas y puso los pies en la alfombra silenciosamente.

El piso era una galería de habitaciones: los dormitorios en un extremo del amplio salón, la zona del servicio y la cocina en el otro. Sally cerró la puerta de su dormitorio sin hacer ruido y recorrió lentamente el vestíbulo con la ropa que Odette le había prestado. Llevaba un par de pantuflas ridículas colgando de las manos.

El pestillo de la cerradura de la entrada principal ni siquiera chirrió al abrir; conteniendo la respiración, salió al rellano. El brillo azul de las bombillas oscurecidas cayó alrededor de ella como un halo de santidad.

No encontró un taxi hasta llegar a la Ópera, y cuando lo hizo, se dio cuenta de que no tenía dinero para pagar. El silencio estremecedor del mundo magnificaba sus pisadas hasta hacerle creer que los edificios temblaban a su paso. El principal peligro era que su soledad podría atraer la atención no ya de los ladrones, sino de un gendarme, que sin duda le pediría los papeles. Sally no los tenía. Se mantuvo apartada de los bulevares principales, caminando pegada a la pared, por las calles más estrechas.

Justo antes de las tres y media de la mañana, cruzó el Sena por el puente Alexandre III, la pesada cúpula de Les Invalides se asomaba amenazadoramente en el cielo oscuro; la luna se había escondido. Aun así, un movimiento parecido al de un pájaro a través de la cúpula sombría atrajo su atención; se detuvo cerca del pretil del puente y miró hacia arriba. Un avión rugió ominoso como un trueno. Tenía que ser alemán, nadie más haría una incursión así sobre París dormido; la ciudad quedaba expuesta, desnuda e indolente, bajo las estrellas. Sally se quedó clavada en el sitio, con la cara levantada, esperando oír el silbido de una bomba desde el avión y el resplandor de las llamaradas.

El alba ya se abría paso, fresca y dorada sobre las callejuelas del Barrio Latino cuando cerraba la puerta del apartamento por última vez, preparada para irse, agarrando una maleta con firmeza. Sonreía débilmente para sí porque, contra todo pronóstico, Tasi le había dejado la carta de Joe Hearst con los trescientos francos intactos en el tocador de su estudio y ahora, si Dios quería, podría tomarse una taza de café. El tono de la nota de Hearst era enigmáticamente brusco —«si recibe esto, póngase en contacto conmigo en la cancillería»—, pero había sido muy amable al pensar en ella.

Le dolían los tobillos de la caminata en zapatillas, y la maleta pronto empezaría a pesarle demasiado; pero habían desaparecido las palpitaciones de la cabeza y con ellas, la incertidumbre. Se sentía ligera, como si hubiera cortado una cuerda que la retenía. Como si nadara tranquilamente hacia mar abierto.

Otras personas con maletas en la mano recorrían las aceras. Nadie parecía tan alegre como ella. ¿A qué se debía esa alegría repentina? El hombre con el que iba a casarse estaba muerto. Su ciudad estaba al borde de la destrucción; pero mientras se acercaba al viejo apartamento de Philip, donde madame Blum ya estaría levantada, barriendo la entrada del enorme patio al que daban las puertas, empezó, suavemente, a cantar.

18

—No entiendo en absoluto lo que hacen ustedes —decía Allier distraídamente mientras Von Halban preparaba café en un hornillo de gas que tenían en un rincón del laboratorio—. Mis superiores me han dicho lo que tenía que hacer con esto, *c'est tout.*

Mentiroso, le respondió mentalmente Von Halban. *El mes pasado sabías lo bastante de física como para explicárselo a los británicos en Londres. G. P. Thomson y Oliphant and Cockcroft, los mismos que dijeron que no se podía hacer y ahora nos han robado el trabajo. Nuestros colegas y rivales. Nuestros aliados en esta guerra.*

—Todos tenemos nuestro *métier* —le respondió de forma artificiosa—. Yo no sé nada de banca. Siempre me falta dinero.

—¡Eso será por su esposa! Las mujeres siempre gastan más de lo que debieran, *n'est-ce pas?* Creo que ha dicho que su mujer es francesa.

Lo sabías antes de llamar al timbre, Allier, lo sabes todo acerca de mí, y este sutil acercamiento en la conversación no me engaña en absoluto. Recuerdo que me mandaron a Porquerolles mientras tú te embarcabas hacia Noruega. Recuerdo la vergüenza y el miedo que pasé, mi esposa se negó a acompañarme y se llevó a las niñas con su madre. Y la mirada de su familia.

Se volvió, alzando el vaso de laboratorio, y le ofreció el brebaje humeante a su enemigo.

—Supongo que no tendrá leche —sugirió Allier, melancólicamente.

Von Halban no respondió. Cuando el alba hollaba París a la manera opalescente y acuosa de la primavera, llevaban ya tres horas recogiendo los papeles del laboratorio y los bidones de agua pesada que Joliot había almacenado en el Collège durante un mes. Había veintiséis en total, hechos a mano por un artesano en Noruega con el propósito específico de sacarlos de contrabando en trece maletas: de nuevo, obra de Allier. Los bidones esperaban a la entrada del laboratorio, listos para el transporte, si es que podían encontrar alguno.

El uranio era algo más delicado, y Von Halban se negó a que Allier se acercase a las cajas de plomo en las que se almacenaba. El francés tendría que aceptar su palabra de que se habían reunido los cuatrocientos kilos y se habían contabilizado.

—No se puede mover el ciclotrón —le dijo a Allier con firmeza—. Se tardó dos años solo en hacer el imán, en Suiza, ¿sí? Cuesta mucho y pesa una tonelada. No conseguirá desmontarlo.

—Es el único ciclotrón de Europa —repuso Allier—. No podemos dejar que caiga en manos de los alemanes.

Mientras Von Halban se bebía el café hirviendo, no pensaba en imanes ni en partículas, sino en Joliot: en esa desconocida llegando al éxtasis sobre él; en la felicidad imposible de la carne. Pensaba en cómo se iba a ir todo al traste, y en cómo se había encargado él de la ruina de Joliot.

—Estos nombres —insistía Allier—. Año tras año. Estos descubrimientos. Fermi, el italiano, premio Nobel; el danés Niels Bohr, premio Nobel; Albert Eisntein, apátrida y ciudadano del mundo, premio Nobel. Ese alemán y el principio de Indeterminación, ¿cómo se llama?

—Heisenberg. Werner Heisenberg.

—...Uno de los pocos, debo señalar, que no es judío.

¿Esperas que me ría con ganas?—se preguntaba Von Halban. *¿Qué esté de acuerdo con que la física judía, como la llama Hitler, es una perversión y una farsa? El odio de los nazis hacia la física judía es la mayor esperanza del mundo, porque los nazis aniquilarán la ciencia que verdaderamente podría ayudarles a ganar la guerra.*

—Fermi se gastó el dinero del premio Nobel en escapar de Italia con su mujer —le dijo a Allier—. Huyeron como si fueran ladrones, de noche, con una maleta llena de dinero en efectivo, y solicitaron asilo en Nueva York. A esto se ha reducido ser un científico laureado, en estos tiempos.

Allier estaba callado, enfocando a través de las gafas la superficie de la taza de café.

—Mi madre es judía —insistió Von Halban, en voz muy alta—. Por eso mi padre ha huido a Suiza y yo no podré trabajar en mi país natal nunca más. Me refiero a Austria, como comprenderá. Tal vez no sepa, monsieur Allier, que Austria desde el Anschluss ha cerrado las puertas a las mentes judías.

—Oh, sí, lo sabía —replicó Allier sin darle importancia—. Esa es la razón que adujo al solicitar la nacionalidad francesa. Eso, y lo de su esposa francesa de lujo. Lleva trabajando con él un tiempo, *je crois?*

Por «él» se refería al Seductor de Desconocidas, al amante de rusos y judíos apóstatas: *le professeur Joliot-Curie.*

—Cinco años.

—Ah. Y, ¿ha obtenido las patentes para todos estos... asuntos, supongo? ¿O las ha solicitado?

«Asuntos» era un término amorfo para referirse a toda la sutileza de la energía atómica. El pasado mes de octubre lo discutieron y llegaron a un acuerdo: los científicos tenían ciertos derechos a los frutos de su trabajo. A la propiedad intelectual.

—Todos hemos firmado las solicitudes de patentes —dijo Von Halban con cansancio—. Fred y yo, y Lew Kowarski. Somos un equipo, ¿sí?

Eran palabras desafiantes. El equipo podría estar roto a la mañana siguiente, con una sola palabra de este hombre. La sonrisa del banquero francés era cordial; Allier estaba preocupado, pensó Von Halban, por la credulidad de Fred. ¿Sabría algo del documento sellado que habían firmado y depositado en la Académie des Sciences? Era el primer diseño en su género de una reacción nuclear sostenida.

El cual, tanto Kowarski como yo podríamos llevar de vuelta a nuestro país natal, pensó Von Halban, *para venderlo al mejor postor. Así que jódete, Allier. Nadie controla mi inteligencia. No puedes controlar mi lealtad. En esta guerra, es sálvese el judío que pueda.*

Le oyeron mucho antes de que la llave tintinease inútilmente en la cerradura abierta de la puerta del laboratorio y de que asomase la nariz por el pesado batiente de metal; lo oyeron porque estaba cantando.

Von Halban se dio cuenta de todo: vio el miedo que asomó de repente a los ojos de Fred y la reserva que siguió, como cuando se corre un pestillo. No se había cambiado la ropa de ayer, lo que en un hombre meticuloso hasta el fastidio era una declaración de su traición mucho más evidente que cualquier palabra. Mentalmente, Von Halban volvió a ver la forma de la desconocida, una alegría para la carne, y sintió un escalofrío en el cuerpo. *Gott in Himmel. Pobre Fred.*

Como cualquier ser humano, Joliot se aferró a la razón más obvia para explicar su presencia en el laboratorio al amanecer.

—¿Irène? —dijo—. ¿Le ha pasado algo? ¿Y a los niños?

—He hablado con madame Joliot-Curie hace unas horas —le tranquilizó Allier— y parecía estar bastante bien. Se preocupó, por supuesto, cuando le mencioné que no podía localizarlo, *mais, assez bien*...

Von Halban vio como su amigo se cubría los ojos con una mano; movió los labios pronunciando una maldición o una oración entrecortada.

—Entonces, ¿para que han venido? —murmuró—. ¿Qué pasa hoy, Allier?

—Hay órdenes de traslado —dijo el banquero enérgicamente—. Dautry dice que hay que llevarse todo lo del laboratorio a Auvernia, Joliot... incluido a usted, por supuesto.

Al acabar la mañana, Joliot vio que le temblaban las manos, ya fuera por el café de Von Halban o por el pánico que se le acumulaba en la garganta. Llevaba mucho tiempo viviendo una vida tranquila: el carrito de la leche que se detenía siempre ante la entrada de servicio de la casa en Antony para verter el líquido azulado de unos cubos en el recipiente de hojalata de la sirvienta; Irène insistiendo en que había que hervir la leche para evitar que se extendiera la tuberculosis y la chica que remoloneaba siempre, ante esa tarea incomprensible. Los niños vestidos con el uniforme escolar, el pelo peinado y brillante. Su ropa de trabajo estirada en la cama doble; la de ella casi siempre era la misma: una camisa blanca almidonada que olía a convento, una falda negra sin estilo con la cintura amplia para aquellas raras ocasiones en las que comía demasiado, o como decía ella, se había puesto como una cerda. Dos pares de zapatos cómodos, llenos de rozaduras, bajo el aparador. Podría haber seguido viviendo así indefinidamente, los dos cada vez más mayores, dejando que la ciencia y el método consumieran su vitalidad, si no hubiera sido por la guerra. La guerra lo había dejado soltero demasiadas horas, expuesto a las posibilidades del caos.

Von Halban se iba a casa a decirle a su mujer lo de la evacuación del laboratorio, pero cuando Joliot lo acompañó hasta la puerta, se detuvo en el umbral y murmuró:

—Fred, lo siento. Yo no pretendía que este hombre violase su privacidad...

—No es culpa suya, Hans.

Asintió, apartando los ojos de la culpabilidad de Joliot. Era un hombre reservado; nunca hacía preguntas, pero algo impreciso quedaba siempre entre ellos y había una cierta incomodidad, una falta de confianza.

Joliot dijo impulsivamente:

—Estaba con una vieja amiga. Una antigua... «llama». —Era la única palabra adecuada para describir a Nell—. La conocí antes que a Irène. La amaba... Oh, Dios, Hans, soy un estúpido.

—No —dijo amablemente—. Estúpido, nunca. Y no tiene que darme explicaciones.

—Es una inglesa, está casada con un conde. Probablemente no volveré a verla más.

Von Halban abrió ligeramente las aletas de la nariz y preguntó, con un nerviosismo repentino:

—No..., ¿no será la *Comtesse de Loudenne?*

Merde, pensó Joliot con rabia. *Ya lo sabe el mundo entero.*

—Tenga cuidado, Fred —le avisó Von Halban—. Su primo es un espía nazi..., creo que también fue su amante, hace tiempo...

Así que ahora escuchaba a Jacques Allier mientras el teniente banquero hablaba de *matériel* de guerra y lugares seguros, pero en su mente solo veía a Nell: Nell, el cable enroscado de pasión, Nell, la llama amarga.

—...Están considerando la ciudad de Vichy —decía Allier—. Reynaud y Daladier creen que si ponemos el

Macizo Central entre nosotros y los panzer, podremos sobrevivir indefinidamente.

—No sé de ningún laboratorio en Vichy —comentó Joliot.

—Ya tendremos tiempo de ocuparnos de eso en cuanto llevemos todos los aparatos allí. —Allier dio un sorbo de café con indecisión, como si la radioactividad tuviera un gusto que pudiese identificarse, agrio o dulce, en la lengua—. Lo que es vital es conseguir sacar el uranio y el agua de París, *n'est-ce pas?* Le he mandado un cable al director del Banque de France en Clermont-Ferrand, la capital de Auvernia, y está dispuesto a almacenar lo que le pida en su cámara acorazada. Eso bastará para el agua. Seguridad y discreción completas, sin preguntas.

Una cámara acorazada, pensó Joliot sarcásticamente. *Estoy en manos de financieros, soy un activo más con el que comerciar. ¿Cómo coloco yo el ciclotrón en una bóveda de acero rodeada de cambistas? Pero se me olvidaba. El ciclotrón es inamovible. Se queda aquí. Lo que significa que yo también.*

—Podemos poner en carretera los bidones en dirección a Auvernia esta noche y usted puede ir para allá con el resto del equipamiento del laboratorio en cuanto su esposa regrese de Bretaña —decretó Allier—. Le alquilaré una villa lo bastante grande como para alojar al personal y a sus familias.

—Henri Moureu debería llevar el agua —dijo Joliot—. Es mi delegado aquí en el Collège, y no hay duda de su lealtad: su padre desempeñó un papel esencial en la última guerra. Lo llamaban «el Mariscal de la Ciencia Francesa», creo. Moureu conoce Auvernia bastante bien, pero va a necesitar un camión.

—Conozco a monsieur Moureu —dijo Allier.

...Hasta la talla de su ropa interior, pensó Joliot. *¿Nos has medido las pelotas a todos? ¿Sabes exactamente cuánto marcamos, en centímetros? Malditos seáis tú y esa impertinencia tan innecesaria.*

—¿Y el uranio? —preguntó—. Debería ir con el agua. No puedo hacer nada de provecho sin él.

—El agua y el metal deben almacenarse por separado —dijo Allier—. El mundo no es un lugar seguro para su ciencia.

Joliot miró a este banquero de rasgos suaves, acostumbrado a ser precavido, y sintió el impulso violento de reírse. La ciencia era un salto al vacío que no tenía nada que ver con la seguridad. La madre de Irène había muerto en el salto, con el cuerpo refulgente por el radio, y estaba escrito que Joliot la seguiría a ese abismo. Todos los Curie se descomponían a la mitad de la vida, hermosos y mortecinos a la vez.

—Entonces, ¿quiere que no haga nada mientras dure la guerra? —dijo con una intensidad hiriente—. No puedo hacer mi trabajo sin suministros. Creía que estaba claro.

—Su trabajo es importante, *bien sûr*. Pero también lo es la necesidad de mantenerlo lejos de las garras de los alemanes. Su trabajo, como usted dice, podría destruir el mundo.

—¡Tonterías! Todavía no sabemos lo que se puede hacer con estos átomos... Podrían dar energía eléctrica para el país entero, tal vez. Calentar Europa en invierno...

—Destruir una ciudad del tamaño de París —concluyó Allier implacablemente— y enterrar a todos los seres vivos bajo los escombros.

Joliot inclinó la cabeza.

—¿En qué cámara acorazada va a estar el uranio?

—El ministro lo quiere fuera de Francia: en una de las colonias del norte de África, quizá. Nuestra misión consiste simplemente en llevarlo a Marsella y esperar órdenes.

—El uranio es peligroso —dijo Joliot—. Solo un científico experimentado debería manejarlo. Tendré que enviar a Kowarski o a Von Halban.

—No.

—¿Se da cuenta de que Von Halban y Kowarski son inevitablemente dos puntos débiles para usted y para Dautry? —insistió, alzando la voz—. Todo lo que yo sé, ellos lo saben también.

—Entonces habrá que internarlos —dijo Allier tranquilamente—. Encerrarlos bajo llave. No hay otra solución aceptable.

—¿Van a encerrar a sus esposas y niños?

—Si es necesario.

—Entonces enciérrenme a mí también. Me niego a cooperar. Me niego a... prestarme a algo tan despreciable como traicionar a mis amigos.

Allier no dijo nada durante un instante, pero sus ojos amables se ensombrecieron tras los anteojos.

—Pero tal vez la traición ya haya tenido lugar.

—¿Qué quiere decir?

—Hay una filtración —dijo el banquero pacientemente—. Sabemos desde hace algún tiempo que hay un espía que vende nuestros secretos. Quizá alguien del Ministerio. Alguien de aquí. Han sospechado de mí también, estoy seguro de ello, y el hecho de que haya sobrevivido a mi viaje a Noruega no me exime de culpa. Se suponía que no debería haber sobrevivido y el agua no tendría que haber salido de Oslo. Pero así ocurrió, y las filtraciones continúan. Pensamos que van a seguir, hasta que los alemanes tengan la información que necesitan. Nos dejan seguir vivos, sujetos por una correa, nos vigilan. Como a las ratas de laboratorio.

Joliot tragó con esfuerzo, tenía la boca seca.

—¿Qué clase de filtraciones?

Allier se encogió de hombros.

—Cuanto menos sepa, mejor, pero le aseguro que es totalmente posible que alguien de su personal, con conocimientos y lealtades divididas, le haya traicionado sistemáticamente. Creo que podríamos nombrar a varios candidatos a chaquetero, ¿verdad? Ese ruso, Lew Kowarski; el austriaco, Hans von Halban. Hasta es posible —perdóneme— que hayan sido usted o su mujer. Después de todo, ambos profesan cierta simpatía por el sistema comunista.

—Von Halban es quien debe llevar el metal de uranio —dijo Joliot llanamente—. Envíe un perro guardián si quiere. Vaya usted mismo, me importa un bledo. Pero déle esta oportunidad para ponerlo a prueba. Una sospecha infundada puede matar a un hombre; pende sobre su vida como una nube de gas tóxico. No quiero hacerle eso a Hans. Es un físico extraordinario.

—Dudo que el ministro lo apruebe.

Joliot hizo una mueca sombría.

—El ministro no tiene elección. Yo tengo un grado superior al suyo, teniente Allier. Dígale a Dautry que esas son mis órdenes.

Cuando el banquero se fue, Joliot se enfrentó a la tarea de llamar a Irène.

Se habían separado muy pocas veces y para comunicarse lo hacían generalmente por carta. En este caso, sin embargo, necesitaba usar el teléfono y solo había uno en el edificio, en un cubículo creado con unos paneles de madera en el vestíbulo principal. Poner una conferencia interurbana era un fastidio, al tener que dictarle el número a la operadora nacional, que entonces tenía que pasar la llamada a Arcouest y luego volver a llamarle a él, cuando Irène ya estuviera al teléfono. La voz de su mujer le sorprendió: desencajada, sin aliento por la tuberculosis, era la voz de una anciana.

—Siento que Allier te haya molestado esta noche, cariño. —Le aliviaba el hecho de no poder verle la cara.

—No importa —dijo Irène complacientemente—. No estaba dormida. Sabía que estarías dando un paseo. Ya conozco tus costumbres, lo inquieto que estás cuando los niños y yo nos vamos.

Con que limpieza le resolvió el problema, pensó. Había elaborado cuidadosamente una mentira con antelación: un bombardero alemán había aparecido de pronto en el cielo, las sirenas de ataque antiaéreo sonaron, todos nos sentamos hombro con hombro en la oscuridad con el olor a pan recién hecho en los pulmones. A Irène le habría gustado, les habría contado a los niños como a su padre le habían sonado las tripas mientras las bombas caían del cielo, pero al final, había bastado con su imaginación, más prosaica; toda su inventiva no era necesaria: se había ido a dar una vuelta a medianoche.

—Caminé durante horas —dijo—. Trabajando en algo.

Tosió de una forma que habría partido en dos a una mujer más menuda que ella y en ese instante él imaginó la sangre que manchaba el pañuelo y la terrible palidez de su cara.

—Vuelve a casa —le dijo ansiosamente—. Tráete a los niños. Echo de menos nuestra vida.

Se sentó en el laboratorio vacío durante otra hora, tal vez, para perfeccionar su plan. Entonces llamó a Nell al Hôtel Crillon.

19

Los que buscaron anoche a Memphis en el Folies Bergères o los que hicieron cola durante horas delante del Alibi Club, se vieron abocados a la decepción. Memphis había decidido comportarse de una manera sorprendente en ella: anoche se había quedado en casa sola.

Corrió el rumor en el mundillo de los clubes nocturnos de que Raoul había matado al compañero de su mujer y de que había huido al sur de Francia, un paso por delante de la policía, o de los nazis, o de los dos. El móvil no estaba claro, porque nadie sabía que Jacquot coqueteara con Memphis —todo el mundo conocía de qué pie cojeaba—, pero los enterados se imaginaron que el *pédé* se habría acercado a Raoul y que el crimen habría sido en legítima defensa. En el tanatorio de París pusieron a disposición el cuerpo de Jacquot el miércoles por la mañana; nadie lo reclamó. El resplandeciente *garçon* de la *boîte de nuit* parecía destinado a una tumba para pobres.

Memphis se enteró de esto por An Li, su chófer vietnamita. Le llevó una bandeja a la cama a las diez de la mañana del miércoles: leche caliente y espumosa, café, un plato con gajos de naranja y el correo de la mañana, que no consistía nada más que en una gavilla de facturas. Memphis las abrió sin ganas, mientras la fina sábana de lino se retiraba de su pecho, como si no advirtiera la presencia silenciosa de An Li; pero en su inmovilidad, ella detectó un nuevo tipo de silencio, vigilante y letal. Le recordó al jaguar que dormía en el extremo de su cama, ambos listos para saltar.

—Dígales a los del tanatorio que queremos enterrar a Jacquot con estilo, no importan los gastos, que envíen la factura a monsieur Raoul —dijo—. Luego llame al club y dígale a todo el personal que acuda al funeral, cuando lo hagamos.

—¿Asistirá *madame?* —le preguntó An Li.

—Por supuesto. Asegúrese de que se hace por la tarde. Bien, tengo que ir a un sitio esta mañana. Y An Li, envíeme a Madeleine. Quiero darme un baño en cuanto acabe de desayunar.

—Madeleine se despidió ayer.

Ella lo miró con aprensión: aquellos ojos negros que nunca había sabido descifrar. Raoul se había ido, y ahora, Madeleine. ¿Cuánto tardaría él en abandonarla, también? Pero se limitó a decir:

—La muy estúpida. Como si Memphis no supiera darse un baño ni vestirse ella sola. ¿Para que quiero yo a Madeleine? ¡Mierda!

—Ahora que el señor se ha ido, Madeleine dijo que no hay dinero y que no nos van a pagar a ninguno. Se ha ido a trabajar como *fille de joie,* en una de las casas cerradas de Clichy; en Sphinx, creo que dijo. Con tantos soldados alemanes de camino...

—... Va a andar como los vaqueros lo que queda de guerra. Que se joda. ¿Cree que ser prostituta es tan genial, es ese el sueño de su vida? Pues como quiera. Continúe, An Li, llévese a *Roscoe* a dar un paseo.

Roscoe era el jaguar. A su manera sinuosa y elástica, el gato enorme se puso en pie, con el rabo estirado como la cuerda de un ahorcado, abriendo la potente mandíbula. No miró a Memphis, no buscó su atención, para él ya estaba muerta. *Lo enviaré al zoo,* decidió mientras mordía un gajo de naranja, disparándose el zumo sobre sus labios. *No me puedo llevar un gato a Marsella, al norte de África o subirlo a un barco a los Estados Unidos.*

Roscoe se dejó caer pesadamente en el suelo sobre sus garras en forma de mazo, y caminó bamboleante hacia An Li. A ambos les interesaban los planes que hacía, pero sabía que morirían antes que darle a ella poder sobre ellos.

Una hora más tarde salía de un taxi delante de la cancillería de los Estados Unidos. No dejó que An Li la llevase, no quería que supiese que buscaba desesperadamente seguridad, un pasaje a casa, que alguien le dijese que todo iba a salir bien. Le daba miedo perderlo, era la última voz en una casa vacía, las habitaciones y los pasillos tenían eco, sus tacones elegantes resonaban en los suelos desnudos. Esperaba que An Li se hubiese ido cuando ella regresara a la Rue des Trois Frères. Le había mandado llevar a *Roscoe* al zoo; la mirada abrasadora del conductor indicaba que esta traición fortuita —una criatura canjeando a otra— era para él como una bofetada mortal y esclavizante. Ella no tenía tiempo para esas tonterías. Estaba intentando sobrevivir.

—Quiero ver al embajador —dijo en voz alta a la francesa que inspeccionaba a los visitantes a la entrada de la cancillería—. Dígale al embajador que Memphis Jones ha venido a hacerle una visita.

La mujer estudió con su nariz francesa el hermoso vestido de Memphis, de seda y canutillo, más apropiado para la noche, pero que se le ajustaba al cuerpo como un guante. Sin dejarse impresionar, se marchó y volvió con un hombre que la decepcionó: no era el embajador.

—Robert Murphy —le dijo, alargando la mano—. Me temo que el embajador está en el palacio del Elíseo, en conversaciones con el Gobierno francés.

Memphis fue inflexible. No iba a permitir que Robert Murphy la llevara a cualquier oficina trasera, lejos de los ojos curiosos de los diferentes departamentos gubernamentales. Se quedó en medio de la recepción decorada en mármol y exigió su pasaje a casa. Algún tipo de salvoconducto. Un billete para un camarote de primera clase en el próximo trasatlántico que saliera de Francia.

—Ya no hay trasatlánticos —le respondió Murphy amablemente—. Solo hay barcos para el transporte de los soldados y barcos mercantes.

—¿Sabe lo que va a pasar, caballero, si a Memphis Jones la cogen los nazis? Tendrán disturbios raciales por las calles de Kansas City. Llamas en todos los edificios de las afueras de Nueva York. Tendrá sangre en las manos, caballero, usted y su estupendo embajador, y todo el mundo les preguntará qué coño estaban haciendo en París cuando la cantante de *jazz* más grande de Europa fue a pedirles ayuda, ¿me entiende?

Murphy inclinó la cabeza. Le aseguró que hablaría con el propio Bullitt, pero Memphis notó el olor a papel quemado en el aire; había visto el caos de sillas y cajas apiladas en los pasillos más allá del elegante vestíbulo de recepción. La cancillería estaba cerrando a todas luces. Murphy le sugirió que lo intentara en la Gare St-Lazare; tenía entendido que a las mujeres les daban asiento en los trenes, aunque ayudaría ser madre de un bebé; ¿no podía alguien prestarle uno, por casualidad?

Memphis se apalancó en una silla frente a la puerta de Bullitt y declaró desafiante que esperaría. Fue entonces cuando oyó las palabras «negrata» y «mono», no de labios de Robert Murphy, sino de los de una mujer socarrona que estaba destruyendo papeles en una oficina, dos puertas más allá de la del *chargé,* una furcia de clase alta, escuálida, vestida con un conjunto de pulóver y cárdigan de cachemira y una falda de cuadros.

—Ojalá se volvieran a África —dijo Mims Tarnow a la recepcionista en voz baja pero audible— y dejaran de avergonzar a los americanos por todo el mundo. Yo le compraría un billete a Tánger con mi dinero, si no tuviese diez cosas mejores en las que gastarme la calderilla.

Memphis hubiera querido agarrarle la cara alargada y meterle la nariz en la taza del váter, hubiera querido escupirle a los ojos y obligarla a suplicar un poco de amabilidad; pero las rodillas se le habían vuelto de mantequilla de repente, no tenía fuerzas, las notaba flojas; como si estuvieran dominadas por la vergüenza y ella se quedó sentada en la silla, recordando a la mujer que le quemó las manos con agua hirviendo cuando tenía ocho años y trabajaba lavando platos, recordó al hombre que la había golpeado por gusto detrás de los contenedores de basura de la lavandería de su madre, que le levantó la falda por encima de la cabeza hasta que se le vieron las bragas blancas, le dio un cachete en el culo con la palma de la manaza abierta y se rió mientras con la otra mano la agarraba del pelo, clavándole la erección en un costado. Recordaba todo eso y cientos de cosas sórdidas que años de seda y comodidades no habían conseguido borrar; tenía las mejillas inflamadas por el odio y una voz burlona en su interior que le decía: *¿Qué coño haces pensando que un blanco te va a ayudar, Memphis? No son más que nazis con otro nombre.*

Se marchó de la cancillería sin mirar atrás, bajó los escalones de mármol hasta la acera, con cuidado de pisar bien con los tacones los peldaños desgastados. La Place de la Concorde se abrió ante ella como un lugar de culto con su obelisco en el centro, donde habían rodado cabezas, y se quedó allí de pie, indecisa, dándose cuenta de que ya no podía pensar. Pero lo intentaba, lo intentaba.

—*Mademoiselle* —dijo una voz a su lado. Se volvió. Era un anciano francés con un mostacho enorme y una boina bien colocada, con los ojos húmedos.

—Pierre duPré a su servicio. —El anciano se levantó la boina y se la volvió a colocar sobre el pelo gris—. Debe saber que los americanos se van mañana. Todo el mundo piensa que Bullitt y unos cuantos se van a marchar al amanecer. Quieren llegar a Burdeos. A lo mejor puedo encontrarle un sitio en el vagón de equipajes, o con la gente del servicio. No es mucho, *tant pis,* pero...

—No, gracias —dijo claramente—. Me las arreglaré sola, como siempre.

Entonces llamó un taxi y se fue al Alibi Club.

20

Sally estaba demasiado agotada como para preocuparse por Mims Tarnow, que la miraba encolerizadamente en el vestíbulo de la cancillería, con los brazos llenos de libros de codificación de la oficina de su marido. Mims tenía que echarlos a la hoguera que ardía en el patio trasero de la cancillería, pero Sally se había puesto justo delante de ella, sin prestar atención a la mirada exasperada que se formaba en la cara de la mujer.

Sally dijo de nuevo, esta vez más alto:

—Tengo que ver al señor Hearst, por favor. Es un asunto de la máxima importancia.

—Joe está en una reunión con el enlace británico —le espetó Mims—. Vuelva luego.

Como si la cancillería fuese a estar abierta más tarde, pensó Sally, *como si la hoguera del patio no fuese a estar ardiendo hasta por la mañana.* Un cordón de pánico apenas controlado se apretaba alrededor de todos los que corrían a toda prisa por el edificio; el suéter de cachemira de Mims tenía manchas de sudor oscuras. La cancillería olía como la casa de fieras del zoo, a rancio por el miedo y la ferocidad incontrolables.

Se había abierto paso entre una muchedumbre hosca y gruñona de gente desesperada, gritando «*Je suis americain*» a los guardas armados que controlaban el acceso en esta última tarde de trabajo. La policía militar americana del Departamento del Ejército vigilaba el patio trasero para que Mims Tarnow pudiera tirar los libros de codificación sin riesgo y para que nadie pudiera robar los últimos litros de gasolina de los tanques de almacenamiento de la cancillería. Bullitt había autorizado que se colocaran francotiradores en el tejado por si la cosa se ponía fea con la muchedumbre cuando se cerrase definitivamente la entrada principal. El embajador sospechaba que había agentes comunistas infiltrados.

Sally no tenía la menor intención de marcharse.

Le tomó la mano a madame Léonie Blum, que había recogido unos pocos efectos personales, los más preciados: un pañuelo de oración para guardar el Sabbath en el Nuevo Mundo, unas cuantas fotos de los niños desperdigadas desde hacía tiempo y el diente de oro de su marido fallecido. Había salido con Sally hacía una hora, habían venido andando por las calles cada vez más concurridas con una bolsa de piel negra vieja, hacia la promesa que Joe Hearst le había hecho el día anterior y que ya había olvidado por completo. La promesa de un visado.

—Esperaremos —le informó Sally a Mims Tarnow.

No había asientos en el vestíbulo. Sally se acercó a una columna de mármol que parecía separar la zona pública de la privada. Un soldado con un arma estaba de pie entre ella y el pasillo que conducía al interior. La recepcionista francesa había desaparecido del escritorio; quizá había dimitido. Mims frunció ostentosamente el ceño —nunca admitirían a Sally en ninguna de sus hermandades en el futuro— y se colocó la falda estrecha para cruzar la puerta del patio. Su silueta parecía de carbón, recortada contra las llamas.

Sally fue hacia el guardia armado que bloqueaba el pasillo y empezó a gritar el nombre de Joe Hearst.

———

Hearst había empezado el día temprano con una taza de café expreso cerca de la farmacia de su barrio. Max Shoop podía embarcar el cuerpo de Stilwell en Cherburgo mañana, si quería, pero Joe Hearst seguía investigando el asesinato. La lectura de los expedientes de Stilwell hacía que la verdad fuera algo demasiado importante como para enterrarla. No conocía bien al *pharmacien,* y el hombre tenía el aspecto asustado de todos los parisinos que esperaban noticias del frente, pero aceptó el papel arrugado que contenía los trozos de cristal que Hearst había rascado de la moqueta de Stilwell, y accedió a analizar los fragmentos. Hearst le dijo que tenía poco tiempo, por si acaso era veneno.

De la farmacia fue en coche hasta las oficinas de la Sûreté para ver al inspector de policía que había llevado el caso de la muerte de Stilwell. Le entregó al hombre, que se llamaba Foch, dos vasos bajos de cristal que había hurtado en la Rue de Rivoli.

El inspector estaba furioso.

—Es de lo más improcedente que la portera le dejara invadir el apartamento de monsieur *Stil-ewell,* ¿eh? No significa nada que sea de la embajada. Nada.

—Es responsabilidad de nuestra delegación asegurarse de que todos los americanos en Francia sean tratados de forma acorde con la justicia —replicó Hearst—. Busque huellas en estos vasos.

La petición era menos difícil de lo que parecía. Desde el comienzo de la guerra, era obligatorio que los residentes en París tuvieran un carné de identidad, por lo que todos los solicitantes le habían dado sus huellas a la policía. Lo que significaba que las huellas de Max Shoop estarían en el archivo. Igual que las de Stilwell y las de Jacquot. Y las de Sally King.

—¡La justicia no tiene nada que ver en este caso! —farfulló Foch—. ¡Fue un accidente, si es que no fue un suicidio! En los vasos estarán las huellas de los dos *pédés.* Así que sabremos qué bebieron juntos antes de morir. *Bon.* Yo podría decirle lo mismo sin necesidad de recurrir a las huellas. Es esa obsesión de los americanos con *le roman policier.*

—A lo mejor —concedió Hearst en su francés impecable—, pero de todas formas tendrá que analizar las huellas. Si se niega, *monsieur l'ambassadeur* telefoneará al ministro de Justicia, que tiene por costumbre cenar cada semana con *l'ambassadeur* en su *château* de Chantilly; y usted, amigo mío, acabará en el frente disparando una pistola contra los nazis antes de poder decir *vas te faire foûtre.*

O que te jodan, para que se entienda.

Foch dijo de mala gana que analizaría las huellas.

En este momento, Hearst estaba esperando que sonara el teléfono con noticias de la farmacia o de la Sûreté, cualquier cosa que le diera un cabo del que tirar, un alma a la que maldecir por el asesinato. Con el pulso acelerado, escuchaba al enlace británico que le leía la ley de Orden Público con relación a Frédéric Joliot-Curie, mientras el penetrante olor del humo se colaba en la oficina.

—Me he recorrido Francia el mes pasado —decía el enlace hablando lentamente, con amargura— buscando a tipos como ese Fred. Tengo una lista, ¿sabe? Tan larga como su brazo. —El británico extendió la mano derecha hacia Joe Hearst, levantándose el puño para que viera el tatuaje de una víbora enroscada que tenía en la muñeca—. La flor y nata del mundo científico francés. Es indispensable que nos los llevemos a Inglaterra antes de que Hitler los aplaste como a las ratas. He tenido que prometerles la luna a algunos, he tenido que vender a mi anciana madre en una esquina de una calle, he tenido que sacar a *Oscar* y a *Genevieve* y apuntarles a la cabeza... y usted se limita a quedarse ahí sentado y a esperar. Por el... descubrimiento de un tesoro... de documentos que simplemente le han caído en el regazo. No hay Dios, Hearst. No hay Dios en absoluto.

—Si eso fuera verdad, Jack, le habría vendido toda la caja de expedientes a los alemanes, para que los recuperaran —reconvino Hearst con suavidad.

Charles Henry George Howard, vigésimo conde de Suffolk, más conocido como Jack *el Loco* entre sus amigos, en parte porque nunca se había comportado como un compañero y en parte porque el nombre le iba: tatuado, cojeaba por una antigua herida de caza y tenía los hombros anchos y el mostacho erizado. En otros tiempos se habría hecho a la mar, a prenderles fuego a los barcos. En estos, se había casado con una bailarina de cabaré del Alhambra y se había licenciado en farmacología en Edimburgo. Las drogas eran la respuesta de este siglo para el botín del corsario.

El conde se sirvió una tercera copa de champán —nunca iba a ninguna parte sin una botella— y había puesto las botas en el escritorio de Hearst. *Oscar* y *Genevieve* —dos pistolas de duelo gemelas que destacaban por su belleza— apuntaban hacia la puerta del despacho. Había un montón de papeles repartidos a su alrededor, la mayoría de los cuales llevaban las iniciales S&C. El dilema del embajador Bullitt —llamar a la FDR o a la embajada británica por el programa atómico francés— se había resuelto con Jack *el Loco:* representante oficial en París de su majestad real, científico británico y delegado de industria.

Hearst dio por sentado que el título encubría a un espía. No era la primera vez que deseaba que los Estados Unidos tuviesen un servicio de inteligencia, pero no existía ninguno, y había sido así durante años: solo Joe Hearst y Pierre duPré le tenían los dedos metidos en el culo a Francia.

—¿Sabe algo de física? —le preguntó.

—En absoluto. —Jack le echó un vistazo de cerca a uno de los papeles de Philip Stilwell—. Pero me gustan mucho las bombas. Me he dedicado a ellas en mi tiempo libre, ¿sabe? No hay nada como desactivar una maraña de cables y explosivo que haya caído en el jardín trasero. Hace que la sangre fluya, ¿eh?

—¿Hay algo en esos papeles? Que pudiera ser motivo de asesinato, me refiero.

El conde vació el vaso.

—*Noseñor,* pero se los mandaré a G. P. Thomson, en Londres. Él pondrá en orden este montón en un abrir y cerrar de ojos. Bien, ¡la botella está vacía! Ya es hora de que me vaya.

Dejó caer las botas al suelo e hizo una mueca de dolor cuando la pierna herida en la cacería entró en contacto con la alfombra de Hearst. Barajó los papeles con manos hábiles. La mente del conde, pensó Hearst, seguramente era parecida: rápida como la de un ilusionista. El resto del paquete de bravuconería —en parte Wodehouse, en parte Gilbert y Sullivan— era simplemente una distracción civilizada.

—No estoy seguro de que podamos dejar que se los lleve. Los expedientes no pertenecen a... —Hearst se detuvo en mitad de la frase para escuchar algo que solo él oía. La voz de una mujer, gritando su nombre.

Se levantó de golpe y abrió la puerta.

Vio su figura al fondo del pasillo, luchando contra el guardia de la cancillería que intentaba sujetarla, con la cara muy pálida excepto por los dos toques de color febril que ardían en los pómulos. Finalmente, había venido a él.

—¡Sally!

El guardia la estaba empujando fuera del alcance de la vista de Hearst, con la mano alzada para golpear a esa absurda mujer histérica. No estaba muerta. Las imágenes que había visto en su mente —los frágiles omoplatos asomando por un vestido primaveral sobre el suelo de cemento del tanatorio de París— serían ya la pesadilla de otro hombre.

Caminó a grandes pasos hacia ella.

—¡Señorita King! Ya era hora. Supongo que no se le ocurrió pensar que estábamos preocupados aquí en la embajada, teniendo en cuenta lo que le ocurrió hace dos noches, y que querríamos saber que estaba a salvo. Supongo que ni siquiera ha pensado en ponerse en contacto con nosotros hasta que ha necesitado ayuda otra vez, ¿verdad?

La vio hacer un gesto de dolor por la dureza de su voz y la rabia brutal en su cara, y sintió una punzada de triunfo. No volvería a caer en la trampa de preocuparse por una mujer que se había marchado con el primer hombre que le pagó las facturas, que era demasiado estúpida para quedarse quieta cuando la gente caía como moscas a su alrededor. No iba a tolerar que se largara como Daisy, llevándose su corazón entre las manos.

—Yo n-no, nunca... —tartamudeó—. Es decir, recibí su mensaje en mi apartamento. Decía que me pusiera en contacto con usted... He traído a madame Blum...

Apartó la vista de sus ojos doloridos para mirar a la anciana que estaba encogida detrás de ella. De repente, recordó las promesas que le hizo con demasiada alegría el día anterior y se sintió profundamente avergonzado.

—Por supuesto. El visado. Sally, lo siento...

—No sea tonto —le dijo con una voz fuerte y cauta—. Es todo culpa mía. No sabía que tuviera que dar informes de todos mis movimientos al personal de la embajada. No necesito su ayuda hoy, señor Hearst —pocas veces necesito la ayuda de nadie—, pero madame Blum sí. ¿Está usted disponible?

—Sí.

Jack *el Loco* salía con su aspecto enorme y elegante del despacho de Hearst y miró abiertamente a Sally. Se despidió en dirección a Hearst, con los expedientes de Stilwell escondidos discretamente bajo el brazo.

—Sally, no se vaya a ninguna parte —le dijo Hearst—. Tengo que hablar con usted.

—Naturalmente, esperaré a madame Blum.

No lo miró, mientras se apoyaba contra la pared de la cancillería; le recordó a una niña enfadada, aferrándose a la dignidad para no llorar.

—Lo siento —volvió a decir él, de pasada—, y se llevó a Léonie Blum a través del caos de la sección consular.

21

Joliot encontró el almacén de Nell con dificultad, después de varios cambios de rumbo y una serie de obscenidades explosivas. Las calles de Les Halles eran estrechas y estaban consteladas por todo tipo imaginable de desechos: despojos de cerdo y cajas de madera, balas de heno y mantequeras, aros de queso y pezuñas de reses. Les Halles era el ombligo de París, el excelente mercado al aire libre a la sombra de Saint-Eustache que se extendía por varias manzanas en todas direcciones, flanqueado por almacenes, limitado por los hornos de los panaderos, las bodegas y las habitaciones traseras de los carniceros, las alcantarillas que se llenaban de sangre desde primera hora de la mañana, todo tipo de aves cacareando al sol de su último día, los ojos somnolientos de los conejos atados y colgados boca abajo por las patas de unos pasadores de madera, el queso fresco de cabra cubierto de ceniza y el olor a vino de las manzanas maduras. La gente que frecuentaba Les Halles no se parecía a Joliot, siempre envuelto por el aire enrarecido del Collège de France: eran hombres cargados de espaldas, vestidos con ropa desgarbada y de andares arrastrados; trabajadores esforzados casados con la tierra y el almacén, para los que el día de mercado era un rito ancestral sagrado; mujeres cuyas manos eran anchas y llenas de marcas, a las que no les costaba retorcerle el cuello a un ganso o sacarle el hígado estando aún vivo. Avanzó con cuidado de que el guardabarros del camión no hiriese a las hordas que pululaban, ya de recogida, y desmontaban los puestos improvisados ni a las cabras de voz ronca atadas a los postes. A esta gente no parecía preocuparles la guerra, aunque sus hijos seguramente se habían marchado al frente hacía muchos meses, como esos conejos atados, que ven el mundo boca abajo. Todos los hombres que Joliot vio en Les Halles tenían más de sesenta años. Todos los jóvenes estaban en otra parte, con una pistola en las manos.

Avanzó un poco con el camión, buscando la calle que Nell le había pedido que encontrara y la boca enorme del almacén, mientras pensaba tranquilamente en la cosecha y en la siembra, en la falta de mano de obra en el campo y en cómo afectaría eso a las comidas de sus hijos dentro de poco, independientemente de que los nazis llegaran a París. Joliot también había soportado una guerra de niño y recordaba el estómago punzante, el gruñido constante del hambre. Hoy, sin embargo, con Hèlene y Pierre aún en Bretaña o posiblemente de camino a casa, se sintió suspendido curiosamente en su camión sobre el remolino y el flujo de viandantes, aislado del ruido y los olores de los puestos del mercado, solo en su engaño.

En cuanto Jacques Allier se marchó del laboratorio, Joliot extrajo el agua pesada con un sifón de los veintiséis bidones, y la puso en jarras de cristal esterilizado. Rellenó los bidones con agua del grifo del laboratorio y volvió a ponerlos en su sitio, donde Allier pensaba que los encontraría. Luego cargó el agua pesada en la parte trasera del camión que le había enviado el Ministerio de Armamento hacía solo media hora, un medio de transporte oficial de aspecto militar cubierto con una lona verde. Solo entonces emprendió la búsqueda de Nell.

Aparcó delante de unas puertas de madera maciza y se apoyó en el claxon. Tras una pausa y algunas maldiciones de un vendedor beligerante al que le obstruía el paso y al que Joliot no prestó atención, las puertas se abrieron. Había dos ancianos dentro, mirándolo, con los brazos a ambos lados del cuerpo. Se asomó a la ventanilla del camión.

—*Madame la Comtesse* —dijo—. Me está esperando.

El más cercano asintió y se apartó. Joliot condujo con cuidado, evitando buscar con la mirada a Nell, sin dejar que le traicionasen el latido de las sienes y la sequedad de la boca.

Estaba de pie delante de una gigantesca pila de barricas de vino atadas con una cuerda, aspirando el aroma de la duela de madera que había arrancado de uno de ellos, con los ojos cerrados, bebiendo envuelta en un perfume fugaz con el que Joliot ni siquiera había soñado, bebiendo del roble. El rugido del motor del camión le hizo volver la cabeza, sin embargo, y caminó hacia él mientras frenaba, apagaba el motor y bajaba. Vio en sus ojos y en su expresión que mantenía el control de sí misma; ahora eran negocios, estaban delante de su gente, los trabajadores del viñedo que había mandado a Burdeos a traer estas cosas. No debía acercarse a ella, abrazarla, ni oler el aroma travieso de su pelo.

Se quedó de pie rígido, a la espera. Ella llevaba pantalones, algo que nunca le había visto hacer, lo que le produjo un efecto exótico e inesperadamente erótico a la vez. Su cuerpo fibroso y el pelo corto le recordaron de repente a un chico disciplinado.

—Había perdido la esperanza —le dijo—. Henri está preparado para cargar.

—No conozco Les Halles.

—Naturalmente. Eres de esos que siempre compran en tiendas, ¿verdad? O al menos, tu doncella. A pesar de tu lealtad al comunismo. Muy bien... ¿qué necesitas de mí?

Estaba decidida a tratarlo con crueldad, a fingir que la noche no había existido, a cortar la cuerda con una cuchilla dentada.

—Que envíes lejos a tus hombres. Henri. El otro.

—¿Por qué?

—Porque yo te lo pido, Nell.

Ella mantuvo la mirada, considerando si debía luchar aunque solo fuera por llevarle la contraria. En lugar de eso, se volvió de repente y les dijo en francés:

—El roble está bien. No es de primera calidad y desde luego no vale lo que he pagado por él, pero tendré que arreglármelas. Dios sabe que si la cosecha de este año es tan mala como la última, no importará nada las barricas que pongamos. Empezad a cargar.

La siguió por una escalera desvencijada y a través de una puerta que daba al almacén, hasta una pequeña oficina totalmente abandonada, donde Nell garabateó su firma en un conocimiento de embarque y luego se dejó caer en una silla.

—¿Tienes un cigarrillo?

Sacó uno y se lo encendió.

—Decías que querías que te llevase algo a Burdeos.

—Sí.

Exhaló el humo, esperando.

—Mi colega, Von Halban... conoce a tu primo. El alemán, ¿cómo se llama?

—Hans Gunter von Dincklage —le respondió—. Uno de mis viejos compañeros de juego.

Él hizo una mueca al oír la palabra, imaginándose todas sus posibilidades carnales, la pierna de Nell sobre la boca del hombre, sus labios en su sexo, la cabeza de Nell hacia atrás, los dientes al descubierto.

—Nuestras madres son hermanas. Prácticamente crecimos juntos en Birchmere cuando yo era una niña, pero perdimos el contacto cuando Spatz se fue a la universidad. Entonces yo me casé y vine aquí —dijo sucintamente.

Entonces tú te casaste, después de cinco meses tórridos revolcándote en mi cama. Ni siquiera una nota, Nell. Por no mencionar a Ricki en el andén vacío.

—Von Halban dice que ese... primo... se aloja en tu casa.

Parpadeó con impaciencia.

—Oh, Dios, Ricki, otra vez no. Esos celos patéticos y posesivos, no, cuando tú tienes a la Reina de Hielo en casa y dos hijos estupendos. Ahora no. Tengo cosas más importantes que atender.

—Fuiste tú quien me pidió que me quedara anoche. Tú, Nell. No tengo por costumbre acostarme con otras mujeres, por si acaso te lo preguntas. No hago esas cosas con facilidad; me importó, no fue una aventura ocasional...

—...Pero ahora sufres una agonía, te invade el remordimiento y quieres que te diga que no pasa nada. Bien, pues no, Ricki. Yo tampoco me acuesto con cualquiera que se cruce en mi camino y me duele que pienses que me acostaría con un hombre al que considero mi hermano, como si estuviera desesperada o fuera tan puta. Así que jódete, Ricki, y llévate lo que traigas en el camión de vuelta a casa, ¿entendido?

—Lo siento, Nell.

Estaba apagando el cigarrillo. Evitaba mirarle.

—No te estoy preguntando lo que has hecho o lo que te gustaría hacer con tu primo. Te pregunto lo que le has dicho.

—¿Lo que le he dicho?—Levantó la vista, con los dedos aún suspendidos sobre el cenicero.

—Es un enemigo, Nell. ¿Qué está haciendo en París en estos momentos, por Dios? La policía debe estar parándolo todos los días y pidiéndole los papeles.

—Oh, no creo que sea para tanto —dijo fríamente—. No lleva uniforme y ha pasado la mayor parte de su vida en Francia. Tiene mejor acento que yo. Probablemente no le harán preguntas más de una vez a la semana y, cuando lo hacen, les da mi dirección. Les dice que es de mi familia y que está de visita.

—¿De visita? *Sacre bleu*... Es un agente nazi, ¿verdad?

—No te dejes llevar por los celos, Ricki —lo miró perezosamente—. Spatz no es hombre de nadie más que de sí mismo. Odia abiertamente a Hitler y a los suyos y creo que está considerando seriamente trabajar para los aliados, así que no lo denuncies ante tu ministro aún.

—Nell...

—Será mejor que me digas ahora mismo por qué estás aquí.

No le había ayudado, no le había dado motivos para creer que iba a hacerlo y había abandonado a Allier por una mujer a la que no había visto desde hacía años, de la que no había sabido nada, y de cuya lealtad tenía todos los motivos para desconfiar.

—Tenemos que llevarnos de París algunos suministros del laboratorio, antes de que lleguen los alemanes.

—Y yo voy a mandar un camión hacia el sur.

—Hacia Burdeos, que es donde necesitamos que estén los suministros.

—¿Por qué?

—Por el puerto. Está más protegido que el de Calais, y si finalmente tenemos que llevar algo a Inglaterra...

—No me pidas que lleve uranio —le cortó bruscamente—. No lo haré. Me radiaréis el vino durante el próximo siglo, como si no tuviera yo bastantes dificultades ya. Los precios del mejor burdeos en el mercado mundial han bajado a la mitad que en los años anteriores, y entre las bombas químicas de la última guerra que seguimos sacando del suelo y la plaga de filoxera que diezmó las viñas, el *domaine* lleva años sin dar beneficios. Bertrand habría vendido las tierras hace años si yo no hubiera insistido, si no me hubiera responsabilizado por completo del negocio obligándolo a cumplir las especificaciones de la *Appellation Contrôlée.* Han sido años de esfuerzos, Ricki, y ahora la guerra se nos ha llevado toda la mano de obra y la ha lanzado ante las pistolas alemanas, se ha llevado el sulfato de cobre para espolvorear las viñas...

—No te pediría que llevases uranio —le dijo rápidamente—. Es el agua, Nell. Veintiséis frascos de agua que he sellado yo mismo a mano. Si te cogen y registran el camión, rompe las botellas y deja que se esparza por el suelo, ¿entendido?

—¿En los pocos segundos de los que dispondré antes de que me arresten? —intentó reírse pero se le quebró la voz y se llevó una mano temblorosa a la boca.

—No te detendrán. Por favor, Nell.

Asintió, apretando la mano contra los labios.

—En cuanto estés a salvo en Burdeos, escribes a tu hermano Ian a Cambridge. Pídeles a los Cavendish que hagan sitio para el agua en el laboratorio. Por si acaso no podemos detener al ejército alemán.

—Estamos perdidos, ¿verdad? No importa cuantas bravatas lancemos al aire. No puedo soportarlo, Ricki.

Entonces se acercó a ella, la tomó entre sus brazos como había estado deseando hacer, la retuvo sin palabras, apretando la cara contra su pelo. *Aquí, al final de todo, te entrego mi razón, mi cordura. Te doy mi alma, Nell, que siempre has tenido en custodia.*

—¿Qué te va a pasar a ti? —le preguntó—. ¿Te van a arrestar? ¿Te deportarán a un campo?

—No lo sé.

—Ven conmigo —le agarró por los hombros con fuerza—. Ven conmigo y con el agua. Os llevaremos a Burdeos, a Cambridge si es necesario.

—No.

—Ricki...

—Tengo hijos, Nell, y una mujer que va de camino a casa en estos momentos.

Dejó caer los brazos y dio un paso atrás.

—Así que vas a caer voluntariamente en la emboscada de los alemanes. ¿Vas a aceptar los planes que tienen para ti?

—¿Tengo elección?

—Todos la tenemos, pero tus opciones son siempre distintas a las mías.

22

El color primaveral se diluía en la calle y el cielo a la hora del cóctel. En los confines más bajos de Montmartre, en la base del funicular, una hoja de papel de envolver pan desechada, empujada caprichosamente por el viento, aún se adornaba con hielo pegado a ella. La gente cansada y despeinada —*refugiados,* pensó Spatz— se había venido abajo, con la espalda apoyada contra las farolas y la mirada perdida en el horizonte: una mujer embarazada con dos niños, un anciano con un gorro de vendedor de periódicos, cuya pierna derecha estaba vendada y manchada de sangre. Heridas de metralla. Un Messerschmitt. Spatz entendió el razonamiento de la alta comandancia alemana —enviar a un millón de personas de las Lowlands hacia el sur aterrorizadas, invadir las carreteras principales que salen y entran de Francia, cortar toda posibilidad de maniobras ligeras del ejército enemigo— y prefirió encorvar los hombros y no prestar atención a las miradas extraviadas. Él mantuvo la vista fija en la punta de los zapatos.

Hasta que la mujer le dijo en francés:

—Por favor, *monsieur.* ¿Sabe dónde puedo encontrar habitación para pasar la noche?

Estaba sola, pero no era una *fille de joie,* una prostituta que empezase a trabajar temprano. El vestido de algodón sencillo estaba manchado de sangre y lo que parecía ser barro; tenía más barro en el pómulo y en los dedos que encogía convulsivamente a ambos lados del cuerpo. Él dio un respingo, ante su aspecto acusador.

—¿Lo ha intentado en alguna estación de trenes? Creo que el municipio ha instalado catres —le dijo.

—¿Cómo llego hasta allí?

Él se dio la vuelta y señaló el *Métro,* la entrada de hierro ondulado y cristal.

—Hay un mapa de la red en la pared.

—No tengo dinero —dijo sin más, constatando la realidad cruda—. Ayer me robaron, después de que pasaran los aviones.

—¿Está sola?

—Con mis hijos.

Spatz miró a su alrededor. Aparte de la mujer embarazada que había visto antes, nadie más tenía niños en este rincón de la ciudad.

—¿Dónde están?

—Se me había olvidado. *Mon Dieu,* ¡se me había olvidado! Yo misma los enterré a un lado de la carretera. ¡Están muertos los dos! *Mon Dieu, mes enfants...*

Apretó los ojos y abrió la boca mientras se hundía sobre los adoquines del pavimento, lamentándose descontroladamente. Sintiendo un horror súbito, Spatz se apartó y le lanzó unos francos a los pies. Le temblaban las manos.

A la hora del crepúsculo, Montmartre se agitaba y las mujeres en bata salían a barrer las entradas sucias de vómitos y mugre, al fondo se oía el sonido metálico de los discos de un fonógrafo que salía por las ventanas de las cocinas. La mayoría no les prestaba atención a los refugiados que brotaban como el diente de león por las noches; ¿qué se podía hacer, con tanta gente? Era el escenario perfecto para un suicidio, pensó Spatz, al recordar a la madre medio loca por el dolor; nunca había podido soportar Montmartre durante el día.

El Alibi Club estaba encajado en una esquina de la Place du Tertre e iluminaba su parcela de empedrado con un neón resplandeciente, engalanándolo con unos dinteles de color rojo chillón. La plaza estaba desierta excepto por un hombre que sorbía de su taza en una mesa del café del centro; Spatz lo estudió: sombrero de tela, abrigo modesto, un bigote abundante y unos ojos que no prestaban atención al periódico y en cambio, se dirigían cómodamente hacia él: adinerado, demasiado para este tipo de vida. Spatz inclinó la cabeza rubia y entró en el club.

Oyó a Memphis cantar.

Era una canción triste, algo de Billy Holiday, el tipo de canción que Memphis nunca elegiría. Nunca se dedicaba a llorar por las historias de sus heroínas; ella cantaba al mundo que inventó Cole Porter: mujeres blancas y ricas que bailaban hasta el amanecer y bebían champán en la cama. Pero hoy su voz le desgarraba y recorría su columna con uñas afiladas, y él se quedó de pie, rígido en la habitación vacía, viendo las mesitas desamparadas, las sillas vacías y un mantel blanco que arrastraba. Estaba cantando en su camerino y un hombre —que no se parecía en nada al merodeador que estaba en el café de fuera— estaba sentado, con algún remilgo, en el escenario.

—Morris —dijo Spatz.

—Von Dincklage —lo reconoció el americano—. Esperaba que viniese.

—Nunca estoy en el barrio a estas horas. —Spatz se quitó el sombrero de fieltro y lo dejó en una de las mesas. Buscó su pitillera.

—Pero yo lo he invocado a través de esa mujer que está en el cuarto de atrás.

Spatz levantó la vista con frialdad.

Morris continuó, saltando del escenario donde estaba sentado:

—Es absolutamente imprescindible que hablemos, ¿no cree? Por el bien supremo del Reich y por nuestra mutua supervivencia.

—¿Qué quiere, Morris?

—Mis documentos. —Sonrió débilmente—. Los tiene usted, creo. Por favor, siéntese.

—Yo no querría nada suyo.

Morris suspiró, entrenado largamente en la paciencia.

—Me refiero a los papeles que Philip Stilwell robó de los archivos de mi firma, y que supongo que usted habrá cogido del apartamento de su amiga cuando estuvo a punto de matarla hace dos noches.

Spatz estaba concentrado en encender la cerilla sin quemarse los dedos.

—No había papeles en aquella habitación.

El abogado apretó los labios mientras Spatz protegía la llama y la punta cálida y brillante del Dunhill, con una indiferencia ofensiva.

—Lo mandé allí a recuperar algo de mi propiedad. Al no saber nada de usted durante tanto tiempo, fui yo mismo allí esta tarde. Una furcia rusa me dejó entrar en la habitación a cambio de... un pequeño detalle. La he registrado cuidadosamente.

—Y no ha encontrado nada.

—Quiero recuperar lo que me pertenece. —Morris puso las manos en la mesa: eran pequeñas, fieras, estaban húmedas por el deseo. Una de ellas sujetaba una pistola chata.

Spatz miró la pistola serenamente. Ese hombrecillo patético creía necesario amenazarlo.

—Si decide no ayudarme, Von Dincklage, me veré obligado a solicitar los servicios de mis amigos —persistió el abogado—. Su... chica... no es exactamente aria. Quedaría admirablemente en los campos de trabajo del *Führer*.

—Está perdiendo el tiempo. Yo no he visto ese expediente. No lo he cogido y no sé dónde está.

—¿Conoce personalmente al *Reichsführer* Himmler? —le preguntó Morris.

Spatz se quedó inmóvil. Apartó la vista de la cara del abogado, de aquellos ojos diminutos y húmedos, de los labios que dibujaban una mueca de malicia.

—¿Y usted? —replicó.

—Nuestros caminos se han cruzado. Tuve la ocasión de hacerle... un pequeño servicio. El *Reichsführer* prefiere decir que se siente obligado conmigo. Me siento halagado de ser el oído del Gran Hombre.

—La cabeza de la SS no se siente obligada con nadie. Si piensa de otra manera, no llegará a mañana.

—¡Ja! ¡Muy bueno, Von Dincklage! ¡Aplaudo su ingenio!

—Así que, ¿son los papeles de Himmler, los que ha perdido? No me extraña que esté preocupado. No me gustaría tener que darle al Gran Hombre, como usted lo llama, semejante noticia.

—No he dicho nada de Himmler ni de ningún documento —agitó la pistola en la mano—. Nada.

—No ha hecho falta. —Spatz dio una calada—. Si yo tuviera esos papeles, se los daría a buen precio, créame. Pero no los tengo, así que, ¿dónde están?

—Debe tenerlos la chica —dijo Morris preocupado—. Estoy seguro.

—¿Por qué?

—Porque Stilwell no los habría destruido, y he buscado en todas partes. En la firma, en los dos apartamentos...

A través del fino tabique, seguía oyendo cantar a Memphis.

—«...no sé nada de cielos azules, caballero, mi cielo es todo gris... pues mi hombre se fue...».

Spatz pensó en ese cuerpo que tanto quería, en la curva flexible de músculo y hueso inclinada bajo el acero de Sachsenhausen y en la manera fortuita en que podrían partirla en dos las manos de mil hombres.

—Si los aliados tienen los papeles de Himmler —argumentó—, no le doy ni tres horas después de que los nazis entren en París.

Por una vez, Emery Morris no tenía palabras. Todos conocían la violencia del Gran Hombre.

—Es una pena. Con semejante relación —siendo nada menos que el oído de Himmler en persona— podría haber conseguido muchas cosas cuando los alemanes llegaran. Podría haber sido usted indispensable, haberles mostrado las mejores casas de putas de la ciudad. Pero ahora... no le queda más remedio que echar a correr.

—¿Tiene usted una opción mejor? —le espetó Morris.

—Nunca he visto esos papeles. Prefiero evitar a Himmler y a los de su calaña como a una plaga. —Los ojos de Spatz calculaban—. Todavía podría ayudarle, por supuesto.

—¿Cómo?

—Está buscando a la chica de Stilwell, ¿verdad?

Morris se inclinó hacia él ávidamente.

—Siga el cuerpo. El cadáver de Stilwell, tanto si lo entierran en suelo francés como si lo embarcan, la chica seguro que lo acompañará. Solo tiene que llamar al tanatorio de París para conocer los detalles del funeral.

El abogado se puso en pie de inmediato.

—Gracias, Von Dincklage.

—A partir de ahora, amigo mío —le respondió Spatz agriamente—, deje en paz a Memphis Jones.

El hombre que había estado tomando un aperitivo en el pequeño café de la Place du Tertre había apurado el vaso hacía un buen rato. Estaba sentado en la plaza que una vez sirvió como antepatio de una abadía benedictina. Allí había habido grilletes y patíbulos hacía siglos, pero ahora no era más que un lugar para el pecado y para el café. Una cierta cautela le impidió instintivamente pedir un segundo Pernod; no había podido almorzar y el alcohol no le había caído bien en el estómago vacío. El vaso, como el periódico que tenía doblado a un lado, eran una tapadera, una excusa plausible para explicar la presencia de un hombre solo en un bar tan poco acogedor.

Echó una ojeada a las noticias de la guerra, una combinación de bravatas y rumores —«el gran ejército francés está luchando con un valor sin igual para repeler el ataque alemán»— pasada por la censura del gobierno en un intento desesperado de llenar la página; declinó el ofrecimiento de una prostituta que caminaba como una sombra por la Rue St-Vincent.

La puerta del Alibi Club se abrió y Emery Morris salió.

El abogado parecía haber tomado una determinación: vestía un traje a medida, iba acicalado, con una mano en el bolsillo descuidadamente y la mirada fija a una distancia de pocos metros. Caminaba enérgicamente por la acera, sin apercibirse de que su vigilante del café se levantaba de la mesa y cruzaba la plaza en un ángulo que le permitía cortarle el paso al americano. Solo cuando el extraño se puso a su lado, Morris lo miró, con gesto impasible.

—¿Monsieur Emery Morris?

—¿Sí?

—Etienne Foch. Sûreté National. Debo pedirle que me acompañe. Tenemos que hacerle algunas preguntas en relación a la muerte de su compatriota, monsieur Philip Stilwell.

Por unos instantes, Morris no se movió, como si estuviera analizando gramaticalmente el significado de cada una de las palabras. Luego sacó la mano del bolsillo del pantalón y le disparó a Foch a bocajarro.

La bala entró en el estómago del inspector, que abrió la boca, llevándose la mano instintivamente a la tela arrugada de la chaqueta. Un abogado, un hombre tan insignificante...

Entonces el revólver disparó de nuevo.

23

—¿Dónde está madame Blum? —preguntó Sally mientras Hearst recorría el pasillo de la sección consular, solo.

—La he mandado a casa con un chófer de la embajada. Estaba exhausta, y es imposible conseguir un taxi esta noche en toda la ciudad. Todo el mundo está en la calle.

—Ya lo sé, he venido andando hasta aquí, ¿se acuerda?

—Entonces la llevo a donde quiera ir —le dijo—. Pero no vuelva a su apartamento, no es un sitio seguro.

—Es usted terriblemente despótico, señor Hearst. —Se inclinó y cogió la maleta—. Casualmente, no necesito que me lleven. Iré andando al Barrio Latino.

—¿Mientras espera que el asesino le haga otra visita? No sea inconsciente, Sally. Ya le han hecho bastante daño.

—Madre de Dios —murmuró—. ¿Qué les pasa a los hombres? Usted y Shoop siempre me están diciendo lo que tengo que hacer...

—¿Max Shoop?

—Me sacó del hospital ayer. Luego me dejó en manos de su mujer. Me he escapado de su casa en plena noche. No me gusta que la gente intente dirigirme la vida, señor Hearst. Especialmente los hombres.

—¿Estaba con Shoop? —No se le había ocurrido pensar en esa posibilidad. Estaba muy incómodo; no se había fugado con un desconocido, algún amante del pasado.

Cuando había pensado en Sally, había visto a Daisy. La falsa claridad de apreciación que dan los celos, la manera en que deforman el juicio, dejaron a Hearst sin habla momentáneamente.

—La gente se equivoca mucho conmigo —dijo Sally, tensa—. Llevo estos vestidos tan ideales, de gasa y de seda, diamantes alrededor del cuello; el pelo recogido en lo alto de la cabeza, con un pequeño mechón sobre un ojo; guantes. Parezco un sueño, señor Hearst. Los hombres creen que lo soy. No saben que crecí en un rancho del oeste, que soy capaz de domar un caballo en una semana y de cabalgar dos días sin agua si es necesario. La mayoría de los hombres no tienen ni idea de quien soy. Pagan por un sueño, en Chanel y Schiaparelli, pero Philip vio más allá de la seda. Philip me vio a mí, y... me quiso de todas formas...

—¿Cómo podía ser de otro modo? —Hearst alcanzó su maleta. Ella le permitió que la llevara. Hoy no había lágrimas, solo hostilidad; pero por la palidez de su rostro, adivinó que estaba al límite de su resistencia.

—Tengo algo para usted —dijo—. Algo de Philip. Venga conmigo ahora y hablaremos de ello.

La llevó directamente a su apartamento de la Rue Lauriston. Con otra mujer en circunstancias diferentes, la situación habría sido difícil: el déspota Joe Hearst, seduciendo a una chica que no tenía donde dormir. Por lo que sabía de Sally, sin embargo, ella no era de las que se preocupaban por si era apropiado. Era inteligente, aparte de tener unas formas esculturales y una flexibilidad que le hacía parecer fuerte. Cuando le dijo que no iba a poder conseguir habitación en ningún hotel en un París lleno de refugiados, accedió sin un comentario.

—De todas formas, Shoop me encontraría en un hotel. —Se sirvió del Camembert triple crema que había puesto él en la mesita de café—. Será el primer sitio donde mire, después de mi casa.

—¿Se está escondiendo de él? —Hearst se concentró en machacar el azúcar en el fondo de la coctelera. Ambos necesitaban una copa a esa hora y los *gimlets*[5] le recordaban los veranos de Long Island, a Daisy con un vestido ajustado y una pamela. Se imaginaba los hombros esculpidos y morenos de Sally King emergiendo de un vestido de seda de colores llamativos. Otra vez el sueño. Los mejores diseñadores de París deberían pagar lo que fuera por él.

—Shoop quiere que me vaya de París. «No habrá ningún escándalo, Sally» —entonó aproximándose bastante a la voz de brahmín del abogado—. Quiere mandarme mañana a Estados Unidos con el cuerpo de Philip.

—Así que lo sabe.

—El *Clothilde,* la recogida de Philip por un coche fúnebre en el tanatorio mañana por la mañana y los billetes que tengo que retirar en la oficina de embarque de Cherburgo. Voy a enviar a madame Blum en mi lugar.

—¡De ninguna manera! —frunció el ceño, al resurgir toda la frustración de la tarde.

—Ella tiene que irse. Yo no. Me quedo en París, señor Hearst.

—Llámeme Joe.

Lo miró, divertida.

—Supongo que es adecuado, ya que voy a dormir en su sofá.

—Mire, Sally... —le pasó el *gimlet* y esperó a que lo probara—. Tiene que coger ese barco mañana. No se quede aquí sentada esperando que la maten los alemanes.

---

[5] N. de la T.: Cóctel de ginebra y lima.

Aquellas palabras implacables la dejaron helada.

—¿De verdad vienen?

—En cualquier momento.

—Entonces... —Tragó el último trozo de queso como si pudiera atragantarse—. A nadie le importa un bledo Philip, ¿verdad? Me refiero a que lo hayan asesinado. Dicen que es un suicidio. Nunca averiguaremos...

—...¿Quien lo hizo? —Hearst se encogió de hombros—. He hecho lo que he podido. Un farmacéutico me dijo que en la bebida de Stilwell habían echado mosca española. He hecho que la policía compruebe las huellas, pero todo el mundo en París está buscando la salida a toda prisa... No creo que consigamos demasiado.

No había recibido ningún mensaje de Foch esa tarde. Hearst estaba conteniendo el impulso de llamar a la Sûreté.

—¿Se marcha usted? —le preguntó Sally bruscamente.

—No por decisión propia. —La pregunta lo pilló desprevenido—. Bullitt me ha ordenado que vaya a Burdeos por la mañana, con un convoy de familiares del personal de la embajada.

Hearst la vio asimilar la noticia del abandono total —la de todos los americanos de París en dirección al sur y al oeste— y beberse de un trago el cóctel.

Por el aspecto de su rostro, el mundo le iba pareciendo un lugar más temible a cada paso. Sintió el impulso de ir hacia ella, pero se contuvo inmediatamente. No era nada de Sally; solo un hombre más que no era Philip Stilwell.

—Vaya a Cherburgo —le dijo con suavidad—. Es por su bien, de verdad.

Le pasó el vaso vacío.

—¿Cómo era?

—¿Quién?

—La mujer del retrato.

Había pasado tanto tiempo caminando por la casa en plena noche, con las luces apagadas, que casi se había olvidado de la decoración del salón: la madera Luis XVI, las cortinas de seda a juego y los trazos de óleo, sugerentes y aleatorios, que ocupaban un lugar prominente sobre la chimenea.

—Era... es... una persona más sencilla de lo que yo me imaginaba. —Volvió a llenar el vaso de Sally.

—¿Su mujer?

—Durante un tiempo. Me dejó hace unos seis meses.

Sally podría haber dicho, como muchos de sus conocidos: «Lo siento» o «¿Cómo ha podido hacerlo?». En vez de eso permitió que se hiciera el silencio entre ambos. Naturalmente él lo llenó.

—Le fallé. Primero en el matrimonio, y luego después de que se marchase.

—¿Cómo?

—Usted hablaba de confundir un sueño con una mujer. Creo que yo lo hice con Daisy.

Nunca había expresado sus dudas y su culpabilidad en voz alta; nunca había reconocido ante nadie que había vuelto a pensar en el abandono de su esposa. No formaba parte de su educación como diplomático el admitir la vulnerabilidad.

—No necesito a mucha gente —dijo algo incómodo—. Siempre he sido autosuficiente, pero a Daisy le encantaban las fiestas, bailar, la admiración de la multitud. Empezó a salir con un grupo de bohemios aquí en París: pintores y escritores. —Señaló el retrato—. Ese lo pintó uno de ellos, antes de que se marchase con un anarquista a Roma.

—Se culpa usted, Joe —observó Sally—. Eso es otro error. Las mujeres también toman sus propias decisiones, ¿sabe? A veces incluso aprendemos a vivir con ellas.

—Me escribió hace un mes, pidiéndome ayuda. No respondí. Y ahora... —Miró a Sally a los ojos, sin encubrir la culpabilidad en los suyos—. Nadie puede encontrarla. He enviado un cable a la embajada de Roma, ¿se lo puede creer? Joe Hearst buscando a su mujer fugitiva por todos los medios que el Estado le ofrece. Es patético. Cada vez que veo a uno de esos refugiados...

—Por eso está tan enfadado. —Dejó el *gimlet* en la mesa pausadamente—. Esta tarde. Por eso casi me corta la cabeza en mitad de la embajada. No puede salvar a Daisy, así que jura por Dios que me va a salvar a mí. Pero no es el mismo caso, Joe.

—Eso es verdad —dijo. Sé exactamente dónde está usted, por ejemplo. Y sé que tiene reservado un camarote en un barco que va a Estados Unidos. Mañana se va a Cherburgo, Sally.

—¿Qué era eso que quería enseñarme? ¿Qué tiene de Philip?

Estuvo tentado de decirle que no podía cambiar de tema toda la noche, pero la había atraído a su apartamento con la promesa del sobre que había llegado a sus manos. Lo sacó de su maletín y se lo dejó en el regazo.

—Su querida madame Blum me dio esto ayer. Probablemente es lo último que Stilwell envió por correo. ¿Le dice algo esa dirección?

—¿Jacques Allier? —movió la cabeza negativamente—. Probablemente es un cliente. Désela a Max Shoop.

—No puedo. Eso sería justamente lo que Shoop querría.

Ella estudió su rostro, totalemente inexpresivo.

—Usted cree que Philip murió por esto —dijo ella de repente.

—Sí. Y también creo que esto es lo que el hombre que la atacó estaba buscando.

Lanzó el sobre en la mesa como si oliese mal.

—Ábralo entonces.

Abrió la solapa y sacó un fajo de papeles. Leyó el primero en alto.

13 de mayo de 1940

Estimado señor Allier:

Me pidió la carta original que inició mi búsqueda totalmente inapropiada entre los expedientes de mis colegas. Aquí la tiene, junto con unos pocos documentos extraviados que he descubierto en los archivos. Guárdelos a salvo con el resto, y por el amor de Dios, lléveselos a alguna autoridad del Ministerio de Armamento, Dautry o alguien similar, si es que sigue en contacto con él después de lo de Noruega. Aquí nadie tiene el valor de enfrentarse a ellos.

Cordialmente

Philip Stilwell

—La carta original, como él la llama, está en alemán —hizo notar Hearst—. Está firmada por Rogers Lamont.

—No sé alemán.

—Como probablemente será el idioma oficial de Europa antes de que acabe el año —observó Hearst amargamente—, es una suerte que yo sí.

12 de mayo de 1939
Rue Cambon, Paris

Querido Juergen:

Fue estupendo tener noticias tuyas el mes pasado y saber que tú y todos los viejos amigos de Berlín os las arregláis para prosperar bajo el sistema actual. Comprendo el riesgo que corristeis al entregarle la carta a un mensajero humano en lugar de a una paloma. Yo utilizaré a nuestro amigo común de la misma manera para enviar esta respuesta. A mí tampoco me gustan los censores oficiales, y me horroriza saber que no podéis evitarlos, ni siquiera para una nota amistosa.

Yo también recuerdo con inmenso afecto las excursiones que hacíamos en Suiza. Espero que antes de que pasen los meses podamos reunirnos otra vez con una buena jarra de cerveza y un plato de queso fuerte para intercambiar historias de los últimos dos años sin tener que preocuparnos por que alguien pueda oírnos.

Me quedé muy impresionado al saber de tu cita en la fábrica Ludwigshafen; es una cuestión importante. Espero que la tensión y las exigencias de la situación actual no te dejen agotado. Intenta tomarte un tiempo para ti mismo, amigo, o no le servirás de nada a nadie.

En cuanto a tu pregunta: no se me ocurre la razón por la que te han pedido que suministres tantos contenedores de monóxido de carbono a presión para la oficina principal de Seguridad del Reich. Es una sustancia bastante inútil, excepto para la investigación científica, y aun así, puede decirse que tiene un valor limitado. ¡Me pregunto si no habrán querido decir dióxido de carbono para las bebidas del bar! Pero el hecho de que los bidones los suministre una compañía diferente —¿Mannesmann Röhrenwerke, dijiste?— indica un esfuerzo más organizado que un simple par de payasos con un sifón de soda. Alguien en el departamento de compras del Instituto de Tecnología Criminal está firmando un montón de facturas. Si de verdad estás preocupado —y por el cuidado que has tenido al enviar esta carta, está claro que lo estás—, intentaré averiguar lo que pueda de este asunto.

Os deseo lo mejor, a Dagmar y a los niños.

Rogers Lamont

—No lo entiendo —dijo Sally—. ¿Monóxido de Carbono? ¿Lo que sale del tubo de escape de un coche?

—Que fluye libremente por todas las autopistas y ciudades del mundo. Entonces, ¿por qué comprarlo al por mayor?

Ella se encogió de hombros.

—¿Qué más tiene?

—Algo que parece un memorando oficial —dijo mientras revisaba el siguiente folio— del Ministerio del Interior alemán. La fecha es de agosto del 39. Es sobre algo llamado... ¿Cómo lo traduciría? «El Comité del Reich para el estudio científico de enfermedades congénitas y hereditarias graves». Parece ser que si has dado a luz a un bebé con algún tipo de deformidad, tienes que registrarlo en ese comité. O eso dice este memorando.

—¿Y?

—...Y no tengo ni idea de qué tiene que ver esto con la carta de Lamont. Excepto que ha firmado con iniciales y ha garabateado «De Juergen» al final. A lo mejor este es el expediente «Juergen» de Lamont.

—El siguiente —ordenó Sally, apurando el *gimlet.*

—Deduzco que es una lista de hospitales. «Fundación Samaritana Stuttgart: castillo de Grafeneck. Instalaciones para el cuidado y enfermería: Bernburg-an-der-Saale. Linz: castillo de Hartheim. Instalaciones para el cuidado y enfermería: Sonnenstein-bei-Pirna». ¿Le suena alguno de estos nombres?

—Philip nunca los mencionó, si se refiere a eso.

—Y, finalmente... —Hearst le dio un resguardo que debía ser una copia endeble de lo que había sido una factura—. Una orden de compra de una flota de autobuses para la Sociedad Caritativa de Transporte de Enfermos. La oficina central está en Berlín.

—¿Eso es todo?

Hearst sacudió el sobre vacío.

—Pero Philip le dijo a Allier que guardase estos papeles a salvo con el resto... lo que significa que hay más —arguyó Sally—. Son piezas del rompecabezas que nos faltan.

—¿Cree que tener más piezas nos serviría?

—A Philip no lo mataron por un tubo de escape.

—Parece que a otros sí.

Hearst sostuvo un trozo de periódico descolorido que habían escondido en una de las carpetas del documento. Un cuadrado recortado con cuidado. Era una fotografía de un hombre de aspecto sobrio, ni joven ni viejo, que llevaba unas gafas negras rotundas como las que usan los ingenieros.

«Juergen Gebl, decía la esquela. Director de I. G. Farbenindustrie, Ludwigshafen. Asesinado el 25 de agosto de 1939.»

24

Ninguno de ellos pudo cenar esa noche, ni Joliot ni el joven Moureu, que estaba pálido por la emoción y la responsabilidad de sentirse a prueba; Von Halban y el ruso grandullón al que llamaban Lew —pronunciado *Lev*— estaban de pie bajo las luces del laboratorio alrededor del mapa que Jacques Allier había desplegado en la mesa de experimentación química.

Allier había traído barras de pan recién hecho y un par de quesos de calidad de una tienda cercana al Ministerio. También había traído varias botellas de borgoña blanco y dos policías militares de paisano armados con pistolas, que vigilaban en silencio al grupo de físicos mientras él hablaba.

—Usted, *monsieur,* está familiarizado con Auvernia, según tengo entendido.

—Mis abuelos tenían allí una casa de campo cuando yo era un niño. —Moureu era mucho más joven que el resto, tenía la nuez prominente y la melena desordenada; parecía muy ansioso, casi al borde de la histeria.

—Me temo que las carreteras, *monsieur,* no han mejorado mucho —continuó Allier—. Lo mejor es quedarse en las autopistas principales. Hay que dirigirse al sur por el Porte d'Orléans hasta la misma ciudad, y luego desviarse ligeramente hacia Bourges y Limoges. Desde Lemosín, pueden continuar hacia el este hasta Clermont-Ferrand. Deberían alcanzar el Macizo Central al amanecer.

—Mi padre solía coger la carretera a Dijon —objetó Moureu—, hacia Lyon y luego al oeste...

—... Pero todas las fuerzas del ejército alemán se están extendiendo como una plaga por esa parte del país —dijo Joliot con suavidad—, sería más inteligente hacer lo que dice Allier.

—No vamos a volver, ¿verdad? —Lew Kowarski los miró a todos de forma desafiante por debajo de sus cejas negras y espesas.

—¿Eso es una opinión existencialista, querido Lew, o una pregunta? —le preguntó Von Halban con un humor algo fastidioso.

El ruso se encogió de hombros.

—Decídalo usted. Yo no espero que los *sales boches* se detengan hasta llegar al Atlántico. Una vez que el deuterio esté en Auvernia, ¿buscamos un buen lugar como cuartel temporal? ¿Buscamos un sitio para la cámara de niebla de Joliot?

Allier se puso un dedo en las gafas con alivio. Se había temido algún tipo de escena: Kowarski pidiendo que le garantizasen la seguridad de su familia, forzando así el tema de su internamiento en el transcurso; Kowarski y Von Halban negándose a rendirse. Aún no se había tomado ninguna determinación respecto al futuro de estos extranjeros. El ministro estaba demasiado agobiado con las oleadas de tanques y la insistencia de Reynaud de mantener sus preciosos planes en la reserva en previsión de un empuje alemán mayor, aún por venir; no tenía tiempo para un par de científicos. Por mucho que Allier arguyera una traición.

—El ministro Dautry ha autorizado el alquiler de una casa apropiada para albergar al personal y al equipo —respondió—. De forma temporal, por supuesto. Una vez localizado el lugar, pueden enviar a buscar a su familia. Pero lo primero, el agua. La sucursal del Banque de France cuya cámara acorazada vamos a utilizar está aquí, en la Rue Gregoire de Tours. —Señaló con la punta del bolígrafo en un mapa de

Clermont-Ferrand—. El director es un tal monsieur Boyer. Tienen que referirse al agua como «Producto Z». Boyer no tiene ni idea de qué es.

—Me llevo al perro —dijo Kowarski de repente—. Es un galgo ruso. Le destrozará la garganta a cualquier alemán que se acerque al camión. ¿Le gustan los perros, Moureu?

—Si están limpios.

—¿Y usted, Joliot? —Se volvió Kowarski—. ¿Qué va a hacer mientras arriesgamos el cuello con los *boches* por carreteras secundarias?

—Yo empaquetaré todo lo del laboratorio —repuso Joliot—. Tengo que decidir qué nos llevamos y qué no.

—¿El ciclotrón?

—Imposible.

Kowarski soltó un taco sonoro. Le gustaba el ciclotrón de Joliot igual que a otros les gustaban los coches o las mujeres.

—Usted y el señor Moureu harán la mayor parte del viaje esta noche. —Los ojos castaños de Allier miraban fijamente al ruso—. Pueden turnarse para conducir. Joffroi y Méleuse —señaló a los guardias armados con un movimiento de cabeza— irán en la parte trasera del camión con el agua. Tienen órdenes de matar a cualquiera que intente robarla. Si se ven superados, tendrán que destruir el aprovisionamiento.

—¿Yo también voy a tener un ejército personal? —le preguntó Von Halban al banquero.

—Hay un ligero desacuerdo al respecto.

—Le he dicho al teniente Allier que no me hago responsable de los efectos nocivos de la radiación —dijo Joliot con calma—. Ya sabe, Hans, que los que trabajamos con uranio a diario somos hombres muertos —es el precio que pagamos por la ciencia— pero ¿podemos pedirles a soldados inocentes como estos? —con un gesto teatral, señaló a Joffroi y a Méleuse— que compartan nuestro destino fatal? ¿Qué se encierren una noche entera en un compartimento con veneno? ¿Qué se encarguen de destruirlo —y cómo, en nombre de Dios, iban a hacerlo sin sufrir daño físico grave— en el caso de que los nazis los interceptasen? Me niego a mancharme las manos de sangre. Me niego a que usted cargue con ese peso, Hans, y se lo he dicho al teniente.

No era un hombre teatrero, a pesar de los gestos y de las palabras magnánimas. Lo que intentaba era que el pobre Hans leyera entre líneas en todo ese artificio el deseo de protegerlo. El deseo de confianza implícita. Joliot había movido cielo y tierra para conseguir que Hans fuera libremente hacia el sur en su coche, felizmente solo, para llevar a cabo lo que había decidido acerca del uranio con seguridad. No habría demostrado confiar más en Von Halban si le hubiese encomendado a su propio hijo, Pierre, para que lo embarcase en Marsella; quería que Von Halban lo supiera esta noche, mientras estaban allí de pie en compañía de extraños. Por si acaso, como había dicho Kowarski, no volvía nadie.

—¿Cuánto uranio hay que desplazar? —preguntó el banquero.

Lo miraron sorprendidos; habían dado por sentado que lo sabía.

—Cuatrocientos kilos. Lo compramos no hace ni seis meses, a un proveedor en América.

—¿No es uranio natural?

—Metal —le corrigió Von Halban—. Es un proceso relativamente nuevo y produce una forma de alta densidad, lo que significa que los neutrones tienen que recorrer una distancia más corta.

—¿Viajan?

—En una reacción en cadena. —Joliot no miraba al banquero, sino a Von Halban—. Va a necesitar otro camión. Allier le conseguirá uno.

—Por supuesto. —El banquero alcanzó el maletín y sacó un sobre—. El ministro está de acuerdo en que lleve usted ese metal peligroso solo, *herr* Von Halban, porque *le professeur* Joliot-Curie ha insistido en ello. Pero conservamos el derecho, *voyez-vous,* de dirigir sus movimientos. Lea el contenido de este sobre y luego quémelo. No comparta las instrucciones con nadie.

Von Halban juntó los talones e inclinó la cabeza —a la manera de un noble austriaco— y se dio cuenta demasiado tarde que también podía haber gritado *Heil Hitler.*

—Hans —dijo Joliot unos minutos después, mientras Von Halban se preparaba para irse: tenía que hacer las maletas, despedirse de su mujer, leer la carta del ministro y quemarla—, no importa lo que la gente de Dautry diga, usted solo tiene una misión. Esconderlo en un sitio seguro, donde nadie pueda robarlo y no pueda dañar a nadie. Y no me diga dónde está hasta que acabe la guerra.

Joliot se quedó en el laboratorio oscuro, temeroso de que si salía del Collège de France, los pies pudieran guiarlo en la oscuridad hasta el Hôtel Crillon. No quería preguntar por Nell y que lo rechazase; no quería saber que ya no estaba allí.

Se acercó una banqueta y la puso a la entrada de la habitación que albergaba el ciclotrón, una máquina enorme, la primera en Europa occidental. Sabía por unos amigos de Alemania que el Gobierno nazi había considerado el hacerse con una. Por eso habían invadido Francia. Proporcionaba un rayo de deutones de una energía de hasta siete mega electrovoltios, solo superada por una máquina en Berkeley, donde Lawrence había inventado el ciclotrón. De hecho, un científico llamado Paxton, colega de Lawrence, había venido a Francia para ayudar a Joliot a construir la caja sellada y el oscilador. El imán lo habían hecho en Suiza en los talleres Oerlikon. Era una máquina magnífica, a la altura de un premio Nobel laureado y de su laureada esposa. Joliot odiaba la idea de que la desmontaran y la embarcaran en cajas hacia Dahlem o Berlín.

—Y, ¿qué problema estabas resolviendo exactamente mientras caminabas durante toda la noche? —le preguntó una voz desde el laboratorio, detrás de él.

Se volvió y vio su cara pálida, flotando en la penumbra; la espesa cabellera negra, la mirada fija. Irène era capaz de mirar de frente las partículas sin necesidad de parpadear durante un buen rato; su mujer era capaz de observar cualquier anomalía natural y de aportar una teoría de su existencia. No sabría decir si ella entendía el amor.

—Estaba calculando cómo evitar que los nazis se llevaran lo más importante.

—El ciclotrón.

Lo negó con la cabeza.

—Tú. Hélène. Pierre.

—Pero ¿es que la gente está en una situación tan crítica de verdad, Fred? ¿Individualmente, más que en la masa?

Estaba haciendo un juego de palabras solo para científicos: la masa crítica. Era el tipo de cosas que en otro momento habría celebrado amablemente, admirando su originalidad. Esta noche, sin embargo, se sentía demasiado cansado y solitario como para refugiarse en lo intelectual.

—Todos vamos a morir —continuó ella razonablemente—. Solo nos sobrevivirán nuestros descubrimientos. La ciencia sobrevivirá mucho después de que nos maten a todos.

Era posible que Irène, ahora mucho más enferma que él, cuya anemia y tuberculosis crónica eran motivo de preocupación constante, cuya dieta era estricta y tenía sus actividades limitadas, era posible que Irène, hubiera encontrado el estudio de la muerte más provechoso que el del amor.

—¿Y tu conclusión? —le preguntó con sequedad—. ¿Tras esas largas caminatas en la oscuridad nocturna?

—La cuestión es si debemos quedarnos o irnos, Irène —dijo con sencillez—. Quedarnos y afrontar las consecuencias de trabajar bajo el dominio alemán, con la esperanza de que

Francia sobreviva, o irnos, y prestarles nuestro talento a otros mundos.

—Nunca me iré de Francia. No quiero que me entierren en suelo extraño.

Se volvió, y fue hacia la puerta del laboratorio. Erguida en su soledad, monolítica e impenetrable, como la muerte que la llevaba de la mano.

—¿Dónde están los niños? —le preguntó.

—En Arcouest, con Tatin. Hasta que las cosas... se aclaren, aquí.

Tatin era la niñera. Pensó en las caritas de Hélène y Pierre, con botón de oro bajo la barbilla, de color amarillo brillante, y deseó estar con ellos.

—Es lo mejor —respondió.

Ella se volvió y lo miró por última vez.

—La *Comtesse de Loudenne* está en París —le dijo—. ¿Lo sabías?

25

Cuando Spatz llamó a la puerta, Von Halban estaba haciendo el equipaje: unas pocas camisas limpias, un pañuelo para los días en que la corbata no fuera aconsejable, dos trajes y la bata de laboratorio que se ponía siempre para trabajar. Metió tres publicaciones científicas en la cartera de piel que tenía desde el internado suizo: *Nature, Comptes Rendus* (de la Académie des Sciences) y un número reciente del *Journal de Physique,* en el cual había publicado un artículo modesto: *Mise en évidence d'une réaction nucléaire en chaîne au sien d'une masse uranifere,* escrito en colaboración con Kowarski y Joliot. Pero no tenía la cabeza en estas cosas. Su mujer estaba de pie en la puerta, estudiándolo. Se sintió como un ladrón en la noche.

—¿Te llevas el saxofón? —le preguntó Annick.

Era un símbolo de todo lo frívolo y lo informal que iba a destruirse en la guerra, pensó Von Halban: el instrumento de metal amarillo brillante que había intentado aprender a tocar, al que siempre había amado, soplando por él a horas intempestivas, cuando los niños dormían, llenando la escalera del edificio de apartamentos de notas sinuosas. Era demasiado rígido para el *jazz,* demasiado formal y arcaico, un hombre de método y clasificación, una sensibilidad germánica que no se relajaba nunca ni se soltaba la melena; era un poeta desesperado de formas estrictas. El porqué le gustaba la música, por qué le hablaba de lo que nunca podría llegar a ser, tenía que ver con la sangre rebelde que corría por su venas. La parte que no era austriaca, ni siquiera europea, sino mucho más antigua: la sangre que recordaba el sol del desierto, los bazares frenéticos, los pregones, el escupir de los vendedores de camellos y las caderas de las mujeres ondulantes a la luz de las lámparas de aceite. La sangre judía, triunfante en silencio en las horas perdidas en las que luchaba por improvisar.

—No voy a necesitar saxofones allí donde voy —respondió.

—¿Y dónde es eso?

Lanzó un juego de mudas en la maleta.

—He cancelado el alquiler esta mañana —le dijo Annick, en un tono triunfal y amargo—. He informado a madame Jaunne. «Nos vamos de París antes de que esos *sales boches* destruyan la ciudad», le he dicho; «antes de que empiecen a caer las bombas. Gracias a Dios, mis padres pueden ocuparse de mí, aunque mi esposo medio ario se niegue a hacerlo».

—Annick...

Pero ya se había marchado, el pasillo estaba vacío. Repicaba en el aire la nota del timbre de la puerta; en algún lugar su hija se reía.

Se sentó al borde de la cama. No tenía respuestas para su mujer: ni el destino, ni la duración del viaje, ni la fecha probable de vuelta. No tenía consejo que darle en su situación difícil: ¿quedarse en París? ¿Correr a refugiarse con los suegros en Pontoise? Si hubiera sido su propio jefe, y no Joliot, ni el Ministerio de Armamento... si no hubiera uranio en cofres de plomo aguardando para su transporte por mar, habría estrechado a su familia entre sus brazos y se habrían marchado en cualquier avioneta que encontrase hacia Inglaterra o hacia América: a algún lugar donde los alemanes no hubieran llegado todavía. No podía decirle eso a Annick: que no había avión ni libertad del dominio de Joliot. Ni dinero con el que pudieran contar. Recibía un sueldo decente del laboratorio, pero no llegaba para que Annick vistiera como correspondía a una parisina. Tenía cuidado con las cuentas mensuales, a menudo prescindía del menor lujo, pero siempre estaban endeudados. Ya no había reservas de las que tirar, no había fondos de los que sisar, ni camarotes que reservar en los últimos barcos que salían de los puertos franceses.

—Hans —dijo de improviso desde la puerta otra vez; él levantó la vista y vio que su nariz brillaba con una ira tan grande que casi no la dejaba respirar—, tienes visita.

—¿Quién?

—Ese alemán que estuvo en nuestra boda. A lo mejor quiere que te alistes. Y menuda mujer lo acompaña...

Pensó en su prima. Algún mensaje de Joliot, tal vez. Se levantó rápidamente, demasiado impaciente en opinión de Annick, que resoplaba desprecio. No era la *Comtesse de Loudenne* la que estaba con Spatz en la salita.

—Dios mío —dijo pasmado, mirando a Memphis: la seda bordada de su vestido, los guantes de avestruz y los zapatos de piel de serpiente. Estaba magnífica, como una diosa que hubiera descendido de la montaña a su hogar espartano, un espacio sórdido de tubos de cromo y cuero negro. Ella sonrió, y solo pudo pensar en la noche en que la había visto en el Folies Bergères, bailando desnuda con un cinturón de bananas alrededor de la cintura.

—Buenas noches, Von Halban —le dijo Spatz tranquilamente a su lado—. Perdone que haya insistido con su hermosa mujer. Está preparando el equipaje para viajar, creo. ¿Negocios?

—Algo así.

—Y, ¿dónde va?

Vaya directamente a Marsella por la carretera del oeste hasta Tours, luego, hacia el este en cuanto haya llegado al sur de Auvernia, y en Marsella embarque inmediatamente en el destructor Foudroyant, *al mando del capitán Bedoyer... Déle los suministros al capitán para que los guarde y regrese a Paris de inmediato...*

Había quemado la carta del ministro, tal como le ordenaba.

—Eso no me está permitido decírselo, Spatz.

—Ah. ¿Y usted, *ma belle?*—El plumaje rubio brillante y los ojos chispeantes de pájaro se dirigieron a Annick—. ¿Le va a acompañar usted en este viaje, también?

—Mi mujer tiene que irse con sus padres —respondió Von Halban con sequedad.

—Ya veo. —Spatz estudió a Hans un momento, experto conocedor habitual de lo que fluye por debajo de las cosas y de lo que no se puede decir. Tenemos poco tiempo, querido amigo, y no quiero abusar de su amabilidad perdiéndolo. Tengo una proposición que hacerle, a usted y a su esposa, mejor dicho...

Annick resopló.

—¿A mí? ¿Quiere reclutarme a mí? ¡Esto es demasiado!

—Pero he olvidado mis modales —exclamó el alemán, apesadumbrado—. Mademoiselle Memphis Jones, Annick Von Halban. *Doktor* Von Halban.

Memphis deslizó la pierna hacia atrás para inclinarse de una forma elegante, aunque teatral, y Von Halban dijo apresuradamente:

—Por supuesto. Encantado. Es un gran honor...

Annick inclinó la cabeza glacialmente.

—Mademoiselle Jones se ve obligada a abandonar París inesperadamente —continuó Spatz— al no tener mas deseos que usted, madame Von Halban, de entretener a los alemanes. Es de la mayor importancia que llegue a Marsella lo antes posible. Así que pensé en usted, mi querido Hans.

Von Halban frunció el ceño.

—Mademoiselle Jones tiene coche, pero no conductor. Nunca ha aprendido a conducir. Tampoco tiene gasolina; es tan escasa como los dientes de gallina. Por supuesto, para alguien que viaja por asuntos del Gobierno... como usted, por ejemplo. ¿Va hacia *le Midi?*

—¿Cómo lo sabe?

—Mi prima me ha dicho que Joliot está desmantelando el laboratorio —le respondió Spatz llanamente—. No tiene sentido que ninguno de ustedes vayan hacia el norte o hacia el este...

—Y por eso ha deducido que voy al sur.

Spatz sonrió.

—Cuando se vaya esta noche, ¿quiere llevarse a mademoiselle Jones?

La petición era tan chocante que dejó a Von Halban sin aliento. Miró fijamente a su amigo, boquiabierto.

—Su compañía podría serle valiosa —dijo Spatz con suavidad—. Su coche lo es, sin duda. Su vehículo oficial... ¿tengo razón al pensar que va a conducir uno? Seguramente va a atraer la atención de quien no interesa. Mientras que si va al sur con el coche de mademoiselle Jones... como escolta de una famosa artista... nadie cuestionará en absoluto sus razones. Parecerá un viaje de placer en compañía agradable, ¿por qué más se puede desear ir a Marsella en esta época del año?

Annick emitió un ruido impaciente, medio de fastidio, medio de burla.

—¡Decididamente, esto es demasiado! Nunca he tomado parte en tus excesos, *mon cher,* en esos sitios que frecuentas en Montmartre, pero si piensas que te vas a llevar a tu amante en estas vacaciones asquerosas, si has sobornado a este hombre para reírte de mí en mi propia casa...

Von Halban fue hacia ella, implorándole con una mirada desvalida, pero Spatz se puso delante de él. Con su gracia desenvuelta, cogió la chaqueta, sacó el fajo de billetes más grande que Von Halban había visto en su vida, y le ofreció el dinero a Annick como si él fuese un paje y ella una reina.

—Sé que para una familia como la suya, con niños pequeños y un padre siempre ausente dedicado a asuntos demasiado peligrosos como para hablar de ellos en voz alta, pueden surgir muchas dificultades. ¿Quién sabe cuándo van a cerrar los bancos por completo? ¿Quién sabe si la decisión de abandonar París se toma demasiado tarde? Por favor, madame Von Halban. Acepte esta pequeña muestra de mi estima y respeto. —Tuvo el valor de rozarle el hombro rígido—. Hágalo por sus niñas.

Von Halban la vio intentando calcular la posible suma que había en el fajo; le vio dar vueltas a las posibilidades que el dinero conllevaría y los horrores que aseguraba la falta del mismo. Luego, como una serpiente, lanzó la mano y le arrebató los billetes de la mano a Spatz.

—Por las niñas —dijo herméticamente, Y se fue a la habitación de sus hijas.

Los tres se quedaron de pie en silencio mientras cerraba de un portazo.

Von Halban se dio cuenta de que estaba sudando y de que el corazón le latía desenfrenadamente. Él no había accedido a nada, no se había comprometido a nada, y aun así, ¡había ocurrido! Tenía que llevar a esa desconocida —ese arlequín de deseos carnales, esa sirena sobre una roca— con él a Marsella esa noche. Iba a conducir su coche. Iba a cooperar secretamente, a embaucar al ministro de Armamento, Raoul Dautry, y a abandonar la furgoneta oficial en un punto cualquiera de París. No se había dicho nada y sin embargo, estaba todo decidido. Se oyó a sí mismo comenzar a tramar, sintió el poder vertiginoso de la acción canallesca, de trabajar contra un sistema que sin duda lo atraparía, a la menor oportunidad.

—El coche... ¿dónde está? —se oyó preguntar.

—En la Rue des Trois Frères. —Esa era la primera frase que Memphis Jones había pronunciado, y su voz ronca era embriagadora, un susurro de francés con acento extranjero cargado de humo y canciones medio aprendidas.

—Reúnase conmigo en la Gare du Montparnasse —le dijo a Spatz—. A medianoche. Será un placer excepcional escoltar a su amiga al sur.

Eficacia británica

Jueves, 16 de mayo de 1940 – Martes, 18 de junio de 1940

26

El Médoc, donde Nell había vivido la mayor parte de la década pasada, al norte de la ciudad de Burdeos, era una franja de tierra arenosa barrida por el viento, limitada al oeste por el bosque de las Landas, y al este por la orilla del estuario del Gironda. Más allá de las grandes coníferas y del cinturón de dunas inmenso estaba el Atlántico; la carretera principal se extendía estrecha a lo largo de una serie de aldehuelas, la mayoría de ellas muy pobres, hasta el puerto de Le Verdon-sur-Mer. Era un lugar de playas tranquilas y albuferas, de pájaros solitarios a la orilla de los lagos y de zonas de acampada que florecían en los meses de verano y quedaban desiertas el resto del año. Tenía una larga historia de contrabando y de pasajes al otro lado del canal a la luz de la luna, de vidas ganadas a duras penas en medio de tormentas, con la pesca. La zona más legendaria de la historia de los viñedos franceses quedaba en el extremo sur del Médoc, donde reposaban las botellas de los *châteaux* Margaux, Lafite, Latour y Mouton-Rothschild; aunque Loudenne estaba al norte, casi dentro de la Gironda, y sus vinos merecían solo la apelación más elemental del Médoc. Se los denominaba *cru bourgeois,* vinos de clase media, y la calidad de la tierra de la que procedían nunca permitiría conseguir nada mejor.

El marido de Nell, Bertrand, que había heredado el *château* de hermosos muros rosados y las cuarenta hectáreas de viñas, odiaba Loudenne. Era demasiado agreste, demasiado remoto, demasiado falto de elegancia; los alrededores eran atroces. Los campos estaban plagados de minas sin explotar de la pasada guerra, cuando los americanos usaron Le Verdon para desembarcar sus tropas y las pistolas alemanas lo golpearon duramente. Los muelles del río habían ido a menos y estaban desapareciendo. Intentaba vender el *domaine* hasta el día en que llegó Nell, ignorante aún de las desilusiones del matrimonio. El lugar le recordaba el terreno pantanoso donde se había criado, con sus pastos inundados para las vacas y las gaviotas desalentadas. Enseguida reconoció el odio de Bertrand hacia Loudenne y se dio cuenta de que iba a ser un motivo de lucha entre ellos. Defendió su posición, aunque solo contaba con unos trabajadores desorganizados y unas viñas acribilladas por la filoxera. Cuando Bertrand le regalaba joyas, ella las vendía para invertir el dinero en el viñedo. Injertó las viñas francesas ancianas con el rizoma de viñas americanas resistentes a la enfermedad, en los invernaderos desbaratados próximos al *château.* Aprendió cómo espolvorear el sulfato de cobre en el moho que estropeaba las uvas. Trajo consigo la electricidad, restauró los destartalados *chai* y *cuverie,* los cobertizos donde se hacía el vino, e instaló un baño inglés como Dios manda en sus habitaciones. Bertrand, que adoraba París, la ginebra y el *jazz* incluso tras la Depresión, encontraba todo aquello insulso, así que empezó a darle las joyas a otra mujer y a ir por casa cada vez menos. Pero Loudenne era el único reino que Nell quería: allí embotellaba soledad de clase *grand cru.*

Anhelaba llegar desde el instante en que el camión se acercó pesadamente a las afueras de Burdeos. Llevaban conduciendo dieciséis horas y habían cubierto una distancia de más de seiscientos kilómetros desde Paris a Chartres, a Tours y finalmente a Poitiers, para seguir luego hacia Angulema. La máxima velocidad del camión era de cincuenta kilómetros por hora. En plena noche, Nell y el conductor, Henri, fueron en dirección contraria a unos pocos refugiados y no vieron rastro de tropas alemanas. Habría podido decirse que no había guerra si no hubiese sido por el miedo constante de Henri a que el camión se quedase sin gasolina. Había hecho acopio en unos bidones las semanas anteriores al viaje, pero no entendía por qué insistía Nell en circular por carreteras secundarias. Las autopistas eran más rápidas, estaban mejor pavimentadas y evitaban que se vaciase el tanque antes de lo previsto. Conducía con ansiedad, mirando constantemente la aguja del combustible y los bidones que se fueron vaciando con rapidez durante toda la noche.

Nell se imaginaba que Joliot–Curie podría conseguir combustible a través del Ministerio de Armamento, pero se había resistido a pedírselo. Estaba enfadada con Ricki: había roto el sosiego de su soledad y eso no podía perdonárselo. Cuando fue a visitarlo aquel día desde el pasado, en el Boul–Mich, lo hizo siguiendo un capricho: una especie de prueba del antiguo poder que ejercía sobre él. Lo hizo porque Spatz se lo había pedido. Quería atraer a Ricki para abandonarlo de nuevo, como entonces, y decirle a Spatz todo lo que quería saber. A diferencia de Ricki y de Bertrand, el alemán nunca le había prometido nada, nunca le exigió fidelidad, la traicionaba de forma tan casual como ella lo traicionaba a él. Entendía a Spatz: era tan ambicioso y tan solitario como ella.

Nunca entendió a Ricki. Su deseo de poseerlo y dominarlo, de poseer esa mirada abrasadora en sus ojos, el ardor de su tacto, era como una herida en la que no podía dejar de meter el dedo. Le había dado aquellos frascos de cristal llenos de agua. Una segunda oportunidad de un contacto, una promesa. No iba a pedirle gasolina, también.

—¿La señora condesa querría parar a tomar café? —Jean-Luc iba acurrucado en el espacio que quedaba detrás de los asientos delanteros, con las rodillas casi en la barbilla y la doncella de Nell repantigada sobre su hombro, dormida. Nell le había dejado su hermoso cochecito a Spatz y llevaba al anciano chófer a casa. Jean-Luc era demasiado mayor para que lo mandaran al frente o para encontrar otro trabajo, y ella estaba decidida a garantizar su seguridad. Pero no había bastante combustible para llevar los dos vehículos al sur y el chófer ya no era necesario. Los alemanes se incautarían sin miramientos de todo lo que tuviese ruedas, incluso de las bicicletas, en cuanto invadiesen París. Era mejor que Spatz se quedase con su adorado biplaza.

—Me muero por una taza de café —respondió—, pero creo que tenemos que llegar cuanto antes a casa. ¿No cree, Henri?

El anciano se limitó a gruñir. Las palabras, al igual que el combustible, no había que despilfarrarlas.

Rodearon Burdeos, melancólico a la luz de la primavera, cubierto por una bruma de aire salado que venía del mar. Condujeron a ritmo constante hacia el norte, a través de las suaves colinas de grava de Margaux, cruzando los arroyos de Pauillac y por la llanura ondulante de St. Estèphe, mientras el corazón de Nell se henchía a cada vuelta en dirección a la Gironda. No importaba que la cosecha del último otoño hubiera sido la peor que se recuerda, o que no tuviera esperanza de cuidar sus viñas, al estar casi todos los trabajadores en el frente. Estaba en casa.

Tampoco esperaba encontrarse unos coches parados en el camino de grava, aguardando para saludarles.

Tres coches para ser exactos: un pesado Daimler negro, difícil de fechar, un pequeño deportivo azul marino, impecable, y un Rolls Silver Cloud con chófer uniformado.

Este último pertenecía a la jefa de la expedición, una mujer alta y delgada, con una boca firme y guantes en las manos. Tenía el pelo castaño, los ojos claros e iba vestida con una chaqueta a medida y pantalones de montar, como si esa mañana hubiese preferido cabalgar, en lugar de haber tenido que viajar al norte a través de carreteras en mal estado con un grupo de gente casi extraña. Había ochenta kilómetros a Mouton-Rothschild, donde vivía la mujer, que no tenía por costumbre alterar su agenda por nadie. Se había negado a cambiar su apellido por el de su marido, el barón Philippe de Rothschild; su título era mayor que el de él. Siguió siendo la *vicomtesse* Elizabeth de Chambure para sus amigos, después de la boda, igual que lo había sido antes.

Nell solo había intercambiado unas pocas palabras con ella en algunas celebraciones aristocráticas, hacía ya años, cuando Bertrand se tomaba Loudenne más en serio. Elisabeth de Chambure de Rothschild no era de su círculo social, así que Nell se preocupó incluso antes de que el camión se detuviese, mientras pensaba rápidamente tratando de adivinar que querría la *vicomtesse.*

Cerca del grupo había dos niños, de unos cuatro y seis años de edad, jugando en la gravilla que rodeaba la fuente seca, y una chica cuyo trabajo debía consistir en cuidar de ellos. Detrás de la *vicomtesse* Elizabeth había tres hombres de pie: vestidos de oscuro, elegantes, remilgados y de aspecto extranjero, que seguían el camión con la mirada mientras Henri surcaba el camino roturado. Ninguno de los tres se movió cuando Jean-Luc saltó de la cabina y le sujetó la puerta a la señora.

Nell no bajó del camión en ese momento, aunque con ello hiciera esperar a la señora de Mouton-Rothschild bajo el sol de mediodía. En vez de eso, le dijo a Henri:

—Lleve el camión a la vuelta, al *chai.* Quiero que coloquen los barriles de roble en la habitación de los vinos de un año,

¿entendido? Los bidones de agua que hemos traído de París hay que guardarlos en la bodega de abajo, en la parte del fondo, *oui?* Junto a las botellas menos valiosas; las cosechas malas, ponedlas por delante, para desanimar al que venga buscando algo. *Tu comprend?*

—*Oui,* —murmuró Henri; el camión seguía en marcha cuando Nell se bajó y se apartó de ella balanceándose con sus secretos a paso constante y agónico.

—*Madame la vicomtesse.* —Nell pronunció las palabras francesas con su habitual gracia, pero el cuerpo le dolía de la tensión del viaje y necesitaba un baño desesperadamente—. Mis disculpas. El ama de llaves no debería haberla hecho esperar aquí fuera...

—Los niños preferían estar aquí —la interrumpió Elisabeth de Chambure, con indiferencia—, y desde luego, pensábamos que estaría en casa, a punto de irse. ¿Me permite que le presente a mis amigos? La *Comtesse* de Loudenne... Julian de Kuyper, de Holanda.

Uno de los hombres, el mayor, según dedujo Nell, se inclinó sobre su mano.

—*Enchanté.*

—... y sus primos, Moïses y Elie Loewens.

Estos dos se inclinaron austeramente y no dieron muestras de querer aproximarse a ella.

—El señor de Kuyper está con su familia. Él y los Loewens llegaron en barco hace dos noches al puerto de Le Verdon, huyendo de Ámsterdam y dejando atrás al ejército alemán.

—Entonces son muy afortunados —dijo Nell.

—Julian y Moïses son viejos amigos de mi marido.

Sin previo aviso, Elizabeth de Chambure cambió del francés al inglés.

—Tuve que dejarlos entrar cuando llamaron a mi puerta, pero se los he traído, Nell, porque necesito su ayuda. No voy a negarlo. No sé qué más puedo hacer.

—Ya veo. —Nell estudió el rostro de la otra mujer—. ¿Son... judíos?

La *vicomtesse* asintió. Era bien sabido que, a diferencia de su marido, ella tenía un pedigrí francés venerable y sangre cristiana.

—Banqueros de primera categoría. El barón ha hecho muchos negocios con ellos.

El barón. Nell sufrió una débil sensación de mareo, que achacó a los efectos secundarios de la noche abominable que había pasado, o tal vez a la violencia de la memoria: Philippe de Rothschild, tal y como lo había visto por última vez, conduciendo un Bugatti hasta un punto muerto en Le Mans, las manos cuidadas sobre el volante, su boca de expresión sardónica. Era un aventurero consumado, con un intelecto profundo y encantador, amante de los perros y las mujeres, que se paseaba por el *domaine* que él había creado con una capa de *chevalier* ondeando al viento. Era el segundo hijo de la rama inglesa de la importante familia de banqueros, y Nell lo vio una vez en Ascot. Pero no había llegado a conocerlo, nunca había puesto un pie en su círculo encantado. Mientras la existencia de Elizabeth de Chambure le resultaba indiferente, por conocer unas cuantas horas de la de Philippe Rothschild habría dado lo que fuese. No había ningún hombre sobre la faz de la Tierra en los últimos trescientos años que pudiese comparársele.

—¿Dónde está ahora su marido?

—En París. Se ha ofrecido a ayudar a Reynaud. No van a dejar que se marche ahora que el ejército alemán... ¿Y su marido? ¿El conde?

—En el frente —replicó Nell bruscamente—. ¿Sabe el barón que usted está aquí, encomendándole sus amigos a alguien que es casi un extraño?

Elizabeth de Chambure se puso tensa, pareció que iba a lanzarle una réplica mordaz y a marcharse en su Rolls inmediatamente, pero entonces movió la cabeza.

—Espera que yo los tenga en Mouton, y mi hija está allí. ¡Es tan joven, todavía! Si los nazis toman París, también tomarán Mouton. Usted sabe que es así. Roban todo lo que es... judío...

—Y si averiguan que protege a unos fugitivos, harán lo mismo con lo suyo —dijo Nell despacio—. Mientras que nadie los buscará en Loudenne. No es tan deseable como Mouton-Rothschild. Y tiene el río justo detrás, por si sus amigos se ven obligados a escapar.

—¡Lo entiende! —gritó la otra mujer ilusionada, y le cogió la mano a Nell—. Sabía que conseguiría que me entendiera.

—Ah ¿sí? —Echó un vistazo al grupo de hombres silenciosos, segura por su expresión de que sabían inglés perfectamente y de que sabían que los estaban vendiendo—. Mi ayuda tiene un precio.

—¿Cuál es?

—Una cuadrilla de trabajadores. Mouton y las otras casas grandes —Latour, sus primos de Lafite, los Maihles en Comtesse de Lalande— todos monopolizan la poca mano de obra que hay, y no queda nada para los demás. No soy capaz de encontrar un alma que me ayude en este distrito miserable. La *commune* de St-Yzans está desierta.

—Pero ¡ni siquiera hemos acabado la recolección!

—Yo tengo que trasegar los vinos y refinarlos. Hay mucho trabajo en la *cuverie,* y solo somos tres hombres y yo para hacerlo.

Las dos mujeres se miraron fijamente, sin querer ceder terreno. Elizabeth de Chambure afinó los labios.

—Ustedes los ingleses —dijo amargamente—. Nunca hacen nada sin recibir algo a cambio.

—Ni los banqueros. —Nell sonrió a los tres hombres, los niños estaban tirando piedras a la fuente vieja—. Lo toma o lo deja, *vicomtesse.*

27

Llevaba un traje gris oscuro que MainBocher le había dado después del último pase del otoño pasado; no era apropiado para el mes de mayo, pero Sally pensó que era terriblemente elegante y muy adecuado para seguir a un coche fúnebre.

Estaba de pie en la acera, delante del tanatorio de París, mirando fijamente el coche negro y largo, con la parte trasera rectangular, el cristal cromado, el peso curiosamente inmóvil de un sarcófago abovedado que parecía el puro de un mamut, pero que de hecho era Philip, al fin sin sangre, embebido de las sustancias químicas que le habían inoculado en el sistema en el mortuorio, con los ojos cerrados. Podía imaginárselo tal y como lo había visto el lunes por la noche, con la mirada perdida, horrorizada ante el espectáculo que la muerte le ofrecía, o imaginárselo como si estuviera dentro del envoltorio de un puro: con las manos cruzadas en oración sobre el pecho, sin expresión. Ambas imágenes le resultaban igual de remotas y de absurdas. Philip había abandonado su cuerpo como si fuera un par de pantalones sucios y se había marchado flotando.

De noche —las raras noches en las que desde el lunes había conseguido dormir una o dos horas—el susurro de su presencia se movía rápidamente por la funda de su almohada, con la persistencia de un mosquito.

Sally, Sally, presta atención, Sally.

—¿A qué? —murmuraba ella, y se despertaba de golpe en otra habitación que no le era familiar, en una oscuridad diferente, con la certeza de la desaparición de Philip.

La guerra, que solo era un rumor la noche en que murió, se había abierto como un foso y se lo tragaba. Era poca cosa, en realidad, la muerte violenta de un hombre, cuando tantos millones se veían arrancados de su cama y lanzados a las carreteras de Bélgica y Francia, forzados a ver a sus hijos acribillados por las balas. Pero la muerte brutal de Philip no perdería nunca su poder sobre Sally; no iba a desvanecerse jamás del todo. En algún sitio había justicia, y ella conseguiría que se hiciera. Quizá entonces él dejase de acosarla en sueños.

Un segundo coche aparcó junto al bordillo, igual de negro y de imponente, con un conductor uniformado de aspecto afable. Era el coche en el que debía montar, junto con la anciana portera, madame Blum, para que las llevase a paso lento hasta Cherburgo.

El chófer del coche fúnebre fumaba, con la cadera apoyada contra la puerta del vehículo; intercambió un saludo con el de la limusina y comentaron algo acerca del tiempo o de los *sales boches* que Sally no acertó a oír. El hombre no era lo bastante mayor como para haberse librado del frente, pero se dio cuenta de que mantenía el brazo derecho doblado contra la caja torácica como si solo pudiera usarlo con muchas limitaciones, y se imaginó que sería una herida de guerra que habría recibido a los veinte años, que lo había relegado a conducir un coche fúnebre durante el resto de su vida.

Madame Blum llegaba con retraso. El chófer de la limusina ya había mirado el reloj un par de veces. Sally había adoptado la postura relajada de un maniquí: una pierna adelantada, la cadera inclinada, y las manos agarrando el bolso. Tenía una maleta colocada dócilmente a sus pies. Miraba con aburrimiento en la dirección por la que se suponía que debía venir madame Blum; era una mujer hermosa cuya indolencia podía interpretarse como debida a muchos estados de ánimo diferentes. No necesariamente a la preocupación.

Joe Hearst rompió esa indiferencia inmutable: salió silenciosamente de las entrañas del tanatorio con los papeles del consulado en las manos. Su constitución desgarbada resultaba armoniosa sin pretenderlo, como si cuando no le observaban, fuese el tipo de hombre que baila claqué al oír una música que solo él sabía silbar. La cara, sin embargo, estaba de una palidez mortecina y se veía una sombra morada y gris bajo los ojos. Esa, pensó Sally, era la cara que iba a tener mientras durase la guerra: eternamente responsable por lo que no podía salvar. Como a él mismo.

La mujer que lo había abandonado tenía que responder por muchas cosas.

Sintió un pinchazo de culpabilidad; estaba demasiado interesada en la complejidad de Joe Hearst para ser una mujer que acababa de perder a su prometido. La conciencia de su vida y de su energía se reafirmaba incluso cuando Philip yacía inmóvil, descomponiéndose a tres metros, lo que le hizo sonrojarse.

—Madame Blum no ha llegado, Joe.

—Probablemente ha encontrado otras diez cosas que le son imprescindibles en Bayona —dijo bruscamente— y está luchando por meterlas en la maleta. Escuche, Sally: los informes del frente que han llegado esta mañana no son buenos. No podemos saber si los alemanes van hacia el sur, en dirección a París o si se dirigen hacia el oeste, hacia el mar. Es posible que estén haciendo las dos cosas. De cualquier forma, tiene que subirse a ese barco en Cherburgo hoy mismo. Puede ser la última oportunidad para escapar.

—No —dijo.

—Me voy de París dentro de cuarenta minutos. Shoop y todo el mundo en Sullivan & Cromwell me pisan los talones, en dirección a Burdeos. Todos los expatriados americanos en Francia van a estar desesperados por conseguir un camarote dentro de una semana y usted se encontrará en París intentando encontrar la forma de huir sin coche ni gasolina, y cada vez con menos dinero. No sea loca. Suba a ese barco con el cuerpo de Stilwell. Váyase a casa.

Las lágrimas asomaron a sus ojos y sintió fiebre en el cuerpo; un nudo le apretaba la garganta como a una niña rebelde.

—¿Cuánto tiempo lleva en París, Joe?

Se sorprendió.

—Dieciocho meses.

—Yo llevo aquí cuatro años. La sexta parte de mi vida, la más maravillosa que he vivido, y ahora se ha venido todo abajo. He sido cenicienta en París; he sido la madrastra mala, cuando he querido, y he sido la princesa de cualquier reino que pueda nombrar. No pensaba volver nunca al lugar donde no soy más que la hija de alguien. Solo Sally King.

—Puede volver cuando haya acabado la guerra. —Hearst le pasó el brazo por los hombros; al notar su contacto, ella sintió una sacudida inesperada.

—Para entonces, me habré casado con algún zoquete —dijo amargamente— y pesaré cuarenta y cinco kilos más.

—Suba a ese barco —le soltó—. Necesito que lleve los documentos de Philip Stilwell a Nueva York, Sally. Es la única forma de que lleguen.

—¿Los que leímos anoche? ¿Cree que son tan importantes?

—Alguien ha matado a Stilwell por eso.

Las palabras quedaron flotando en el aire entre ellos. Sally miró sin querer el coche fúnebre, demasiado silencioso.

—Necesito que se los entregue a Allen Dulles, en la oficina de Nueva York de Sullivan & Cromwell. Él entenderá lo que significan. Su barco llegará a Manhattan mucho antes que cualquier otro tipo de envío por correo.

Él ya había decidido cuál sería su vida; cómo cruzaría el Atlántico con sus sueños rotos para entregar el paquete que a él le interesaba. Pero al mismo tiempo notó la mueca de dolor de su boca. No le resultaba fácil.

—Sacar ese expediente del país tal vez sea lo único que puede hacer por Stilwell —le dijo con suavidad—. La única clase de justicia que vaya a encontrar.

—Démelo —dijo. Y se alejó en dirección al coche fúnebre.

Por fin llegó Léonie Blum, resoplando por el esfuerzo de arrastrar la maleta por el *Métro,* los brazos le sudaban. Hearst la vio a salvo en la espaciosa limusina y la oyó cacarear sus condolencias a Sally, que se esforzó en dar la bienvenida a la anciana, y en hacerle sentir que era una compañía apreciada. Sally no miró a Hearst al decir adiós, y él detectó falta de vida bajo los buenos modales, una chispa que prendía la desesperación. No le preocupaba que ella cruzara el Atlántico llorando, con tal de que lo hiciera.

Se quedó de pie en la acera detrás de los dos coches que arrancaban e iniciaban la marcha demasiado lentamente para su gusto, y maldijo el día que Sally King entró en la embajada de Bullitt.

—Es una hermosura —dijo Petie, en una ensoñación, desde la parte delantera del Buick de Hearst, donde había montado guardia—. Es una pequeña joya, jefe.

—No es pequeña —le cortó Hearst— y está enamorada de un hombre muerto.

Acababa de coger la puerta del coche para abrirla cuando alguien lo llamó por su nombre. Volvió la cabeza en dirección al tanatorio, buscando entre la gente que caminaba por la acera en ese momento. Otra vez: «Hearst».

Una figura ligera, que casi se confundía con la caliza de color claro de las fachadas circundantes; un sombrero gris de ala como tantos otros. Hoy solo los ojos de Max Shoop exigían atención, deteniendo a Hearst donde estaba. Brillaban de rencor y de furia.

—¿Se ha ido?

—¿Sally? Hace unos minutos.

El abogado soltó un juramento, inesperada y violentamente.

Sabe que tiene los papeles, pensó Hearst. *Lo sabe.*

—¿Por qué no la ha avisado?

—¿De qué?

—De Emery Morris. —Shoop fue hasta el bordillo, poniéndose una mano sobre los ojos para mirar hacia el oeste—. Ha escapado, y se le busca por asesinato.

28

En la mañana del día en que la guerra llegó de verdad a Francia, Memphis se despertó en una habitación pequeña, de escayola blanca, escondida bajo los aleros de una fonda en Alise-Ste-Reine. Pensó que era un nombre raro para un pueblecito perdido entre montañas, Alise, la Reina Santa, cuando nadie era ya capaz de recordar quien era Alise. La aldea habría acogido tal vez a unas quinientas almas antes de que enviaran a sus hombres al frente; era un pueblo de campesinos, cercano a Dijon, famoso por una estatua de bronce enorme de Vercingetorix en la plaza mayor. Hans le había dicho que Vercingetorix fue un caudillo que murió luchando contra César. Parecía que todas las estatuas de Francia conmemoraban una derrota y una causa sangrienta.

El sol entraba por la ventana batiente y el aroma a rosas inundaba el viento, pero ni el sol ni el perfume la habían despertado. Fueron los motores, que aceleraban haciendo mucho ruido, repetidamente, como si quisieran insistir en algo, y las voces de los hombres que subían por la ventana abierta. Se levantó y fue corriendo a la ventana para asomarse a la plaza.

Gilles Martin estaba de pie delante de la fonda con su hijo, solo un adolescente aunque trabajaba en el bar. El posadero la había mirado de arriba abajo sin decir palabra la noche anterior, como si hubiera caído del cielo, o de Marte, tal vez, con su piel brillante, de color café, y su ropa parisina. Su mujer le había preguntado abiertamente a Von Halban si estaba con el ejército alemán, y cuando él lo negó, había examinado sus papeles franceses, murmurando algo acerca de los quintacolumnistas y de denunciarle a la gendarmería local. Hans le había explicado con calma que era ciudadano francés, residente en París, que llevaba a la señorita Jones a Marsella, donde debía actuar; por la cara de los dueños de la fonda, vio que sospecharon que se dedicaba a desnudarse en el escenario, o a hacer cualquier cosa mostrando el pecho, dando vueltas como los carteles de París de los años veinte. La mujer le había pasado el brazo con firmeza por los hombros a René, el hijo, para llevarlo de vuelta a la cocina y alejarlo del peligro. Al principio, Gilles había insistido en que no había habitaciones, en que el sitio estaba lleno, aunque hasta Memphis sabía que el pueblo estaba abandonado ahora que se había declarado la guerra, y Sedán quedaba a tan solo trescientos kilómetros al norte. Hans había desenrollado parte del dinero de Spatz y se lo había puesto en la palma de la mano. En ese momento el hombre se calló. Encontró no una, sino dos habitaciones.

Hans estaba de pie detrás de Gilles y de René, como si acabara de salir de la fonda después del desayuno: entrecerraba los ojos bajo el sol y tenía esa expresión de cautela que Memphis había aprendido a reconocer. Iba por la vida alerta, como si cada día fuese un estanque grande y helado en el que tuviese que meter el pie, como si algo desagradable pudiera morderle. Empezaba a sentir afecto por él, después de tantos días juntos en su coche —bueno, más bien el de ella, cargado hasta arriba de baúles y sombrereras, y algún que otro bolso—, encorvado sobre el volante, luchando pacientemente con el tráfico. Llevaban casi tres días en carretera, desde aquella reunión precipitada en casa de Hans, el miércoles por la noche, tras una salida complicada de la casa prácticamente vacía de la Rue des Trois Frères; Spatz fumaba en silencio, metieron todos los vestidos y las boas de plumas, los sostenes de lentejuelas y los sombreros altos a la fuerza en el baúl Vuitton, y tuvieron que dejar muchos pares de zapatos atrás para poder llenar las bolsas con las preciosas partituras de música.

—¿De dónde has sacado ese dinero? —le había preguntado Spatz con una despreocupación engañosa, mientras contaba el efectivo que le había dado el hombre de la oficina de American Express.

—De un amigo mío —dijo ella con frialdad—. No lo conoces. —No tenía intención de decirle que había hablado con un abogado llamado Shoop. El recuerdo de esa conversación desesperada en plena noche, en la habitación de Jacquot y la mirada asesina de Shoop, aún le hacían estremecerse. Pero había canjeado el cheque que le dio, de todas formas.

—Utilizas a todo el mundo, ¿verdad, cariño?

—Igual que tú me utilizas a mí —le replicó—. ¿Crees que no sé que has metido a este tipo en mi coche por alguna razón? ¿A cual de los dos estás vigilando, Spatz? ¿A mí o al alemán?

—Hans es austriaco. Y por supuesto, está aquí para vigilar. Quiero que salgas de París a salvo.

Se había acercado por detrás mientras ella tiraba las joyas a las profundidades del bolso, e inclinaba divertido la cabeza dorada. Ella levantó la suya y se encontró con su mirada brillante, como la de un pájaro, en el espejo. Le acarició el hombro con una mano. Se le puso la carne de gallina.

—Mientras estés de camino, querida —le dijo—, quiero que te pongas en contacto conmigo. Llámame siempre que encuentres una cabina de teléfono. Dime exactamente donde estás, por si acaso tengo que... rescatarte.

Lo que le sorprendió a Memphis durante las largas horas de viaje fue encontrar a Hans von Halban tan relajado. El austriaco podía mirar al mundo como si fuera a devorarle, pero detrás del volante de su coche estaba bastante cómodo: apenas hablaba, amigable en su silencio; no esperaba que lo entretuviesen. Ella se había pasado la mayor parte de su vida entreteniendo a alguien: lo había hecho a los tres años con sus hermanos; a los trece cuando se casó por primera vez; en Londres, en Manhattan, y arriba y abajo de los Campos Elíseos. Había llegado a pensar que los hombres eran unos idiotas incapaces de cerrar la boca, esperando que alguna mujer les diera el pecho. Hans era diferente. Cuando le hablaba, daba por sentado que ella tenía cerebro. Era una sensación nueva.

—¿Cómo es que es amigo de Spatz?—le había preguntado la primera noche, mientras giraban en dirección contraria a la que el Ministerio le había ordenado seguir y se dirigían al este resueltamente, hacia las fauces del ejército alemán que avanzaba. Su plan, según lo había esbozado a grandes rasgos, era seguir la ruta más rápida hasta Marsella para llegar a casa lo antes posible con su mujer y sus hijas, y el camino más rápido era ir hacia el este y luego al sur. Contaba con que ni siquiera las divisiones de los panzer podían cubrir muchos kilómetros en dos días, y de todas formas corría el rumor de que los alemanes se dirigían al Canal. Iba bordeando el límite de Champaña, giró hacia Troyes y luego a Dijon, pero con lo que no había contado era con el ejército francés disperso como un montón de hojas arrastradas por el viento, al sur de las Ardenas, ni con su contraofensiva fallida en Troyes y en otros pueblos de Champaña; tampoco con las carreteras congestionadas casi hasta detener la marcha, llenas de soldados exhaustos, coches todoterreno y aldeanos que luchaban por abrirse paso entre las hileras hacia París. Hans había conducido unas horas en la oscuridad de la noche del miércoles hasta que al fin, aparcó a un lado de la carretera y ambos miraron las columnas de soldados descorazonados que caminaban con pesadez por su lado. La luz de la luna rielaba en el cañón de las armas. Memphis abrió una botella de coñac que había traído para el viaje y se la pasaron el uno al otro, limpiando el cuello de la botella con uno de sus guantes.

—Me hice amigo de Spatz el día en que comprendí que nunca podría ser francés —dijo entonces—. No es suficiente tener la ciudadanía o estar casado con una francesa. Cuando la soledad no se mitiga, cuando casi te sientes invisible para los demás, solo el oír tu lengua materna te hace saltar las lágrimas, ¿sí? Seguro que ha sentido eso también, señorita Jones.

Hablaban en francés porque su inglés no era muy bueno y ella no hablaba alemán en absoluto, y cuando oyó esas palabras, todo se le removió por dentro. Decía que le daba igual no volver nunca a Tennessee, que podía quedarse en París toda su vida, pero la verdad era que había veces en que lo único que quería era sentarse a la mesa de su madre, una mañana húmeda de julio en Memphis, apoyar los codos en una bolsa de papel arrugada y desenvainar guisantes en un cuenco. Quería la comida que solo su madre sabía hacer, quería oír el dialecto alegre que se hablaba en su calle vieja y polvorienta, el habla que la había acunado y que había cuajado en su infancia, que la había echado del pueblo, que le campanilleaba en los oídos en sus peores sueños nocturnos. Entendía demasiado dolorosamente lo que Hans von Halban quería decir: a veces, incluso un enemigo puede parecerte tu salvador si te llama por tu nombre.

El enemigo había formado en la plaza, justo delante de la fonda de Gilles Martin, en este momento, a las siete y cuarenta y tres minutos de la mañana del sábado, 18 de mayo. Eran tres soldados que llevaban lo que Spatz llamaba uniformes *feldgrau:*

chaquetas largas grises de lana y pantalones, botas altas, negras y relucientes. Llevaban casco, gafas de seguridad y guantes gruesos negros, habían llegado en tres motocicletas; el joven René estaba admirando sin disimulo toda la complicada ingeniería alemana. El hecho de que los tres representaban el avance de una fuerza formidable no se le ocultó a Memphis, mientras los miraba desde el ático: estaban muy confiados, seguros de haber conquistado un pueblo solo por el hecho de pasar por él. Habría más como ellos, en el sitio del que venían.

Uno de ellos —el oficial al mando, dedujo— hablaba francés, y lo hacía en voz muy alta, como si quisiera compensar el mal acento. Entendió que estaba aconsejando a toda la población que aún quedaba en Alise-Ste-Reine que recogiera sus cosas y se fuera antes de que el ejército llegase. También les pedía gasolina para las motos. Había una pega en este punto: Hans y Memphis ya habían descubierto que no había gasolina en Alise-Ste-Reine. A decir verdad, su coche era el único en todo el pueblo. Hans había robado combustible en plena noche de un depósito de almacenamiento a las afueras de Troyes, pero de eso ya hacía un día y Memphis empezaba a preocuparse por la distancia que tenían por delante: la subida a la zona montañosa que rodeaba Grenoble.

Gilles fue hacia Hans, en busca de intérprete, y con esa mirada de cautela que ya le era familiar, Hans dio un paso adelante y habló en alemán. En ese momento, sonó un disparo que venía de algún punto más allá de la plaza: el sonido agudo de un rifle. Uno de los motoristas alemanes cayó al suelo como una piedra.

El oficial miró al soldado herido; la sangre le salía a chorros del cuello. El segundo soldado se inclinó sobre el cuerpo caído, sacudiéndole la cabeza, y luego, sin pensarlo dos veces y sin esfuerzo aparente, agarró a Hans, a Gilles y al chico, René, y los arrastró al centro de la plaza: un escudo humano entre él y el francotirador desconocido. Mientras Memphis miraba, el alemán le murmuró algo a Hans, que a su vez, le habló en confidencia a Gilles Martin: el dueño de la fonda gritó en francés, con desesperación:

—¡Alto el fuego! ¡Salga y entregue el arma! Si no lo hace, habrá consecuencias...

El silencio se adueñó de Alise-Ste-Reine. Memphis miró a los hombres del grupo, que estaban de pie como estatuas a la primera luz del día. Un pájaro se posó en la cabeza de Vercingetorix, estirando las alas perezosamente.

El oficial alemán sacó un cuchillo del bolsillo y le cortó el cuello a René de oreja a oreja.

A Gilles le dispararon en la cabeza.

29

Era difícil saber qué quemar y qué no. Allier le había dicho que empezase a clasificar los informes de investigación que había reunido para el Ministerio y que archivase las carpetas y cajas con información esencial, pero que destruyese los informes y su rastro incriminatorio, y Joliot se dispuso a hacerlo. Incluso había construido la cámara ideal de un pirómano, lejos de las sustancias químicas volátiles del laboratorio, un cilindro de acero que una vez debió contener algo importante, pero que ahora no era más que un trasto, muy adecuado para contener las llamas y las cenizas. Estaba acostumbrado a construir máquinas infernales. Todos los físicos eran un poco mecánicos de coches y armadores de juguetes, y Joliot no era una excepción. Había montado su propia cámara de niebla y había instalado su propio electrómetro Hoffman. Soplaba y cortaba el vidrio. Montó el ciclotrón. Todos estos artefactos eran ejemplos de su habilidad paciente para perder el tiempo, puesto que ahora tenía que abandonarlos todos. La futilidad de su vida lo tenía de rodillas delante de su escritorio, rodeado de papeles, incapaz de decidir lo que debería entregar a las llamas. ¿Su mención del comité del Nobel, tal vez?

Allí es donde Jack *el Loco* lo encontró.

Joliot no conocía personalmente a Jack. Fue Allier quien le sirvió de valedor al conde, su derecho de entrada en el

Collège de France. En cuanto hubo devorado los papeles de Sullivan & Cromwell, el conde no perdió tiempo en localizar a Jacques Allier, a través de sus contactos en la embajada británica y diferentes ministerios franceses. Jack *el Loco* sabía que los muchachos franceses tendrían planes para una estrella como Frédéric Joliot-Curie, sin mencionar a su mujer, y era vital que frustrase esos planes antes de que se materializasen.

—El conde de Suffolk es de confianza —le dijo Allier a Joliot en voz baja mientras Jack *el Loco* levantaba los tubos y miraba en los vasos del laboratorio, feliz como una almeja en marea alta—. El ministro me ha ordenado que le dé todo tipo de facilidades, ¿entendido?

Era sábado por la tarde. Irène no se había molestado en ir al laboratorio hoy; estaba en casa en Antony, descansando. Joliot se sentía avergonzado en su presencia, y era exageradamente cortés. Le aterrorizaba cualquier conversación que pudiera sobrevenirle y que le obligara a confesar su amor por otra mujer. Ella no volvió a mencionar el tema de Nell después de aquella primera tarde, como si todo lo que hubiera que decir estuviese perfectamente claro entre ellos. Ella sabía de su culpa de la misma forma que podía visualizar cada aspecto de una teoría científica antes de acometer el peso de la prueba. Por eso había dejado a los niños en Bretaña. No quería que se contaminaran. De repente y para siempre, él se había vuelto radiactivo.

—Ha conseguido sacar el agua de la ciudad y ponerla a salvo, según tengo entendido —quiso confirmar el conde.

Frunciendo el ceño, Joliot miró a Allier. El banquero asintió casi imperceptiblemente. Era verdad que Moureu había despertado a Joliot a las siete en punto la mañana anterior con una llamada de teléfono, para decir que él y Kowarski estaban en Clermont-Ferrand; el Producto Z estaba escondido en la cámara acorazada del Banco de Francia; iba de vuelta a París mientras Kowarski localizaba un alojamiento adecuado para el laboratorio provisional de Auvernia; pero esa era información confidencial. No era algo que hubiese que tirar como si fuera confeti ante un extraño, prácticamente. Ni siquiera aunque los bidones de Moureu fuesen un señuelo.

—Estuvo muy bien por su parte considerar el depósito de reservas de HydroNorsk —comentó Jack *el Loco*—. Muy astuto. Previsor. No nos opusimos cuando Allier vino a Londres a decírnoslo. Nosotros no podríamos haber hecho una operación tan impecable. Y luego, cuando los alemanes entraron en Noruega...

—¿Qué es lo que ha venido a decirnos? —le interrumpió Joliot.

El inglés se subió a una banqueta de metal y sacó un salami del bolsillo de su chaqueta de lana. Se concentró en un cuchillito que sostenía en la mano.

—He venido para invitarle a Cambridge, viejo amigo. El laboratorio Cavendish es perfecto para un hombre de su reputación, tan brillante. Puedo ofrecerle todo tipo de apoyo profesional y alojamiento privado, ayuda para que se instale con su mujer y sus hijos, y la estima y la colaboración de las mejores mentes de Inglaterra. Y tendría la tranquilidad de saber que está combatiendo a los soldados alemanes, en lugar de avanzar directamente hacia su trampa.

—No es seguro de ninguna manera que los alemanes vayan a vencer. —Joliot miró a Allier, cuyo rostro seguía siendo inexpresivo—. Podría ser una guerra muy larga.

El conde movió la cabeza.

—El parecer le honra. Demuestra buena fe y todo eso. Pero aparte de una esperanza sin futuro, ¿qué más hay? Su hombre, Reynaud, le dijo a nuestro primer ministro el jueves que este ejército estaba acabado. No tenía más opción que entregar el barco. ¡De hecho le echó una bronca a Churchill por no enviar más aviones! Nunca he visto al Abuelo tan alterado. No, yo diría que lo único que queda es gritar.

Joliot dejó los papeles que sujetaba y caminó hacia las ventanas del laboratorio.

—Y aun así tiene usted el plano de una bomba —reflexionó el conde—. Lo ha patentado. Creo que estamos todos de acuerdo en que no podemos dejar ni una partícula de esa investigación... ¡ja! No pretendía hacer una broma, en manos alemanas.

—Reynaud nunca les dará París —dijo Joliot.

—Pero le ha dicho a nuestro ministro, *voyez-vous,* que se prepare para retirarse a Tours —exclamó Allier—. Según tengo entendido, todos los órganos del Gobierno francés están haciendo planes de evacuación. Hay gente quemando papeles en este mismo momento en el Ministerio de Armamento. No se sabe cuándo llegará la orden. Hay que estar preparado, Joliot.

—He acordado ir a Clermont-Ferrand...

—Puede que no esté lo bastante lejos. ¿Se da cuenta de que usted mismo, ese cerebro que tiene dentro de la cabeza, es tan peligroso para Francia como el agua pesada y el ciclotrón? ¿Y si cae en manos alemanas? No podemos garantizarle su seguridad, *mon ami.* Ni la seguridad de Irène y de los niños. Ni siquiera podemos asegurar que podamos sacarle. Pero el conde está encantado de intentarlo.

Joliot se dio la vuelta y miró al banquero.

—Llévese a mis hijos —le pidió—. Llévese a Von Halban y a Kowarsky. Son mentes de primer orden y necesitan un sitio donde trabajar. Los alemanes acabarían con ellos sin más.

—Seguro que sí —concedió Jack *el Loco*—, pero no crea que no harán lo mismo con usted, Joliot, en cuanto sepan lo que necesitan saber. Los alemanes son soldados extraordinariamente eficientes. Detestablemente eficientes.

Había terminado de cortar el salami y le ofreció una rodaja a Joliot, con una mirada intensamente dura. El conde podía sonar como Bertie Wooster, pero Joliot comprendió de pronto que el inglés no era un hombre dado a las variedades, no era ningún tonto.

—¿Cuánto tiempo tengo para decidirme? —Tenía los ojos fijos en el conde y en su brazo tatuado, que sujetaba una hoja brillante en la mano.

—Le doy un día o dos. —Jack *el Loco* sonrió—. A menos que los soldados alemanes lleguen antes.

30

Era lunes, 20 de mayo, y los aviones alemanes se abatían sobre el puerto de Cherburgo una vez más.

El capitán les había ordenado a todos que entrasen en el barco, no a la parte principal del casco, que estaba abarrotada de cajas de mercancías, ya que el *Clothilde* era un vapor mercante, sino a la zona de pasajeros que quedase más abajo. La cubierta estaba protegida con sacos de arena para prevenir un incendio. Alrededor del amarradero había barcos de la marina francesa, dotados de armas antiaéreas; de vez en cuando derribaban un avión alemán, que caía en picado al mar como un fénix en llamas, para alegría de los que miraban.

Las bombas llevaban cayendo cuatro días, desde que Sally y madame Blum llegaron a bordo el viernes por la mañana, y la fetidez y el calor dentro del *Clothilde* eran mareantes. A Sally le ponían enferma los cientos de personas desesperadas que habían sobrepasado a la tripulación holandesa y se habían abierto paso a bordo.

Sally y madame Blum habían llegado trece horas tarde a la hora prevista para su salida, al haber tenido que abrirse paso a través de oleadas de soldados en retirada, la mayoría ingleses, por la carretera de Cherburgo. Los hombres, exhaustos, se apartaban del coche fúnebre por un respeto atávico a los muertos, pero los dos coches negros habían tenido que avanzar a paso de caracol a través de las hileras; el viaje de cuatro horas se había alargado y alargado hasta que cayó la oscuridad y *madame* Blum comenzó a roncar en un rincón de la limusina; Sally estuvo a punto de ponerse a gritar por la impaciencia. Llevaron a algunos soldados en el coche espacioso, chicos de dieciocho y veinte años que hablaban despreocupadamente mientras el coche avanzaba lentamente hacia Cherburgo a lo largo de la tarde. Sally aprendió sus nombres solo para olvidarlos, oyó rumores del avance alemán, vio el leve temblor en los dedos de cada chico perdido al volver a salir del coche y saludar. El mundo entero avanzaba tambaleante hacia el Canal de la Mancha y los nazis le pisaban los talones.

A las tres de la mañana se apartaron a un lado de la carretera para que el chófer pudiera dormir. Ambos coches estaban aparcados cerca de un cruce que no llevaba a ninguna parte, a través de las pomaradas de Normandía; Léonie Blum murmuraba en sueños y Sally echaba una cabezada, inquieta. Un tartamudeo de ruidos, y luego una granizada de balas de ametralladora: eran los Messerschmitts. Se despertó de golpe, gritando.

Cuando los aviones continuaron el vuelo, los cuerpos y los vehículos ensuciaban la carretera. Los más afortunados se habían refugiado en zanjas; había algunos coches volcados. Pero las figuras silenciosas en mitad de la autopista contaban su propia historia. La Muerte la había rociado, pero las gotas no la habían alcanzado.

—¿Por qué hacen esto? —profirió con furia madame Léonie—. ¿Cómo pueden hacerlo, habiendo mujeres y niños en la carretera?

—La están despejando —dijo Sally—. Para que pasen sus tanques y los vehículos armados. Es la forma más eficaz. Tenemos que salir de la autopista como sea.

El conductor, ya anciano, horrorizado y con lágrimas por las mejillas, puso en marcha la limusina y giró bruscamente para tomar una carretera secundaria. Siguieron los manzanos sin saber adonde iban durante el resto de la noche.

—Ojalá se haga el maldito barco a la mar y que sea lo que Dios quiera —aseguró Léonie Blum en el interior del *Clothilde*—. Es tan fácil morir aquí como al cruzar a Southampton o a Folkenstone. ¿A qué espera este hombre?

—Órdenes. —Sally buscó en su bolso y le dio un pañuelo a la anciana que no estaba demasiado sucio. Todavía tenían que pasar una hora más en el camarote; la comida consistía en agua y galletas saladas que les repartía esporádicamente la tripulación agobiada; y Sally no tenía ni idea de dónde estaba su equipaje—. El capitán me ha dicho que ha recibido órdenes de la marina francesa de no zarpar. Por esa razón seguía anclado cuando llegamos el viernes. No creo que el pobre hombre pueda decidir nada.

Había hablado con el capitán solo dos veces. Era un tipo abrumado y sin consuelo que no podía volver a casa, en Holanda, porque estaba ocupada por los alemanes, pero no se dejaba impresionar por la marina alemana ni por la posibilidad de que le confiscasen el barco. Quería alcanzar la seguridad de Inglaterra, respirar un día o dos y decidir cuál era la mejor forma de luchar o incluso si quería hacerlo.

Se había negado a aceptar el ataúd de Philip. Sally le había dado todo el dinero que llevaba encima. Ahora estaba guardado en la zona del barco reservada para la carne, que tenía una unidad refrigerada, aunque el capitán, cuyo nombre era Anders, había apagado el generador para conservar la batería. No quería pensar en el cuerpo de Philip meciéndose suavemente en la sentina. En lugar de eso le dijo a madame Blum:

—No vamos a quedarnos aquí eternamente, ya lo sabe. Cuénteme algo de su sobrina. Me ha dicho que tiene cuarenta años y dos hijos ¿no?

—Dos niños —concretó Léonie Blum—. David y Saul. Cada día están más grandes. Me ha mandado fotos... Se llama Saul por mi hermano, el de Múnich. No he sabido nada de él desde hace casi dos años...

Sally sabía que el anciano de Múnich estaba en un campo de concentración. Madame Blum le había hablado de él con inquietud durante días, como si la decisión de abandonar Europa, de darle la espalda a toda una existencia y zambullirse, a sus sesenta y seis años, en lo desconocido, hubiera tomado la forma de su hermano, cuya cara nunca volvería a ver. Sally la dejó hablar. Su pensamiento voló hacia Burdeos y Joe Hearst. Ya habría llegado a la ciudad, con su carga de efectos personales y niños llorones. Tal vez ya hubieran zarpado, con el resto de los americanos, de camino a Nueva York, mientras Sally estaba a la deriva en el Atlántico con el valioso expediente y su amante muerto metido en una caja.

Pero le había sido leal a Hearst a su manera. Al no saber dónde estaba su equipaje exactamente, aplastada por el número ingente de personas que se apiñaban en el barco y que no eran pasajeros, había escondido el sobre bajo la corona de flores blancas marchitas que Sullivan & Cromwell había ordenado que se atase a la tapa del ataúd. Supuso que los documentos estarían más seguros allí, vigilados por un cadáver en la cámara refrigeradora.

El *Clothilde* tembló violentamente.

—*Mon Dieu* —jadeó Léonie Blum, agarrándole la mano a Sally—. ¡Nos han dado! ¡Los *sales boches* nos han hundido!

—No. —Sally escuchaba, estirando todo el cuerpo en dirección a la superficie—. Creo que son los motores, no una bomba. Nos estamos moviendo.

Subió a cubierta. Era importante mirar a Francia mientras el *Clothilde* salía del puerto de Cherburgo, para aspirar a fondo el aire salado y los humos de la combustión; mirar hasta que le dolieran los ojos esa franja de tierra donde los edificios pintorescos de la ciudad se extendían hasta el mar, para presenciar los fuegos de los barcos cercanos y contemplar cómo los marinos holandeses extinguían las ascuas humeantes a menos de tres metros de donde ella estaba. Era importante decirle adiós a ese país que ahora abandonaba. El *Clothilde* se revolvía y se mecía; un avión alemán surcó el aire sobre la cabeza de Sally y ella miró su panza sin miedo, y vio la cara del que disparaba cuando se asomó a la torreta transparente.

—¡Agáchese! —le gritó un marinero, pero hablaba en holandés y ella no le entendió.

El avión alemán sobrevoló por encima de ella sin disparar.

—Nunca más tendré miedo a morir —dijo en voz alta, mirando el avión en el horizonte—. No puede ser peor que salir de Francia.

—Pero si no nos vamos —le dijo una voz cercana; una voz familiar, insinuante—. ¿No lo ha oído? El capitán ha recibido órdenes de subir por la costa. Tenemos que evacuar al ejército. Eso si los alemanes no nos hunden antes.

Se volvió y miró al hombre: estaba bastante aseado a pesar de las privaciones pasadas los últimos cuatro días; tenía los ojos húmedos y brillantes, sobre un mostacho parecido al de Hitler.

—Disculpe —le dijo—. ¿Le conozco?

Él esbozó una sonrisa remilgada y se inclinó:

—Emery Morris. Trabajaba con Philip, en Sullivan & Cromwell.

31

Nell estaba en el centro de enfriamiento de la *cuverie,* la zona larga y umbría del cobertizo donde se almacenaban los vinos jóvenes, y miraba con atención al anciano Henri mientras llenaba los barriles. Era un proceso metódico que se hacía casi a diario, ya que el vino al envejecer se evapora en el aire: había que quitar el tapón de cristal de la boca del tonel y verter a cucharadas un poco más de vino en las barricas para evitar que hubiera un exceso de oxígeno en la mezcla. Las barricas tenían varios años, estaban hechas con madera del bosque de Tronçais, no eran las nuevas de roble de Nevers que había ido a comprar a París. Esas estaban reservadas para la próxima cosecha, dentro de cuatro meses, para las uvas que todavía no habían asomado en las vides, aun sin florecer. La mayoría de los viñedos que estaban en la zona del Médoc como el de Nell preferían usar solo roble viejo, madurado y saturado por el vino de años, pero ella consideraba que el roble nuevo era esencial para el proceso de maduración, siguiendo un concepto que había tomado prestado del barón Philippe de Mouton-Rothschild. La madera aporta sabor y aroma, y el tanino natural acorta el periodo de envejecimiento. Le resultó difícil convencer a Henri de que su instinto no le fallaría —era él quien preparaba los vinos de Nell— y solo el tiempo demostraría si su inclinación por lo nuevo era preferible a la fidelidad de él a lo viejo.

El vino tinto de Château Loudenne era en parte cabernet sauvignon, en parte merlot, un poco petit-verdot y malbec. Henri cambiaba la mezcla de año en año, y distribuía las diferentes partes del viñedo según la calidad de las uvas de cada cosecha. Llevaba haciéndolo desde que tenía quince años, después de haber seguido a su padre por las hileras de vides desde que aprendió a andar. El hijo de Henri no tenía paladar de viticultor —le faltaba ese sexto sentido para saber las diferentes formas de pisar la uva—, pero el nieto de diecinueve años del anciano había nacido con un tapón de corcho en la boca, y Henri quería que el chico se hiciese cargo de Loudenne cuando llegase el momento. El joven Roger estaba ahora en alguna parte de las Ardenas, al mando de un destacamento armado. Estaba en la compañía de Bertrand.

—He puesto al tipo nuevo a rociar las viñas de merlot —le dijo Henri a Nell mientras ella lo miraba en silencio—. La *baronne* nos ha mandado sulfato de cobre, junto con los trabajadores. Es de agradecer. El Ministerio de Armamento ha requisado todo el cobre del mundo, pero seguro que ella tenía un almacén lleno en Mouton. Habrá sido el barón, por supuesto, solo un Rothschild es capaz de conseguir sulfato de cobre en tiempo de guerra.

—¿Son buenos?

Henri la miró por debajo de sus cejas espesas.

—¿Se refiere a los nuevos? Saben por qué parte de la vid cuelgan las uvas. No nos ha enviado a los lisiados, si es a eso a lo que se refiere. Nos sirven.

El día después de que Nell accediera a acoger a Julian de Kuyper y a los hermanos Loewens, llegaron cinco trabajadores para las viñas, dos hombres de sesenta años, un chico de quince y dos mujeres de edad indeterminada. Nell los mandó inmediatamente con Henri, que les encontró un lugar para dormir en la parte de arriba del *chai*. Les adjudicó algunas tareas en los últimos días y en silencio, evaluó su talento: este para ayudar a trasegar, ese para esperar pacientemente con un cuenco lleno de caseína mientras él refinaba el vino de dos años y aquel para injertar en el invernadero. Era cuidadoso con las mujeres y bromeaba con los hombres; al chico lo tomó directamente bajo su ala.

Nell se había quedado casi sin nada que hacer. Se pasaba el tiempo preocupándose por cómo iba a pagar a esta gente —cinco salarios más— y por dónde encontrar comida para el personal en aumento de la casa. Entre el servicio, los visitantes de Holanda y los trabajadores del viñedo, sumaban veinte personas.

—Tendré que vender algo —murmuró, mientras caminaba por la gravilla de vuelta hacia al *château*—. Un cuadro, a lo mejor. Una pieza de plata. Encontraré comprador en Burdeos.

A unos treinta metros de la entrada, se detuvo en seco. Los acordes de un violín llegaron por el aire a través de la ventana abierta —dolorosos y melancólicos, fugaces—. Debía ser Elie Loewens, el más joven de los tres judíos de Ámsterdam. Un músico experimentado que llenaba las horas vacías practicando, practicando, como si al perfeccionar un fragmento difícil de Berlioz pudiese ser capaz de controlar lo que le estaba pasando. Nell cerró los ojos mientras escuchaba, el violín se fundía con el sonido de las hojas agitadas por el viento y la llamada de un pájaro en la distancia.

—No sabía que celebraras conciertos en Loudenne —comentó una voz detrás de ella.

Se volvió bruscamente, pero su oído no la había engañado.

—¿Qué estás haciendo aquí, Spatz?

Había conducido su cochecito hacia el sur desde París, haciendo escalas, durante los dos últimos días, y estaba claro que traía novedades.

—No sé nada de lo que está pasando —le dijo ella—. Tengo una radio, pero la emisora nacional es tan estúpida, solo repite rumores y mentiras. ¿Qué está pasando en París?

Spatz estiró elegantemente la cabeza rubia.

—Poca cosa. Reynaud sigue allí, pero el ejército está en franca retirada. Me he cruzado con tantos soldados franceses de camino al sur como para derrocar yo solo a Hitler. Patético.

—¡Pero sabrás algo más! Vuestra gente...

—... Me han dicho que la compañía de tu marido se rindió hace tres días, a las afueras de Rouen —le dijo con brusquedad—. Bertrand es prisionero de guerra, Nell.

—¿Se han rendido? —Se balanceó ligeramente sobre el camino de grava, y Spatz la agarró del brazo—. Pero ¿por qué?

—No había elección. No te imaginas lo que es eso, Nanoo. Hay batallones enteros rodeados. Los pocos desgraciados que consiguen llegar a la costa agarran cualquier barco que encuentran y se hacen a la mar, para no volver.

Nell miró a su alrededor sin objeto, buscó a tientas un banco de piedra que había debajo de un pino gigantesco del Médoc. En la casa, el violín había enmudecido. Se imaginaba a los hermanos Loewens asomándose cautelosamente a las ventanas altas para ver a ese forastero rubio de pie junto a la condesa, y el terror súbito por que ya los hubieran traicionado.

—Ni siquiera sabes si está vivo, ¿verdad? —le dijo—. Solo sabes que su compañía se ha rendido.

—Lo averiguaré; veré cuál es su situación, dónde lo han mandado. Sé que te preocupa Bertrand, no importa cuánto hayáis... a pesar de vuestras diferencias en el pasado...

—Sí. —Miró hacia arriba—. ¡Oh Dios! Henri. Su nieto Roger sirve a las órdenes de Bertrand. Tengo que decírselo...

Spatz asintió.

—Te espero en el salón. He conducido casi toda la noche y estoy cansado ¿Está el ama de llaves? ¿Tienes huevos?

El salón.

El recuerdo del violín y de los dos niños jugando en el jardín trasero de la casa le hizo ponerse en pie. Le latía el corazón a toda prisa y no tenía la menor idea de lo que Spatz haría con la información que estaba a punto de darle. Solo sabía que era una cuestión de honor proteger a los refugiados; ni siquiera de simple honradez, ni compañerismo, sin mencionar toda la negociación con Elizabeth de Chambure.

—Tengo que decirte una cosa —anunció despacio—. Tengo invitados, Spatz.

32

Joe Hearst iba hacia Burdeos al final de un convoy de quince coches y dos furgonetas, todos llenos de gente y de maletas, más de una semana después de haber abandonado París. Era sábado por la tarde, 25 de mayo. Un viaje que normalmente dura dos días se había alargado por un brote inesperado de sarampión justo a escasa distancia de Orleans. Con siete niños y dos adultos en cuarentena en el pueblo de Châteaudun, y sin posibilidad de encontrar camas para los cuarenta y tantos americanos restantes, Hearst estuvo mano sobre mano en un campamento de la localidad, irritado por la pérdida de tiempo. Había llamado a París repetidamente desde el único teléfono público de Châteaudun: a la oficina de Bullitt, a la oficina de Shoop, a los cuarteles de la Sûreté, a cualquiera que pudiera darle noticias de la búsqueda del asesino de Philip Stilwell. Pero no había nada nuevo; no habían encontrado a Morris. Lo que significaba que si Sally King no había embarcado, seguía en peligro.

Ahora, en este sábado por la tarde, bajo la amenaza de lluvia en Burdeos y con el final de sus responsabilidades a la vista, Hearst estaba de lo más irritable. Estaba harto de niños quejicas y febriles. Odiaba estar lejos del meollo de la guerra. Se sentía solo y aun así empachado de la gente; quería tranquilidad y una botella de buen vino tinto, un Margaux del 29, a poder ser. Dejó el convoy esparcirse por la Esplanade des

Quinconces —los niños ya estaban mejor y corrían unos detrás de otros entre las fuentes— y caminó bajo los árboles hacia el consulado americano.

Estaba alojado en un edificio imponente del siglo dieciocho, no muy lejos de la Préfecture de Burdeos, el Ayuntamiento y las oficinas municipales. El cónsul general era un hombrecillo atildado llamado Noakes —escrito con «a», le informó a Hearst algo remilgadamente— cuya vida hasta la fecha había transcurrido a base de beber vino, de negociar los derechos arancelarios de su venta y exportación, y de recomendar las mejores cosechas y los *domaines* a los turistas americanos que viajaban por la provincia. Vivía en el mismo consulado, y su existencia de solterón había sido bastante feliz; no estaba preparado para la guerra y las exigencias que comportaba. A decir verdad, estaba abrumado.

—Debo decirle que he recibido una carta del embajador, el señor Bullitt, hace unos cinco días, avisándome de su posible llegada —se irritó cuando Hearst le presentó la tarjeta—, pero me temo que puedo ofrecerle poca ayuda. Todo el pueblo está plagado de gente que busca alojamiento y un pasaje a casa. El tráfico en el Canal está manga por hombro, ya sabe, da igual si uno está en Nueva York o en Southampton, los alemanes atacan a todos los navíos que se atreven a asomar la proa fuera del puerto.

Hearst le escuchaba, y esperaba devotamente que Sally hubiera subido al *Clothilde* en Cherburgo. A estas alturas ya debería estar a salvo en Nueva York.

—No, no, estimado señor Hearst; la única posibilidad es dar la vuelta y volver a París —le aseguró Noakes—. Estará mucho más cómodo allí, y una vez que esta discusión estúpida con *herr* Hitler se resuelva...

—De ninguna manera voy a volver a París con ese grupo —le replicó Hearst.

Solo haciendo uso de una paciencia infinita pudo continuar la entrevista. Ante un vaso de Margaux —del 34, que no del

29— supo finalmente que Hoddard Noakes había hecho una cosa por la evacuación de la embajada: había consultado al cónsul británico de Burdeos, que le había aconsejado que alojase a su gente en uno de los viñedos a las afueras de la ciudad, preferiblemente hacia el norte a lo largo del estuario de Gironda, Hearst se sumó a un consejo tan razonable.

—Tenemos tiendas —dijo—. No seremos un problema.

—Espero que también tengan dinero —observó Noakes con una perspicacia sorprendente—. No hay un solo propietario de viñedos en el Médoc que no esté pasando apuros. La cosecha del 39 ha sido terrible —los campesinos insistían en que una mala cosecha presagiaba la guerra— y ahora la mano de obra se ha visto reducida drásticamente.

—Compraremos provisiones aquí, en Burdeos —sugirió Hearst— y nos las arreglaremos solos, si es necesario. Lo que necesitamos es un lugar donde esperar hasta conseguir un barco, y su ayuda para asegurarnos los pasajes.

Noakes garabateó unas pocas palabras en una hoja de papel.

—Lo mejor que pueden hacer es probar con las compañías que distribuyen el vino por mar. Todas tienen oficina aquí, y mueven toneladas de carga a través del Atlántico todos los años. Mencione mi nombre. Si les paga bien, incluso pondrán un telegrama a Nueva York y averiguarán cuando llega el próximo barco a Le Verdon. Tendrán que estar en el muelle esperando a que atraque, de otro modo no conseguirán subir a bordo, tengan reserva o no.

Hearst revisó la hoja de papel: había dos direcciones de compañías navieras escritas en la parte de arriba.

—¿Y esta tercera? —le preguntó luchando con la caligrafía de Noakes—. Château...

—Loudenne —le replicó Noakes—. Es un lugar pequeño, bastante apartado, pero da al río por la parte trasera. Se ajusta a sus necesidades. No es una gran bodega, solo produce vinos de clase *cru bourgeois,* pero está prácticamente vacía. La lleva una mujer inglesa. Seguro que encuentra sitio para acomodar a cincuenta americanos en sus tierras, especialmente si tienen dinero en efectivo. La condesa de Loudenne no es precisamente tímida.

—¿Va a decirle que vamos para allá? —le preguntó Hearst.

Noakes sonrió con malicia.

—El *domaine* no tiene teléfono. Es mejor presentarse ante la condesa con un *fait accompli,* ¿no cree?

Hearst se equivocaba: Sally King no estaba en Nueva York.

En el mismo momento en que él pensaba en ella, estaba agarrada de la barandilla del *Clothilde* diciéndole a Léonie Blum:

—Míralos. Miles y miles... No podemos llevárnoslos a todos...

El vapor mercante se mecía en el oleaje justo frente a la costa de Calais. La playa estaba negra, llena de hormigas en movimiento, una compañía de soldados franceses tras otra que huía de las divisiones blindadas alemanas hacia el oeste hasta que de pronto se quedaban sin tierra. Las explosiones de las armas enemigas reverberaban desde las colinas del interior y el quejido de los Messerschmitts circundantes espesaba el aire. También había otros aviones en el aire: los cazas británicos, siempre escasos frente al nubarrón de aviones alemanes, pero que atacaban los flancos de la fuerza enemiga y derribaban algún avión alemán que caía en barrena, en una espiral de humo y fuego, al mar, hundiéndose a plomo ante los quejidos asustados de los que observaban a bordo del *Clothilde.* Algunas veces, las hormigas devolvían el fuego desde su posición en la playa —ocasionalmente ondeaba una bandera tricolor francesa— pero según avanzaba el día, se vio claramente que las fuerzas de la playa se verían sobrepasadas.

—Pobres chicos —dijo Léonie Blum sombríamente—. Pobres almas desamparadas. Tenemos que hacer lo que podamos por ellos.

Ella y Sally habían salido de los camarotes hediondos para presenciar la guerra. Si la muerte llegaba, ambas preferían recibirla al aire libre, como los pilotos de la RAF. El *Clothilde* había virado al norte, no al oeste, cuando soltó amarras en Cherburgo, y durante varios días había bordeado la costa. Los barcos de la marina francesa que seguían allí habían recibido órdenes de ir hacia el sur, a Gibraltar y a la seguridad relativa del Mediterráneo. Los cazabombarderos alemanes bombardeaban los puertos y los submarinos alemanes acechaban en el Canal. Su objetivo, como les explicó Emery Morris, era solo aterrorizar a las tropas francesas en retirada para que se rindieran.

—Están decididos a impedir que Churchill traiga refuerzos —dijo el abogado—. Van a hundir todo lo que se mueva en estas aguas.

Y así continuó el *Clothilde:* rumbo al norte a paso de caracol, atracando de noche en puestos protegidos de Normandía, mientras la tripulación se lanzaba a apagar cualquier chispa o explosión que el barco soportase, como si la nave fuese el arca de Noe, la única oportunidad de supervivencia para el mundo.

—¡Espérense para lanzar los botes salvavidas! —gritaba el capitán Anders con un francés bronco por el altavoz del barco— ¡Todos los pasajeros abajo!

—No se estará planteando en serio el llevar a todos esos soldados de la playa —dijo Sally con incredulidad—. Dios mío, están tan desesperados que van a hundir todos los botes.

Léonie Blum no respondió. Miraba a Emery Morris, que estaba a tres metros de ellas, apoyado también en la barandilla, estudiando la orilla. Estaba fumando un cigarrillo y tenía una sonrisa sardónica en la cara.

—No me gusta ese hombre —le susurró a Sally.

—¿Morris? Pero si trabajaba con Philip. Es abogado.

—No me gusta —repitió la anciana—. La sigue con la vista. Hay algo en la forma de mirarla que no está bien.

Una náusea de miedo recorrió a Sally. No quería alentar las fantasías de madame Blum, pero sabía lo que la mujer quería decir: Morris la estaba vigilando. Cuatrocientas personas atestaban el *Clothilde,* y aun así él siempre estaba revoloteando cerca de ella. Una vez lo había pillado con su bolso en la mano, y él la había reprendido en broma por dejarse las cosas olvidadas, en un barco semejante, en el que un buen número de ladrones estaría al acecho entre los pasajeros apretujados. El tono de voz sonó falso, demostraba demasiado interés por sus cosas, y ella comprendió que era peligroso.

El expediente de Philip, pensó. *Quiere el expediente de Philip.*

No había razones para sospechar de Morris. Le había explicado que simplemente estaba intentando llegar a Nueva York, que su mujer se había marchado antes que él y que esperaba reunirse con ella. Pero seguía estando inquieta. La única noche en que ella y madame Blum pudieron dormir de un tirón sin interrupciones en su camarote diminuto, se despertó unas horas antes del alba convencida de que había oído el *clic* de la puerta al cerrarse, segura de que alguien había estado de pie junto a la cama, tanteando con manos sudorosas bajo el colchón. La sensación de miedo, y de que un destino funesto caía sobre ella, le impidió volver a dormirse. No le dijo nada a Léonie, en el desayuno.

Bajaron diez botes salvavidas con una cuerda a las aguas de Calais y la tripulación se orientó a favor de la corriente que los llevaba a la orilla. Sally miraba mientras los primeros soldados asomaban a las aguas poco profundas, en la playa; ni siquiera esperaban a que el bote tocase tierra, surgían de entre las olas para alcanzarlo; se lanzaban sobre la borda en tropel. Los gritos de la tripulación y de los hombres desesperados eran como los chillidos de las gaviotas, viajando por el viento. Otro bote, y otro, todos casi a punto de hundirse, y los marineros del *Clothilde* se vieron obligados a sacudir a la multitud con los remos; uno de ellos cayó por la borda y un soldado tomó su puesto en popa; el bote giró y volvió hacia el barco, mientras los hombres seguían metiéndose en el agua hasta las rompientes.

—Prefieren ahogarse antes que caer en manos de los alemanes —murmuró.

—Entonces la mayoría de ellos se ahogarán —dijo Morris con indiferencia, a su lado—. El capitán me ha dicho que los británicos están mandando señales por radio a cualquier barco disponible, de pesca o de lo que sea, para que se lleve a sus tropas de Dunquerque. Eso queda un poco más al norte, parece ser. Toda la costa debe estar plagada de cobardes. No hay bastantes barcos en el mundo para salvarles.

—Usted quiere que ganen los alemanes, ¿verdad? A usted le gusta toda esta... desesperación. Le gusta presenciar el dolor. Disfruta con... la muerte...

Él la miró implacablemente, con su sonrisa familiar bajo el bigote recortado, y en ese instante de calma ella comprendió cómo había visto morir a Philip, como el terror y el dolor de Philip habían desatado su excitación sexual, de manera que había profanado el cuerpo de los dos hombres antes de dejarlos en la sórdida miseria de su propia sangre para marcharse a casa con su confiada mujer, en la zona residencial. Lo entendió sin que Morris tuviera que decir ni una palabra. La certeza le apretaba el estómago, así como la convicción de que su presencia en el barco no era accidental y de que estaba en el mayor de los peligros mortales.

Pero ¿por qué? ¿Qué había en los papeles de Philip que había llevado a Morris al asesinato?

—Querida —dijo amablemente—, sé que voy a disfrutar mucho de su muerte.

Sally oyó y perdió sus palabras en medio de la terrible ráfaga de silbidos que llenaba el aire, como si un demonio hubiera abierto el mar y estuviera cabalgando sobre una ola para engullir al *Clothilde.* Los torpedos —hubo dos, disparados desde un submarino alemán que avanzaba cerca de la orilla— traspasaron el casco y a los pasajeros que se apiñaban contra las paredes de acero, entraron en la sala de calderas y partieron el eje de la hélice en dos, antes de explotar provocando una vaharada de fuego y de vapor que ascendió por el puente, y matar al capitán mientras veía cómo regresaba el primer bote salvavidas.

33

El oficial alemán se llamaba Krauss, y su cabo, Bagge. Krauss conducía junto a Memphis, sentada en el asiento delantero, mientras Bagge y Von Halban iban detrás. Hablaban poco y paraban a menudo, para que Krauss pudiera anunciar la llegada del Tercer Reich en todas las plazas de los pueblos donde le escucharan, mientras Bagge robaba gasolina a punta de pistola cuando la encontraban. Krauss tenía órdenes de llegar a Marsella antes que su compañía; se había convertido en un juego, una prueba de cuántos kilómetros podía poner entre él y el ejército alemán. A menudo dejaba un cadáver en su estela, como tarjeta de visita: Krauss ha estado aquí. Von Halban había llegado a la conclusión de que aquel hombre estaba loco.

Los dos soldados habían abandonado las motocicletas en Alise-Ste-Reine y habían dejado al soldado de infantería de cuerpo presente en el ayuntamiento. Hans adivinó que su intención era quedarse con el coche de Memphis, el equipaje y todo lo demás, pero cuando supieron quién era —a Krauss le gustaba el *jazz* en sus tiempos de universitario— la adoptaron como si fuera su mascota, un premio exótico para los conquistadores. Ella había insistido en que Hans viniera con ellos, y como era austriaco de nacimiento, los alemanes dieron por sentado que los papeles franceses eran falsos; debía ser una especie de espía del Reich, un quintacolumnista preparado por la insurgencia. Él y Memphis tenían más miedo a perder el coche y su contenido que a montar con Krauss, así que partieron, dejando al chico muerto con el cuello cortado y la mirada de horror perdida en el rostro del padre asesinado, mientras la mujer gritaba detrás de ellos.

Llevaban días viajando.

Krauss evitaba las ciudades grandes, donde la propia población podía acabar con él y decidió tomar las carreteras secundarias del valle del Ródano. Los días seguían un patrón establecido: llegar a la siguiente parada a la hora de comer, aterrorizar a la población con la llegada inminente del ejército alemán, robar comida y combustible y disparar a cualquiera que se quejase. Seguían conduciendo hasta avanzada la tarde, momento en el que Bagge montaba un campamento en un lugar desierto y Krauss comprobaba su avance por Francia en un mapa militar, calculando aproximadamente dónde estaría su división. Pensaba que quizá, pasado Marsella, podrían tomar ellos solos el norte de África, pero el mapa militar acababa en el Mediterráneo. Hablaba, mientras estudiaba la geografía, sobre la superioridad de la raza alemana y de lo inevitable del Reich de los Mil Años; después de comer algo que hubiera robado Bagge, Krauss le ordenaba a Memphis que cantara. Nunca se negó.

Von Halban se había enterado de muchas cosas acerca de Memphis Jones en los últimos días. Cómo había sobrevivido, por ejemplo. Cómo se había abierto paso hasta la cumbre en un mundo poblado de canallas. Viéndola sonreírle a Krauss, encantando al asesino desquiciado vestido con un uniforme impecable, Von Halban había comprendido que para Memphis, todos los hombres eran iguales. Eran unos brutos que utilizaban todo lo que encontraban y que la matarían con la misma facilidad con que arrancaban los pétalos de una rosa; o bien podía usarlos ella. Así era cómo Memphis había vivido siempre. Era Von Halban el que encontraba la situación confusa, el que sufría en el fondo de su alma. Posiblemente sería Von Halban el que no sobreviviese.

Habían tenido solo unas pocas oportunidades de hablar de su situación porque nunca estaban a solas. De noche, uno de los dos, Krauss o Bagge, se quedaba haciendo guardia, y de día estaban atrapados en el coche. Solo en los momentos públicos se hacía posible la comunicación. Cuando Krauss gritaba en francés con su marcado acento alemán en las plazas de los pueblos como Villars-les-Dombes, Pérouges o, finalmente, varios días más tarde, en Grignan, junto a Bagge en posición de firmes, Hans podía susurrarle al oído a Memphis.

—No vamos a llegar a Marsella, señorita Jones. Nos habrán pegado un tiro mucho antes.

—Ojalá pudiera llamar a Spatz —murmuró—. Me dijo que lo llamase. Estará muy preocupado.

Mientras conducían por el valle del Ródano o se aventuraban a más altitud, en los límites de los Alpes, Von Halban urdía planes. Escapar a pie simplemente no bastaba. No podía dejar el baúl cargado de uranio; el baúl que Memphis había reclamado como suyo cuando Krauss lo inspeccionó. Le había enseñado al alemán las boas de plumas y las carteras llenas de álbumes, y cuando se cansó de ver cosas de mujeres, ella afirmó despreocupadamente que el fondo del baúl lo había llenado de zapatos. Memphis adoraba los zapatos. Von Halban sabía que era vital llevarse el coche: dejar a los alemanes tirados y no volver la vista atrás. Pero Krauss dormía con la llave de contacto en el bolsillo.

Hans no había tenido en cuenta a Memphis. Naturalmente, ella tenía sus propios planes.

—¿De verdad es domingo hoy? —ronroneó mientras el coche recorría la carretera hacia Vaucluse—. ¿Es 26 de mayo? ¿Cómo ha pasado tanto tiempo?

Krauss le confirmó que era correcto: era el sexto día de la invasión de Francia.

—¡Entonces es mi cumpleaños! ¡Cumplo veintiséis el 26! ¡Tenemos que hacer una fiesta, capitán! —Se volvió y le dedicó una amplia sonrisa a Bagge—. Usted busque unas botellas de vino cuando lleguemos al próximo pueblo, ¿me ha oído? Vino tinto. Es el único que le va bien a Memphis. Esta chica quiere celebrarlo.

Hans había notado que Krauss evitaba escrupulosamente beber. Quizá prefería la cerveza, o no se fiaba de sí mismo o de sus pasajeros bajo los efectos del alcohol. Felicitó a Memphis por su cumpleaños pero no dijo nada de buscar vino en Châteauneuf-du-Pape que, a pesar de su nombre, era un pueblecito lo suficientemente pequeño como para servir a los propósitos de Krauss. Cuando llegaron a la Place du Portail, Krauss se bajó del coche y Bagge fue detrás empuñando la pistola; Hans se inclinó hacia delante y susurró:

—Señorita Jones, ¿de verdad es su cumpleaños?

—Mierda, no. Pero tengo que hacer que estos tipos se pongan muy contentos, no sé si me entiende.

La entendía. También sabía que Krauss era impredecible. El alcohol podía convertir su estupidez cocida a fuego lento en algo mucho peor, pero cuando Bagge volvió de la excursión diaria cargado de queso, pan y una caja de vino llena, Von Halban intentó parecer complacido. Bagge incluso había robado vasos. Abrieron la primera botella de camino a Avignon.

Estaba cantando *Ain't Misbehavin,* y la dulzura lírica de su tono —su seducción cauta y ambigua— iba ejerciendo su efecto sobre todos ellos. Memphis se contoneaba a la luz de una fogata, con un vestido del Folies Bergères, lentejuelas en el pecho y un triángulo de seda en la parte de abajo. Nunca se había puesto ese tipo de vestimenta para actuar en el Alibi Club y Von Halban estaba asombrado del poder natural que emanaba de su cuerpo.

Llevaban bebiendo tranquilamente una hora, aunque había tenido cuidado de vigilar el vaso y hacer que durase. Bagge agarraba una botella por el cuello y dejaba caer el vino directamente a la garganta, mientras cantaba desafinadamente en alemán. Krauss estaba holgazaneando cerca del fuego, con la chaqueta desabrochada; entrecerraba los ojos al mirar a Memphis. Ella lo animó a que bailase con ella, y Von Halban vio con decepción que Krauss se mantenía en pie, conservando aún el control. Se inclinó hacia Memphis mientras ella se movía, con la misma mirada atenta y, de repente, le agarró un pecho con fuerza.

Von Halban pensó que un instante de sorpresa se reflejaría en el rostro de Memphis, pero su sonrisa solo se hizo más amplia, y su cuerpo pareció adherirse al de Krauss como si fuera líquido. Krauss apoyó los labios en el cuello, le arañó la piel con los dientes, y Hans se levantó, incapaz de ver más; el estómago le dolía del miedo. Y de algo más, que sabía que era envidia.

Bagge también estaba de pie, ahora, con la mirada vacía, fija en Memphis. Antes de que Hans pudiera hablarle o detenerlo, fue hacia Krauss y le rompió la botella de Châteauneuf-du-Pape en la cabeza.

Krauss debería haber caído al suelo como una piedra, pero, en vez de eso, agarró a Bagge por el cuello y lo estranguló.

Memphis retrocedió mientras Bagge se asfixiaba y boqueaba, con una mirada de horror en la cara. Cuando Krauss dejó caer el cuerpo del cabo, ella se dio la vuelta y se fue tambaleándose sobre los tacones altos. Von Halban la oyó dar arcadas.

Esperó inmóvil al otro lado de la fogata hasta que Krauss se abrió paso entre los matorrales para perseguirla. Luego se inclinó sobre el cadáver de Bagge, buscando la pistola.

34

Elie Loewens, el violinista, servía de intermediario entre Nell y el resto del grupo holandés. No es que no tuvieran un idioma común —todos hablaban francés— sino que los seis permanecían distantes. Era como si ellos fuesen inquilinos y ella su casera. La frialdad le resultaba fastidiosa y divertida a la vez: no sabría decir si el clan de banqueros judíos la miraba como si fuese socialmente inferior, o como si ellos se considerasen desiguales frente a una condesa.

Eran impecablemente educados y comían sin hacer comentarios acerca de la monotonía de las comidas, ni de la falta de lo que cabía esperar que adornase la mesa de un *château*. Pero no se relajaban. No se desarrollaba ninguna conversación, a pesar de los esfuerzos de Nell los primeros días por preguntarles sobre su vida en Holanda y sus planes para el futuro. Ni siquiera la chica, cuyo nombre era Mathilde, respondía a Nell. Era la hermana menor de Julian de Kuyper. Su mujer había muerto hacía unos años. Pasaron tres días antes de que Nell supiera siquiera que Mathilde tenía voz.

Pero había notado la calidad excelente de la ropa de la chica, que hablaba por ella: estaba hecha en París. Los trajes de los hombres eran de Londres —Nell nunca se equivocaba con la costura británica— y se comportaban como hombres notables, hombres que eran importantes en su mundo.

Solo Elie Loewens parecía entender cómo esa prominencia se había reducido a nada ahora que los nazis habían tomado los Países Bajos. Había un vacío en su mirada que revelaba que no habría vuelta atrás.

La mañana después de que Spatz viniera y se fuera —Spatz, que trató a los judíos holandeses con indiferencia y encanto, llenando su silencio con anécdotas de Ámsterdam y su opinión sobre Rembrandt—, Nell decidió que era vital reunir un consejo de guerra. Las cuerdas del violín empezaron a sonar en cuanto Spatz desapareció por el camino de grava en el coche de Nell. Ella siguió la música hasta que descubrió a Elie de pie, en mangas de camisa, en la terraza de atrás. Tenía los ojos cerrados y los dedos largos y sensibles ondulaban con el sexto sentido de los ciegos.

Esperó a que levantase la barbilla del instrumento y la mirase.

—¿Qué es eso que ha estado tocando?

No quería insinuar nada, pero había estado practicando la misma pieza una y otra vez desde que llegó a Loudenne, y las obsesiones despertaban su curiosidad. Al fin y al cabo, eran lo que definía a la gente.

—*La muerte y la doncella,* de Schubert. ¿Puedo ayudarla en algo, condesa?

—Me gustaría hablar con su hermano y con el señor de Kuyper. ¿Podría buscarlos y reunirse conmigo en el *chai?*

El joven se estudió las yemas de los dedos, que tenían las marcas de las cuerdas clavadas en ellas.

—Me temo que no entiendo el significado de esa palabra, *chai.*

—El otro edificio, la bodega. Yo voy antes para asegurarme de que ninguno de mis trabajadores esté allí.

Se volvió sin esperar respuesta. Mientras caminaba hacia la *cuverie,* una parte de ella buscaba oír las cuerdas y el arco, el renacer del frenesí. Pero la terraza quedó en silencio.

Aparecieron un cuarto de hora después: tres hombres vestidos con chaquetas oscuras, correctos y desconfiados. Elie había dejado atrás el violín. Nell estaba apoyada en una enorme barrica de roble, esperándolos, y el aroma de la uva y el azúcar de la fermentación flotaban pesadamente en el aire.

—Ya saben que mi primo, *herr* Von Dincklage, es alemán —dijo sin más preámbulos—. No es soldado, y nunca lo describiría como un nazi, aunque sin duda se unió al partido hace años. No habría conseguido hacer carrera, de no haberlo hecho.

—¿Es un espía? —preguntó Julian de Kuyper.

—Eso creo. —Nell miró al banquero a los ojos—. No sabía que Spatz pensaba visitar Loudenne, y no tuve tiempo de esconderles de él. Le he pedido que guarde el secreto de su visita, pero no puedo prometerles que lo haga.

—Los alemanes tomarán Francia igual que tomaron Holanda —dijo Elie—. No se van a detener hasta echarnos al mar. Pero ¿entiende, condesa, que nos estamos quedando sin sitios adonde ir?

—He oído historias —dijo Nell lentamente— de lo que los alemanes le han hecho a la gente en Polonia. Gente que era...

—Judía —terminó De Kuyper—. Yo también he oído esas historias. Los rodearon a miles. Les dispararon junto a las fosas abiertas.

—Creo que tenemos que trazar un plan —dijo Nell—. Tenemos que buscar un sitio para que se escondan. La opción más evidente es aquí mismo.

—¡Aquí! —Elie dio un paso adelante, paseando la vista por las barricas, todas tan altas como un hombre—. No lo entiendo.

—Esta es la habitación de los vinos de un año —le explicó Nell—, donde ponemos en roble los vinos de la cosecha del año anterior, pero debajo está la bodega. Cualquier alemán que venga a Loudenne la encontrará sin dificultad, vienen buscando el vino, pero se llevarán las botellas, no las cubas. Ni siquiera los alemanes son tan estúpidos.

—Quiero ver su bodega.

Los llevó abajo, a las profundidades frías y cavernosas de las bóvedas de piedra donde yacían miles de botellas que Henri había ido colocando durante años, esperando a que las abrieran o las vendieran. La bodega se extendía a lo largo de cientos de metros bajo los cimientos de la *cuverie* e incluso del propio *château,* bajo la hierba verde que cubría la Gironda y bajo el camino de grava; era una serie enorme de cavernas artificiales que constituían el verdadero corazón de Château Loudenne. Acababan en el río, en una compuerta, donde se cargaban las barcas con las barricas. La Gironda siempre había sido una *route du vin* muy importante.

—Traje estas cubas de París hace diez días —le dijo a Elie mientras llevaba a los tres hombres por hileras de botellas hasta los barriles de roble fresco que Henri había almacenado allí—. Están vacías. Las traje para el vino de este año, pero si apartara unas pocas, las justas para esconderles a ustedes, a Mathilde y a los niños...

—¡Durante el resto de la guerra! —explotó Julian de Kuyper.

—Por lo menos hasta que haya pasado el peligro. Hasta que los alemanes, si llegan, continúen su camino...

De Kuyper se volvió, apretando las manos.

—Dios mío —murmuró—. ¿A esto hemos llegado?

Tres días más tarde, llegaron los americanos.

Joe Hearst los guiaba en su hermoso Buick azul, directamente desde la Esplanade des Quinconces. Solo había esperado a que Noakes, el cónsul, le escribiera una carta de presentación a la condesa de Loudenne antes de reunir a los niños que jugaban cerca de las fuentes y a sus padres que descansaban al sol. Había una hora de camino desde Burdeos hasta la parte del

Médoc donde vivía Nell, y Hearst pensó que si ella estaba de acuerdo en hacerse cargo de los cincuenta refugiados, tendrían que montar las tiendas en la oscuridad. Les dijo a todos los adultos del grupo que pusieran trescientos francos para un fondo para la condesa; esperaba que fuera suficiente para pagar el alojamiento.

Nell estaba tomando el té sola en el salón cuando apareció la cabalgata. El té era la única costumbre británica que no había podido abandonar, a pesar de los muchos años pasados en Francia, y por un instante creyó que el corazón se le salía por la boca al oír el ruido sordo de los neumáticos. Creyó que Spatz la había traicionado.

—¿Aún celebra recepciones en Loudenne? —le preguntó Elie Loewens desde la entrada—. ¿O es que quedan turistas en Francia?

Nell dejó la taza y fue a recibir a los extraños.

Por la noche, había setenta personas alojadas en el *château.*

Nell no vio motivos para explicarles la presencia de los invitados holandeses —que tenían habitación dentro— a los diplomáticos que paseaban por su terreno. Después de todo, esta guerra no era americana.

—¿Quiere un barco? —repitió el agente—. ¿Quiere cruzar el Canal? También podría pedirme que lo lleváramos a Nueva York. O a la Luna. ¿No ha oído la radio, *monsieur?*

Era martes, 28 de mayo, y Hearst estaba de pie en una de las oficinas de embarque que Noakes le había sugerido, en el corazón de Burdeos. Había recobrado algo de su habitual buen humor en los días que había pasado en Loudenne, pero la incredulidad en la voz del agente, que rayaba en la burla, le indignó de inmediato.

—No, no he oído la radio. ¿Qué ha pasado?

—Los alemanes han llegado al Canal. Todos los barcos disponibles han recibido órdenes de ir a Dunquerque. Hay una evacuación masiva en marcha. Dicen que medio millón de soldados se pelean por un sitio en la cola, en la playa. ¡Medio millón! Ahora dígame que no hemos perdido la guerra.

—¿Me está diciendo que no llegan barcos a Burdeos? ¿Ninguno? ¿Qué hay de los barcos mercantes? ¿Y los transatlánticos a vapor? Podemos evitar el Canal e ir a Nueva York directamente, si tenemos que hacerlo.

El agente de embarque sonrió.

—Como usted quiera, *monsieur.* Se habrá hundido antes de salir de Le Verdon.

—¿Hay submarinos alemanes?

—Torpedearon un vapor holandés hace unos días, el *Clothilde,* frente a Calais.

—¿Qué está diciendo?

Hearst se había agarrado a la mesa del hombre, completamente helado. *Sally,* gritó mentalmente. *Sally, yo te obligué a que te fueras.*

Había cincuenta y nueve personas amontonadas en la sala de espera del edificio de la *préfecture,* en el centro de la ciudad, mientras comprobaban sus papeles: veintinueve hombres, doce niños y dieciocho mujeres.

Ninguna de ellas era Sally King.

35

En el momento en que el torpedo hizo impacto, Sally salió despedida de la cubierta del *Clothilde* y cayó al mar.

Fue una caída larga; si hubiera viajado en un transatlántico de pasajeros, por ejemplo el *Normandie,* no habría sobrevivido. Pero el *Clothilde* era un navío de menor entidad y la distancia de la barandilla a las olas era más o menos equivalente a un salto desde un trampolín de competición. Le tembló el cuerpo al golpearse con el agua. Se daba cuenta de lo que ocurría mientras caía en vertical: luchó contra su propio impulso, dos, tres metros más abajo, los oídos le palpitaban de dolor. A menos de seis metros bajo la superficie, comenzó a nadar hacia arriba.

Su cabeza asomó por fin al aire y gritó, más por la impresión de estar viva, por el puro terror de haber sobrevivido, que por otra cosa. Se sacudió el agua de los ojos.

Vio el *Clothilde* devorado por las llamas. La popa ya se estaba hundiendo, la proa se elevaba y el aire se llenó del crepitar del fuego y los gritos de confusión de la gente que aún se debatía a bordo. Miró a su alrededor inmediatamente, buscando a Léonie Blum.

Cerca de ella, flotando en el agua, había trozos del casco reventados por los extremos. Había cuerpos y balas de heno fresco para el ganado vivo que transportaban y un caballo, con el morro en alto, que nadaba desesperadamente en círculos. Ni rastro de Léonie Blum. Entonces vio algo familiar: la tapa abombada de un ataúd.

Se agitaba violentamente a pocos metros de donde ella chapoteaba. Se había roto un extremo y se veían las suelas de los zapatos de Philip. Mientras miraba, el mar se coló por la abertura y con un mimetismo involuntario, la caja se levantó por un extremo, como el barco, sumergiendo bajo las olas el punto correspondiente a la popa en primer lugar.

Oh, Dios, pensó, nadando hacia él con todas sus fuerzas. *No voy a poder encontrarte en el mar... tu madre... prometí que te llevaría a casa...*

Se sumergió, forzando la vista bajo un mar negro, cuya oscuridad estaba poblada de muertos y de sus pertenencias, en la que el pelo ondeaba como las algas y todo descendía a cámara lenta, mientras ascendían un millón de burbujas. El ataúd había desaparecido. El dolor que eso le produjo le hizo abrir la boca y tuvo que apresurarse a llegar a la superficie con un trago de agua inundándole los pulmones.

Se había ido del todo. Ya no podría defenderlo de los asesinos que habían acabado con su vida: Morris, Shoop y los demás de S&C, que se preocupaban más por el dinero y el silencio que por Philip. Las mentiras y su pérdida. La justicia. Había fracasado.

Algo sólido y duro le golpeó la cabeza por detrás.

Era el casco de un bote salvavidas.

Miró hacia atrás y estiró el brazo. Seguramente lo había usado la tripulación, o tal vez los soldados franceses a los que el *Clothilde* intentaba salvar en la playa de Calais, pero ahora estaba vacío y había volcado. El casco se curvaba hacia el cielo como la cáscara de un cacahuete. Intentó agarrarlo, pero la madera estaba resbaladiza por el agua y la pintura oleosa fresca que la tripulación le aplicaba constantemente. La corriente del mar la arrastraba bajo el bote volcado; si seguía así, moriría, desconcertada por el gran peso que tendría encima, sería incapaz de subir a la superficie. Clavó las uñas en una grieta entre las tablas del bote y se colgó de ella.

Había perdido los zapatos al caer al agua. Sacudía las piernas desnudas bajo el algodón empapado del vestido primaveral, y entonces tocó algo con los pies.

Tocó a alguien.

Otra persona estaba colgada del lado contrario del bote, agarrada al casco como ella.

Esperanzada, gritó:

—¡Hola! ¿Hay alguien ahí? ¿Puede llegar hasta mí? ¿Me ayuda a dar la vuelta al bote?

Su compañero podría haber lanzado una carcajada.

Le agarró la muñeca con una mano dura, fuerte y cruel, que intentaba con todas sus fuerzas apartar la suya de la madera que podía salvarle la vida.

—Pobre señorita King —le dijo con voz áspera—. ¿No le dije que me iba a encantar verla morir?

Era un drama extraño el que se estaba desarrollando frente a Calais: los dos agarrados al casco de cuatro metros que les separaba, luchando entre sí con los pies y con las manos. Iban alrededor del bote como si fuese la mesa del comedor, Sally se agarraba con los dedos a la borda cuando no podía agarrarse a la quilla. De vez en cuando Morris gruñía por el esfuerzo, y ella esperaba que se cansase. El frío del Atlántico estaba entumeciéndoles cada vez más los miembros.

Quería llegar hasta ella, alcanzar el otro lado del bote volcado antes de que ella llegase hasta el suyo. Era una pérdida de energías inútil por parte de Morris; el mar tenía muchas más oportunidades de matarla de las que tenía él. Estaba oscureciendo y había empezado a llover. Los restos en llamas del *Clothilde* habían desaparecido, en un remolino de agua repentino que aspiró todos los restos del naufragio en veinte metros a la redonda: los cuerpos, las cajas y el caballo que se debatía. Sally y Morris estaban a salvo de ese peligro, lejos de poder salvar a los pasajeros que se lanzaban al agua desde la proa en los segundos finales; la corriente del Canal los arrastraría hacia el sur seguramente; las luces de Calais se veían cada vez más pequeñas. Sally sabía que había más botes salvavidas cerca del barco que llevaban a la tripulación holandesa y a algunos soldados franceses, pero no tenían espacio para los supervivientes; había que buscar la salvación en otra parte. Empezaba a cansarse, el pánico por la oscuridad creciente y el jadeo de Morris, constante y cada vez más cercano, se le subía a la boca y a la cabeza; estaba a punto de rendirse.

Entonces se acordó de Philip.

—¿Por qué lo mató? —jadeó—. ¿Por qué tenía que morir Philip?

—Porque no podía ocuparse de sus asuntos —le espetó Morris—. Metió la nariz en mis archivos. Lo cuestionaba todo.

—I. G. Farben. El ingeniero alemán muerto.

—I. G. Farben —repitió con sarcasmo—, los únicos con temple suficiente para hacer su trabajo. Pero si sabe todo eso, es que ha leído mis papeles. Stilwell se los dio, ¿verdad?

Casi había llegado hasta ella. Sally decidió que había llegado la hora de dejar de luchar.

Esperó a que él rodease la popa del bote hasta poder verle la cara para mirarle directamente a los ojos. La sorpresa de su capitulación lo detuvo de pronto; dejó las manos inmóviles, agarrado al casco, mirándola fijamente.

—Philip le dio los papeles a la embajada americana —le dijo—. Se los han mandado ya a Allen Dulles, a Nueva York. Muy pronto todos sabrán lo que ha hecho. —Por supuesto, era mentira, los documentos estaban en el fondo del mar, pero Morris no podía saber que estaba a salvo—. Lo buscan por asesinato.

Retorció la cara, no sabría decir si con rabia o de risa.

Sally llenó los pulmones y se lanzó bajo el bote volcado. Estaba totalmente oscuro, y la altura cóncava del casco tenía unas tablas de asientos cruzadas, pero quedaba una burbuja de aire entre el barco y el agua. Extendió un brazo y tocó los lados, de poco más de un metro de ancho. Él esperaría que emergiera o iría tras ella, una de las dos cosas. Estaba segura de que la seguiría, y lo estaba esperando.

Se equivocaba.

El bote se estampó contra su cabeza, obligándola a sumergirse, casi inconsciente por el dolor. Vio una imagen nítida de Morris, lanzándose sobre el casco con todo su peso y sus escasas fuerzas, forzando al bote a hundirse, impidiéndole escapar. Ahogándola.

Buscó a tientas la borda y encontró su tobillo.

Él dio patadas descontroladamente, pero Sally le agarró la pierna con las dos manos y lo arrastró hacia abajo.

Todo su peso estaba sobre el casco: no era un hombre grande, sino enjuto, cuya fuerza nacía de la desesperación, pegado a la madera como una lapa. Al tirar de él Sally, Morris le dio la vuelta al bote.

Él se dio cuenta de lo que hacía, pero el impulso fue demasiado grande para dar marcha atrás. El bote se puso boca arriba de un respingo, como un corcho que sale a la superficie.

Morris se soltó; con un grito, cayó al mar.

Al soltarse inesperadamente, Sally se hundió aún más, sin dejar de agarrarle la pierna. Él le dio una patada salvaje en la cabeza. El dolor explotó en su cerebro. Lo soltó.

La negrura del cielo en la superficie la desorientó. Sin luz arriba, no sabía si nadaba hacia la superficie o hacia el fondo. Le explotaban los pulmones y creyó ver la muerte, la sintió como una banda de hierro que le oprimiera el pecho: sintió el deseo de tragar agua como si respirase aire.

La cabeza asomó a la superficie, barrida por unas ráfagas de lluvia escalofriantes; las olas eran afiladas y encrespadas. En otro momento, el mar la habría aterrorizado. Ahora no.

Aspiró aire a bocanadas, con ansiedad. Tras unos segundos miró a su alrededor buscando a Morris. Una ola al formarse dejó que lo viera a tres metros; el bote salvavidas daba vueltas lejos de su alcance. Vio cómo gritaba, cómo levantaba los brazos al cielo y cómo se hundía como una piedra.

Dios mío, pensó. *No sabe nadar.*

Lo que ella había hecho, la forma en que lo arrastró del bote, la atravesó como un cuchillo y empezó a luchar contra el mar que los separaba. No podía ver a otro hombre sumergirse bajo las olas como un barco torpedeado. Gritó el nombre de Morris a través de la lluvia y la oscuridad. El viento, o tal vez el hombre que se estaba ahogando, ahora invisible, le devolvieron el grito. El bote salvavidas sobre el que habían luchado desapareció en el seno de una ola. Sally volvió a gritar una y otra vez, el mar le abofeteaba la boca, hasta que su voz se rindió.

Se estaba quedando sin fuerzas y Morris había desaparecido.

Se dejó llevar por la corriente, sola en la vastedad del mar, notando que el frío le había insensibilizado los pies descalzos y que la sensación heladora le destruía el cuerpo. Era como quedarse dormida, pensó, como abandonarse a la noche para siempre, y tuvo la certeza que los dos yacerían aquí por siempre: ella y Philip.

Pensó en Joe Hearst con afecto y tristeza. Se iba a culpar de esto.

36

Von Halban atravesaba Avignon como si el infierno y todos los demonios le pisaran los talones, a través de las tranquilas calles de St-Rémy, por Arlés y siguiendo el curso del Ródano hasta las marismas de la Camarga. Todas las poblaciones, las *cabanes* blanqueadas y las ruinas romanas se veían ennegrecidas bajo el cielo de color tinta de la Costa Azul.

Sabía que en ese mismo momento habría barcos de guerra y submarinos alemanes en las aguas que se agitaban bajo el acantilado. Condujo con las luces delanteras pintadas, proyectando un macabro resplandor azul sobre el asfalto, y no se cruzó con nadie —ni un solo camión, ni una bicicleta— hasta las cinco y veintitrés minutos de la mañana, cuando una mujer solitaria que caminaba pesadamente por el arcén sacudió el puño en dirección al coche en su avance hacia Marsella.

Memphis se había envuelto con su ropa de noche, lo primero que había podido coger, una capa de terciopelo negro de proporciones enormes. Durante un rato, Hans pensó que iba dormida, pero un débil estremecimiento en el aire le indicó que estaba tiritando descontroladamente; llevaba apretada la mandíbula y la cara rígida. Krauss le había dado alcance a unos tres metros del campamento, y para cuando Von Halban acabó de robarle la pistola al cabo muerto ya la tenía agarrada con fuerza; la había puesto boca abajo y la estaba sodomizando. Memphis chillaba como un perro al que torturasen, y Von Halban le gritó a Krauss unas órdenes que él no atendió. Al final, Hans alzó el revólver y le disparó a bocajarro en la base del cráneo.

Cayó pesadamente sobre Memphis, con el pene clavado aún en su cuerpo, y Von Halban tuvo que arrastrar a aquel cuerpo atlético y perfecto para separarlo de ella, sin fuerza en las manos, resbalándosele los dedos sobre los músculos y los huesos. Ella se arrastró como un pájaro aplastado; se puso de pie como pudo y se fue tambaleante hacia los matorrales, como si Von Halban fuese a matarla. Cuando llegó hasta ella, no dijo nada. Ni siquiera intentó tocarla.

Se había encogido en posición fetal, como si abrazando su desnudez pudiera sentirse bien, como si fuese un bebé al que alguien ama y no un trozo de carne ensartado. Él se quitó la chaqueta y se la puso con suavidad. Se quedaron sentados así, como dos piedras en la noche, durante casi una hora, rodeados de olor a semen y a sangre.

—Marsella —dijo él, al ver la prisión del Château d'If alzarse sobre la isla en el mar—. Allí no nos encontrarán.

Los soldados alemanes que se habían llevado su coche habían muerto, pero el ejército alemán al completo estaba detrás de ellos, en alguna parte, y ni Memphis ni Von Halban volverían a sentirse a salvo.

—Déjeme salir del coche —susurró—. Tengo que salir del coche.

Él iba considerando el problema mientras conducía. Se suponía que su marido estaría en el Hôtel d'Angleterre, pero había pasado tanto tiempo que Von Halban estaba convencido de que el hombre se habría ido ya al norte de África. Por su parte, tenía órdenes de encontrar el *Foudroyant* y darle el uranio al capitán Bedoyer, pero ninguna misión parecía tan importante en estos momentos como la mujer que tiritaba a su lado.

—Creo que necesita que la vea un médico.

Ella lo negó con la cabeza furiosamente.

—No me pasa nada que un baño caliente y un buen café no puedan remediar.

—Señorita Jones... —Redujo la velocidad y detuvo el coche a un lado de la carretera, sobre los acantilados; todo el asentamiento grecorromano de Massilia se extendía a sus pies, del color del coral, sucio a la primera luz del día—. Estaría bien que buscara a su marido, ¿sí?

—Que se joda, Raoul.

—O podríamos llamar a Spatz. Usted quería llamarle, creo.

—Que se joda también. —Abrió el cuello de la capa de terciopelo con dedos ligeros—. Si esto es lo que Alemania piensa hacerle a Francia, no quiero formar parte, ¿entendido?

Él asintió sin palabras. La piel brillaba por donde asomaba, en la parte abierta de la capa; su perfil era tan intemporal y tan antiguo como la vieja ciudad a sus pies: era el perfil de Cleopatra.

—¿Qué quiere que haga?

—Aquello para lo que usted haya venido al sur, caballero —le espetó—. Yo me voy por mi cuenta.

No dijo nada más, mientras la luz encendía el cielo. El temblor había desaparecido, pero seguía encogida bajo el manto envolvente. Finalmente lo miró, se dio cuenta de todo lo que le había ocurrido, que él había presenciado su violación y que había matado al violador; él, que nunca había sentido una violencia semejante, no tuvo miedo y mató a un hombre de un disparo. Por fin se dio cuenta de que él también estaba mortalmente asustado.

Le dijo:

—¿Qué hay en el baúl que dijo que era mío?

—Cuatrocientos kilos de metal de uranio envuelto en plomo.

Volvió en sí. Estaba exhausta y dolorida y no tenía la menor idea de lo que era el uranio.

—Nos habrían matado a los dos si hubieran sabido lo que llevábamos —dijo a modo de disculpa—. Vale lo que toda esta maldita guerra, señorita Jones.

Ella se llevó la mano a la boca y se mordió los dedos.

Él miró hacia el mar.

—No habría podido salvarlo sin usted. No habría llegado a Marsella vivo. Pero si hubiera podido ahorrarle todo este horror, señorita Jones... la muerte o el deshonor no habrían sido nada.

Con el dinero de Spatz pagó un café y un baño en un hotel que no era el d'Angleterre, sino un sitio mucho más tranquilo a la salida de la Rue de Oliviers. Von Halban se acercó a la recepción con la confianza despreocupada del que ha matado a un enemigo de frente, en calidad de agente y representante de una celebridad envuelta en terciopelo negro, desafiante ante la autoridad tras el mostrador para evitar que comentase que llevaba la ropa manchada por el viaje, o las salpicaduras de sangre en los pantalones.

—La señorita Jones pretende embarcar para el norte de África. Solo quiere descansar antes de continuar viaje. Dos habitaciones, por favor.

Al final fueron la cantidad de equipaje y el coche elegante parado ante la puerta los que convencieron al encargado del hotel para que le diera un cuarto de invitados a Memphis. A Von Halban le dieron una habitación en la planta baja, reservada normalmente a los sirvientes.

—¿Está la flota en el puerto? —preguntó.

El hombre en recepción parpadeó sus ojillos negros al mirarlo, reconociendo el acento de los traidores, y se encogió de hombros.

—La flota francesa, *monsieur,* levó anclas hace tres días, pero sus *U-boat*[6] están en el Canal.

No son mis U-boats, quiso decir, pero no podía seguir dando más explicaciones. No era alemán, pero se sentía cómplice. Se había quedado quieto y había mirado cómo violaban a una mujer.

Memphis durmió nueve horas. Pidió que le subieran la cena a la habitación. Von Halban pasó todo ese tiempo caminando por los muelles buscando en vano el *Foudroyant,* preguntándose qué demonios debería hacer. No podía sentarse a esperar que llegaran los alemanes; no podía darse la vuelta y volver a París con una carga tan peligrosa. Le aterraba subirse al barco hacia Marsella y perder a su familia para siempre.

A la hora de acostarse, recibió una nota de Memphis para que se reuniera con ella.

—¿Qué va a hacer con el baúl? —le preguntó. Llevaba ropa de seda y estaba apoyada en un sofá—. No puede llevárselo de vuelta a París.

—A lo mejor lo tiro al mar.

—Yo voy a ir a Casablanca. Monsieur Etienne, del mostrador de recepción lo ha arreglado todo: me ha comprado un pasaje por solo cuatro veces lo que cuesta un mísero billete. Es una ganga, en tiempos de guerra. Creo que le da miedo su acento.

—Es muy astuta, señorita Jones. Siempre sabe lo que hay que hacer para sobrevivir.

Le lanzó una mirada descarnada.

---

[6] N. de la T.: Submarinos.

—Yo podría estar muerta, los dos lo sabemos. No le he dado las gracias. Yo nunca... Así que se lo digo ahora: ¿se viene conmigo?

—¿A Casablanca?

—Podría traerse su carga y llevarla a donde tenga que ir.

—Señorita Jones...

—No necesito que me dé una respuesta esta noche, pero tenemos que pagar a ese hombre cuanto antes si quiere un billete, ¿me entiende?

Hans pensó en Annick y en sus hijas, y en Joliot-Curie, la última noche en el laboratorio: *Escóndalo en un lugar seguro, donde nadie pueda robarlo y no pueda perjudicar a nadie.*

—Gracias —le dijo—. Pensaré qué debemos hacer.

37

La cara del agente de embarque había ido ganando más arrugas y mostraba el cansancio de los últimos días; Hearst ya sabía antes de hablar cuáles iban a ser las noticias.

—¿No hay barcos? —sugirió.

—Non et non et non, —protestó el hombre—. Seguro que no es usted imbécil, *mister American.* ¿Cómo va a haber barcos en Burdeos si todos los barcos de Europa están atracados en Dunquerque? Han pasado cinco días, las barcas pesqueras y las lanchas privadas van y vienen de un lado a otro entre Inglaterra y Francia, y aun así hay cientos de miles de personas en las playas. Los que se han quedado atrás son todos franceses, según creo, porque naturalmente, los ingleses son quienes llevan los barcos y sacan primero a su propia gente. Así hacen siempre las cosas los ingleses ¿eh? Empiezan esta guerra con los *boches* y luego salen corriendo...

Se detuvo de pronto, cambiando la expresión.

—Bonjour, madame la Comtesse.

Nell se había vestido para hacer este viaje a Burdeos con uno de sus trajes parisinos ajustados y un sombrero calado que parecía la hoja de una palmera. No parecía la misma mujer que Hearst había visto caminar a grandes pasos por los viñedos la semana pasada, deteniéndose para hablar con los niños de la embajada o con los extraños refugiados holandeses y que frenaba las insinuaciones de Mims Tarnow alzando una ceja irónicamente. Mims estaba decidida a que la invitara al *château* a tomar el té, o tal vez quería darse un baño de verdad, y Nell estaba igualmente decidida a no permitírselo.

—*Bonjour,* monsieur Vingtain —dijo con voz enérgica—. Yo, como puede usted observar, no he huido.

—Por supuesto que no, condesa. No quería decir...

—A lo mejor sería usted tan amable de enviar un cable a Londres o a Nueva York para saber qué transatlánticos está previsto que lleguen en las próximas semanas. Volveremos dentro de una hora para que nos diga lo que le han respondido, *bien?*

—*Oui, c'est bien* —replicó el encargado, con la cara roja—. Y *madame,* siento mucho las noticias de la captura del conde. Todos lamentamos mucho oír...

—Gracias, *monsieur.*

Lo dijo con dignidad, pero cuando salieron del pequeño despacho, Hearst vio que fruncía los labios.

—¿Va a quedarse aquí? —le preguntó mientras caminaban por el muelle—. ¿Aunque todo esté llegando a su fin?

—¿A dónde iba a ir? Loudenne es mi hogar.

—Pensé... con su familia en Inglaterra, quizá.

Se encogió de hombros.

—No están más a salvo que nosotros aquí. Y nunca me iría sin saber de Bertrand y de Roger.

—Su marido y...

—El nieto de Henri, que es quien se encarga de que todo marche en los viñedos; solo vive por Roger. Me siento muy culpable. —Su cara se contrajo con un dolor agudo y repentino—. El chico solo tiene diecinueve años. Se unió a la compañía de Bertrand en cuanto se declaró la guerra. Sabe Dios lo que podría pasarle en manos de esa gente. Ni siquiera sabemos si los han matado o...

Llegaron al muelle de la ciudad, bullicioso y comercial, rodeado de casas elegantes, y emplazado donde el río se estrechaba tanto que la otra orilla quedaba a tiro de piedra; era una vía fluvial manejable, a diferencia de la amplitud y la fuerza del estuario de Gironda, al norte.

—Se lo debo todo a Henri —continuó—. Ha mantenido unido Loudenne a través de los años, incluso cuando Bertrand... No es solo un trabajador. Él y Roger son de la familia.

A Hearst le pareció que le preocupaba más su *maître de chai* que su marido. Nell había crecido inmersa en una vida de grandes haciendas, donde los lazos entre el propietario y sus trabajadores eran eternos y fundamentales. Se veía a sí misma como el centro de una constelación de gente que sabía que no había más mundo que Loudenne. Nell era la responsable. No saldría corriendo.

—Para usted es diferente —le dijo—. Esta no es su guerra. Debería irse a casa en cuanto pudiera.

—Eso es lo que le dije a Sally King —contestó, mirándo hacia el río—. Pero ella quería quedarse. Como yo, sabía que el hogar está aquí. Yo no debería...

Se mordió la lengua para no pronunciar las palabras «haberme entrometido en su vida». Le habló a Nell del *Clothilde:* los torpedos que lo perforaron, la cubierta en llamas. La imagen de Sally hundiéndose suavemente bajo las olas...

—Se culpa usted —observó Nell.

—¡Por supuesto que me culpo!

—Era imponente. Veía sus fotos a menudo en las revistas.

—Era algo más que una cara bonita.

—¿Estaba enamorado de ella?

Él se rió amargamente.

—No me he permitido hacerme esa pregunta ni una sola vez. No hubo tiempo, y me pareció muy frívolo en medio de la invasión alemana.

—Pero cuando el mundo entero está a punto de sucumbir —insistió ella— la verdad es lo único que cuenta. Responda a mi pregunta, Joe. Aunque sea en su interior. Incluso aunque se haya ido para siempre.

Captó la pasión en su voz y se extrañó. ¿Era por Bertrand? ¿O por alguien más?

—Escuche —le dijo, poniéndole la mano en el hombro de repente—. Ese barco pesquero, al final del muelle. Están pidiendo ayuda.

—Debe ser de Dunquerque. Hay camillas en la cubierta, pero ¿por qué traen a los evacuados aquí? Se supone que tienen que ir a Inglaterra.

—A lo mejor son franceses —dijo Nell, y echó a correr.

Hearst fue tras ella. Sabía que pensaba en su marido o quizá en el joven Roger, deseando contra toda esperanza que los informes se equivocaran, que la compañía no se hubiese rendido, que los hubieran empujado a la playa como a tantos otros. Se le encogía el corazón por ella, al ver cómo la esperanza volvía a resurgir incluso cuando se supone que tiene que estar muerta. Entonces se paró en seco.

Los pescadores de Burdeos levantaron una camilla: llevaban a una mujer débil, con un vestido empapado, los ojos cerrados y la cara pálida como la muerte.

—Sally —susurró.

Pasaron casi tres horas hasta que el doctor apareció por el pasillo atestado del hospital de Burdeos, pero Nell insistió en esperar con Hearst. Fue ella quien se enteró de lo ocurrido hablando con la tripulación del pesquero mientras descargaban al resto de los heridos rescatados en su última incursión en la costa de Bretaña: un pelotón de soldados franceses perdidos, atrapados por el ejército alemán muy al sur de Dunquerque, y tres personas que el mar había llevado a diferentes playas. Sally era una de ellas. La marea del Canal, espoleada por una tormenta crepuscular, la había empujado hacia el sur y en dirección a la orilla, a algún punto frente a la Côte d'Albâtre, en Normandía, donde había tenido que luchar contra las rocas.

La encontró un chico la mañana radiante del domingo; el chaval había ido a buscar soldados a la playa y la vio tumbada, como si estuviera muerta. Las olas frías la acariciaban, boca abajo, en la arena gélida. Hearst escuchó la historia del pescador que tenía un acento fuerte del Médoc mientras veía a la chica del tanatorio, con el pelo cayéndole en cascada sobre el cuello vulnerable, el omoplato delicado asomando por el vestido de algodón fino.

No estaba muerta, pero estuvo inconsciente durante todo el tiempo que duró su traslado hasta el pueblo de Fécamp, hacía cuatro días. Sería por las rocas, dijo el pescador; los acantilados de caliza de la costa de Alabastro. Eso explicaría también el brazo roto.

Era el brazo izquierdo, que estaba hinchado y amoratado, doblado en un ángulo alarmante, como si al intentar alcanzar una roca del acantilado, o al pararla para protegerse de ella, esta la hubiera abofeteado duramente en venganza. Tenía moratones y cortes en la cara y en las piernas. La larga exposición a las aguas del mar heladas le habían inflamado los pulmones y estaba ardiendo de fiebre; tenía la respiración irregular y dolorosa. Hearst intentó sentarse junto a la camilla, pero su mirada acababa sin poderlo evitar en los párpados de Sally, que se agitaban en sueños, con un movimiento descontrolado de las pupilas bajo la piel protectora. Entonces se levantaba con impaciencia y andaba, paseando su constitución larga y delgada entre los heridos que esperaban.

—Debería ir a buscar a Noakes —le dijo Nell sucintamente—. Podría ponerle un cable a su familia, decirles que está viva. Puede que hayan oído hablar acerca del *Clothilde*. Querrán saber lo que ha pasado.

La idea le dio algo que hacer para matar el tiempo durante una hora. Cuando volvió del consulado americano, Sally aún no se había despertado. Así que paseó, conteniendo el impulso de exigir un médico para que se ocupase de unos pulmones americanos.

El pesquero se había dirigido a la orilla al norte de Dieppe en respuesta a una señal de una compañía de soldados aislada; era un grupo de transporte que había abandonado los vehículos y suministros y solo contaba con la pistola y una caja de vino para mantener la moral. El ejército alemán ya casi había llegado a Dieppe, así que los pescadores decidieron evacuar a Sally también.

—Tiene una conmoción grave —les informó el doctor—. Y neumonía. Nos ocuparemos del brazo. No podemos hacer mucho más por ella.

—¿Vivirá? —le preguntó Hearst.

—Mire, *monsieur* —le replicó el doctor con amargura—, dejé de jugar a ser Dios cuando llegaron los alemanes.

38

Spatz caminaba enfadado por el muelle de Marsella en su busca, pero enmascaraba bien sus sentimientos. No se leía la frustración en su sonrisa genial de gorrión, ni en su mirada directa y amigable.

Se consideraba buen juez del carácter de los demás, pero últimamente el juicio le había fallado mucho. Nell había seducido a Joliot-Curie, pero se había negado a traicionarlo, y cuando Spatz le recordó que necesitaba información si quería venderle su alma a los británicos, ella le dijo, casi de pasada, que su viejo amigo Jack *el Loco* ya lo sabía todo acerca de la bomba.

Eso le cayó muy mal.

Nell sabía más de lo que decía, pero estaba obsesionada con sus judíos y aburrida de la física. Estaba incubando los sentimientos amorosos como si fuesen una enfermedad, pensó Spatz. Debería pensar cómo controlarla. Podía ser con el regalo de la libertad de Joliot; o tal vez con la de Bertrand.

Quizá los judíos.

Pero este viernes, 31 de mayo, había venido a Marsella a buscar a Memphis. Lo primero que vio fue su coche.

El elegante Sedán negro estaba metido dentro del cordón que separaba el barco marroquí de la multitud de gente frenética que intentaba abordarlo. Von Halban estaba apoyado contra la valla frontal, con un pie cruzado sobre el tobillo de manera informal y la espalda contra la presión de los refugiados. Puede que fuera consciente de la ola de gente que estaba detrás de él, de los insultos y las súplicas que se gritaban en distintos idiomas; su expresión era casi demasiado digna. Solo había un baúl en el coche y Spatz lo reconoció inmediatamente como el de Von Halban, ya que le había ayudado a cargarlo la noche en que se fueron de París y pesaba como el plomo. El uranio debía ir dentro. No lo había entregado.

Con el corazón más aliviado, Spatz se ajustó el sombrero y se lanzó entre la multitud. Solo tenía que murmurar algo en alemán, consciente del miedo que inspiraba el idioma, para que la gente se apartase como las aguas del mar Rojo.

Von Halban buscó en el bolsillo delantero de su chaqueta y sacó unos billetes en un fajo. El ruido del muelle se cernía sobre él: los estibadores y los marineros, los pasajeros y los amigos que se habían reunido para despedirlos, la presión de los dedos en su espalda. Refugiados. Eso es lo que él era ahora, también, pensó, lejos de su misión y de su casa. Sintió algo de vértigo, como si estuviera de pie en el alféizar de una ventana muy alta y no tuviera más elección que saltar. Debería cruzar de un salto los dos metros y medio de agua que separaban el barco de la dársena y hacerse un hueco a bordo. Era una locura volver atrás. Lo deportarían a un campo de trabajo en cuanto llegase a París.

—Hola, viejo amigo —dijo Spatz.

Le habían abierto el cordón con la misma prontitud con que lo hacían en el Alibi Club. Sonreía a Hans, pero Von Halban olía el peligro en el aire a su alrededor, amargo como la cordita.

—¿Cómo nos ha encontrado?

Spatz se encogió de hombros.

—He seguido el rastro de sangre.

Fue impactante, oír cómo lanzaba las palabras despreocupadamente al terreno de juego. Pensó en los dos alemanes muertos, y asintió débilmente.

—¿Dónde está?

—Inspeccionando su camarote. La señorita Jones es muy cuidadosa con su equipaje.

—No hace falta que lo diga. —Sacó un cigarrillo y le ofreció otro a Hans—. Pero usted se deja el suyo —observó—. ¿No se va con ella?

—¿Cómo está Annick? —le preguntó Von Halban—. ¿Y mis hijas?

—Bien.

—Están con sus padres, ¿sí?

Spatz no respondió. Miró a Von Halban a los ojos. Había un sarcasmo en su mirada que le recordó a Von Halban la mirada de un gato cuando juega con un ratón.

—Ese equipaje —dijo Spatz pensativamente—, cuando le ayudé a cargarlo en París me pareció que pesaba como el plomo. Tengo razón, ¿verdad?

El vértigo se le instaló en los oídos y rugió; de repente estaba demasiado cansado para luchar más y para seguir fingiendo.

—Spatz, ¿por qué utiliza a una mujer como su espía personal? ¿Por qué no se ha sentado a mi lado en el coche, si tanto quiere lo que llevo?

—Porque usted nunca habría aceptado llevarme a mí —le respondió el alemán razonablemente— y nunca me hubiera abierto su mente como lo ha hecho con Memphis. Sabía que lo haría. Sabía que no podía fallar.

En un segundo cegador, Von Halban lo vio claro: la mujer vulnerable, dolida a pesar de su actitud desafiante; su propia culpa y su compasión. La ingenuidad de haber dado por sentado que compartir el peligro significaba compartir la verdad. Había cambiado el uranio de su baúl al de ella convencido de que era la única oportunidad que tenía de sacarlo de Francia. Le había entregado a una cantante de *jazz* el futuro de la ciencia francesa. Todo para que se lo diera a su amante a la primera oportunidad.

En ese momento bajó por la pasarela hacia ellos, sonriendo alegre, como si Spatz fuera el único hombre del mundo que ella hubiera querido en su vida, como si el día fuese completo solo porque él hubiera llegado. Von Halban la miró, y le pareció que incluso el clamor de la gente desesperada empujando a su espalda cesaba por un instante, como si la gracia animal en estado puro de las formas de Memphis, su aspecto salvaje y embriagador, tuvieran el poder de silenciar incluso a la guerra.

—Eh, nene —le dijo con suavidad, mientras envolvía a Spatz con sus brazos—, tengo un camarote lo bastante grande para dos.

39

—Se han puesto *bien confortable* —comentó Jacques Allier, al entrar en la salita de Clair Logis.

La casa estaba en la Rue Etienne-Dollet, una zona nada mala de Clermont-Ferrand. Después de deshacerse del Producto Z, como Allier se empeñaba en llamarlo, Moureu y Kowarski se habían lanzado a la búsqueda apresurada de propiedades disponibles en la ciudad. Clair Logis era una residencia de verano, propiedad de una familia que vivía en París. Los agentes inmobiliarios se alegraron mucho al recibir dinero en efectivo, en unos tiempos tan inciertos, y Moureu tenía autorización para firmar por un mes de contrato de alquiler.

Kowarski transformó la casa en las dos semanas siguientes. Su perro lobo ruso, *Boris,* tenía una cama en el salón principal, donde habían montado la mitad del laboratorio de Joliot, ya en funcionamiento; la mesa del comedor se había convertido en una mesa de experimentación. Incluso la cocina tenía un quemador de gas en un rincón para calentar el vidrio y soldar.

Kowarski no se había afeitado en los últimos días. Parecía que vivía en el laboratorio, con un trozo de pan siempre en un bolsillo y las gafas de leer en el otro. Estaba contento al creer que había dejado atrás la guerra y que podía trabajar en paz. Le dijo a Allier que estaba intentando conseguir lo que llamaba una reacción en cadena divergente, en una mezcla de óxido de uranio y agua pesada. Allier calculó que podía averiguar dónde había obtenido Lew el deuterio; decidió no preguntar por el óxido de uranio.

—¿Sabe algo de su colega, *herr* Von Halban?

—Ni una palabra —dijo Kowarski alegremente—, pero Hans es un buen hombre. Aparecerá el día menos pensado. ¿Cómo va todo en París?

—*Très mal.* ¿Sabe que los belgas se han rendido?

—Hace tres días, el 28 de mayo. Tenía la radio puesta.

Kowarski prefería los discos del fonógrafo, que había conseguido traerse consigo, junto con su perro, metidos en la parte trasera del camión. Sus gustos incluían compositores rusos experimentales, disonantes y chirriantes, un corolario del paso errático de las partículas nucleares.

Le dio un mordisco al pan.

—Malditos belgas. Entre ellos, que abren la puerta de entrada y los británicos, que huyen por la de atrás... —Se encogió de hombros—. ¿A qué alemán no le apetecería darse una vuelta por París?

—El Gobierno ha cometido errores graves —dijo Allier lentamente, como si las palabras fuesen una traición—. *Vous n'avez aucune idée...*

¿Cómo explicarles a los científicos la falta de inteligencia, los errores de juicio, las peleas y el miedo de los ancianos? Ya no importaba. Todo el mundo en el Ministerio de Armamento sabía que la guerra estaba perdida. El Gobierno se marcharía en cuestión de días. Había tanques por todas las carreteras de salida de las Ardenas y dos millones de soldados franceses habían muerto o habían quedado abandonados al enemigo. Solo la población francesa seguía teniendo fe.

—Esta es una región hermosa —suspiró Kowarski—. Nunca antes había visto Auvernia. En cambio, Moureu creció aquí prácticamente. Adora estas colinas. Hasta el aire es diferente, Allier, es más fresco y más fuerte. Estoy impaciente por traerme a la familia.

Allier podía haberle dicho a Kowarski que estaban a punto de internarlo a él y a su familia, pero aunque había desafiado a la muerte sin pensarlo, él solo en un aeródromo noruego, era un cobarde para otras cosas. Cuando llegara el momento de llevarse a Kowarski en plena noche, Allier ya estaría lejos de allí.

—No haga venir a su mujer —le aconsejó—. Puede que tengan que volver a trasladarse.

—¡Pero ya le he dicho que hemos alquilado Clair Logis para un mes!

—Espero —repuso Allier, cortante— que no mencione el nombre de la casa para referirse a ella. Especialmente en la correspondencia con Joliot. Si tiene que hablar del sitio, diga solo «Rue Etienne-Dollet». Es lo más seguro.

Kowarski echó la cabeza hacia atrás y se rió, pero en ese momento llamaron a la puerta y ambos se callaron, mirándose entre sí. Eran más de las nueve de la noche y toda la ciudad estaba sumida en la oscuridad más absoluta.

El perro lobo se puso en pie, con el pelo erizado.

—¿Moureu? —susurró Allier.

Kowarski movió la cabeza negativamente.

—Se ha vuelto a París, a ayudar a Joliot a desmontar el laboratorio.

—Entonces ¿quién?

—Será mejor que abra.

Allier vio a Kowarski seguir a su perro hasta la puerta, presa de un pánico irracional. Tenía una pistola en el bolsillo del abrigo, pero se lo había dejado en el Simca; no había tenido tiempo de descargar el equipaje. Por alguna razón indefinible, quería esa pistola desesperadamente en estos momentos.

Boris gimió como un niño y Kowarski abrió la puerta.

—¡Hans! —Abrió los brazos de par en par en un abrazo de oso ruso— ¡Qué alegría verle! Ha sobrevivido al viaje al sur, ¿eh?

Allier vio la cara de Hans, pálida y desencajada, en el umbral a oscuras. No había luz en el descansillo, ni a la entrada de la casa, ni en la Rue Etienne-Dollet, y detrás de Von Halban se extendía la riqueza de la noche de Auvernia.

Von Halban tenía un aspecto tenso y sobrenatural, como si hubiera echado raíces ante la puerta, y cuando cruzó la mirada con Allier, este vio el terror implorante en sus ojos.

Allier empezó a moverse. Era tarde.

Von Halban, rígido, cruzó el umbral de Clair Logis, buscando con las manos a Kowarski. Había otro hombre detrás de él, un hombre rubio y alto al que, para su horror, Allier conocía.

La última vez que lo vio corría detrás del avión que no debía, hacía ya dos meses, una noche de frío y muerte en Noruega.

El hombre sonreía, indiferente a la presencia de Allier. Era posible que hubiese olvidado los aviones para Perth y Ámsterdam y a la chica italiana a la que dispararon y derribaron sobre el mar del Norte. Tenía una pistola en la espalda de Von Halban.

—Lo siento, Lew —murmuró Von Halban—. Lo siento mucho. Quiere el agua, ¿sabes?

40

Cuando Allier se reunió finalmente con Frédéric Joliot-Curie cuatro días más tarde, encontró al físico de pie, viendo cómo se quemaban los documentos sobre los adoquines, detrás del *Laboratoire de Physique.*

Había acabado con seis años de acumulación de papeles, todos entregados a las llamas con la convicción de que ya no valía la pena salvar nada. Las cosas importantes las tenía en la cabeza, o se habían publicado hacía tiempo; si el resto de sus notas se perdía para la posteridad, tanto mejor. El vacío que había dejado atrás les dejaría a otros hombres algo por descubrir, algo por inventar, y una alegre ilusión de originalidad.

Buscó en el bolsillo de la bata de laboratorio y sacó un puñado de cartas. Habían coexistido durante la última década con sus notas de laboratorio, demasiado incendiarias para guardarlas con los calcetines y la ropa interior. Siguió los trazos de su propio nombre, escrito con la caligrafía descuidada y el bolígrafo chirriante de Nell; los sellos extranjeros enviados desde Inglaterra. En medio de tanta desesperación y destrucción, anhelaba oír el sonido de su voz.

Se le ocurrió preguntarse si Irène habría leído todas aquellas palabras, hacía años. Poco importaba ahora. Nell ya no era su país, ni el mar para sus travesías. Había cambiado ese yo secreto por el privilegio de ver a sus hijos.

Lanzó las cartas a las llamas.

Cuando Allier le habló del alemán de Noruega que había aparecido a espaldas de Von Halban, Joliot no le comunicó inmediatamente la verdad: que el agua pesada estaba a salvo en un viñedo de Burdeos. Escuchó a Allier en silencio, la amarga recriminación que se hacía a sí mismo, su seguridad de que los extranjeros eran unos traidores y el odio por Von Halban, al que habían encarcelado en Auvernia en cuanto su amigo alemán se marchó con el agua. Cuando Allier hubo acabado, Joliot solo añadió:

—Dejen que se vaya.

—¿Se ha vuelto loco? —replicó Allier rabioso—. ¿Es que nunca va a ver la verdad, *enfin,* ni siquiera cuando la tiene delante?

—Dejen que se vaya —repitió Joliot—. Está claro que los nazis deben haber amenazado a su familia. O a mí. Sí, quizá a mí. Iban a matarme de una forma horrible y Von Halban quiso ser noble en el momento menos indicado.

Allier lo miraba con impotencia, con su rostro suave de banquero estaba sumido en la confusión. Joliot dijo:

—No es más que agua, Jacques.

—¡Que casi me cuesta la vida!

—En dos ocasiones distintas, lo sé. Y le estoy agradecido. Pero todo el país se está yendo al traste ante nuestros ojos. Hemos hecho lo que hemos podido. Hemos fallado.

—Nos han traicionado.

Joliot movió negativamente la cabeza con suavidad.

—Nos han encontrado, nada más. No era la vida de Hans lo que estaba en juego; es del tipo de hombres que preferiría morir antes que negociar con la vida de los demás. Conozco a ese hombre, Jacques. Lo conozco.

—No puede equivocarse, ¿verdad? —gruñó Allier—. El gran Frédéric Joliot-Curie, premio Nobel, el hombre que se casó con alguien de fama por el bien de su carrera...

Sin volverse, Joliot le dijo:

—¿Ha encontrado el uranio?

—¿Qué?

—El metal de uranio que Von Halban tenía que entregarle a la marina francesa. ¿Le ha dicho dónde está?

—Se niega.

Bien hecho, pensó Joliot. Y se marchó.

Se reunió con Jack *el Loco* en una *suite* del Hôtel Meurice, donde estaba entreteniendo a tres mujeres. Joliot sospechaba que serían *filles de joie* o tal vez coristas del Folies Bergères, pero recordó que Allier le había dicho que los gustos del conde en cuanto a mujeres eran variados y quijotescos. Declinó el ofrecimiento de una copa de champán, pero aceptó una rebanada de pan con *pâté de foie gras.* El conde acompañó a las mujeres a la puerta con una botella en cada mano.

—Bien —dijo al sentarse a la mesa del comedor y poner el pie tullido sobre una silla cercana—. ¿Ha decidido dar el salto? ¿Se viene a Inglaterra?

—No. —Joliot vio el pan tierno que había entre ambos y se dio cuenta de que no había comido en condiciones desde hacía días. Habían empezado los recortes de comida y los verduleros y los panaderos tuvieron que cerrar las tiendas; la hemorragia de París desde primeros de junio había sido dolorosa—. Alguien tiene que quedarse en Francia. Si no, empezaremos a pensar que siempre ha sido alemana.

Jack *el Loco* sonrió, y Joliot observó en la curva sensual de los labios las posibilidades de humor o de crueldad que contenían. Las excentricidades de aquel hombre, así como su inteligencia aguda, se debían a varias generaciones de consanguinidad.

—Podría haberme ido a Dunquerque, ¿sabe? —dijo el conde—, o haber esquivado los Messerschmitts por todo el Canal. No voy a quedarme aquí esperando a que los germanos me cuelguen. Pero si cambia de opinión en los próximos días, llámeme. Me ocuparé de todo para usted y su familia.

Le ofreció la cesta de pan. Joliot tomó una rebanada.

—Lo que necesito sobre todo —dijo— es un barco.

Jack *el Loco* se rió.

—Usted y cualquier maldito francés. Hay doscientos mil paisanos suyos buscando un barco en este momento, y siento decir que no van a tener mucha suerte.

—No lo quiero para mí. Es para el agua pesada que sacamos de Noruega. Hay que mandarla a Inglaterra antes de que caiga Francia.

El conde alzó los ojos azules para que se encontraran con los suyos.

—Creí que nos la habían birlado.

—Envíe bidones falsos a Auvernia.

—Ah sí, ¿eh? —silbó suavemente Jack *el Loco*—. Qué chico más brillante es usted, Joliot-Curie.

5 de junio: Churchill retiró todos los aviones de ataque de Francia, convencido de que las bases aéreas francesas caerían en cualquier momento. Irène se inclinaba a pensar que eso era algo típico de los ingleses, *l'Albion perfide,* que dejaría de enviar barcos a Dunquerque ahora que todos los soldados ingleses estaban a salvo. Cientos de miles de belgas y franceses seguían varados en la playa.

—Nunca iré a Inglaterra —prometió—. Nunca dejaré que los ingleses eduquen a mis hijos.

9 de junio: el embajador Bill Bullitt envió a uno de sus ayudantes a Lisboa a buscar doce pistolas ametralladoras para defender la embajada, convencido de que una horda comunista saquearía la ciudad en cuanto los alemanes se aproximasen.

Moureu llegó de nuevo al Collège de France una hora después del desayuno, desaliñado y agotado, después de haber conducido toda la noche contra oleadas de refugiados que iban hacia el sur. Había venido a ayudar a Joliot a acabar de embalar y a recoger a su mujer. Habría, según dijo, un millón de personas en la carretera. Tal vez más.

Era un científico y no inflaba los datos.

El Gobierno francés hizo las maletas y se marchó de repente. Los ministros estuvieron lanzando sus pertenencias por las ventanas superiores durante todo el día, y se divisaron unas columnas de humo pequeñas, como si hubiera una quema de rastrojos generalizada. Al anochecer, solo quedó el eco dentro de los hermosos edificios de piedra y los burócratas iban de camino a Tours. Los parisinos seguían sentados en las terrazas de los cafés, bajo el cielo negro, bebiendo cuando no tenían qué comer.

Irène retiró su dinero del Banque de Paris y lo escondió cuidadosamente entre la ropa interior en la maleta.

10 de junio: El primer ministro Paul Reynaud, tras asegurarle a Franklin Roosevelt que los franceses lucharían «ante la entrada de París; lucharemos tras la salida de París; nos haremos fuertes en una de nuestras provincias para luchar y si nos expulsaran, nos estableceríamos en el norte de África para seguir combatiendo», salió de la ciudad en silencio, como un ladrón.

Irène le escribió una carta a la niñera, pero no pudo enviarla a Arcouest porque las oficinas de correos estaban abandonadas. Se la llevó en tren a una amiga que vivía al sur de la ciudad, cuya intención era irse a Bretaña y que le prometió que llegaría.

Ella y Joliot llevaban días sin saber nada de los niños y los alemanes también estaban ya en Bretaña.

11 de junio: Mussolini declaró la guerra a Francia e Inglaterra.

Se enviaron los últimos objetos del equipo del laboratorio a Clermont-Ferrand, en el sur: un galvanómetro, una cámara de ionización y un espectroscopio. En total, Joliot había mandado diez cajas con el equipo a Auvernia, valoradas en unos doscientos mil francos. Estaba convencido de que habría dado igual tirarlo todo a la basura. Era imposible saber si llegaría.

Allier vino a despedirse. Había aguardado a que el Ministerio de Armamento abandonase París, con la esperanza de persuadir a Joliot de que se fuese a Burdeos y coger allí un barco para Inglaterra. Joliot no le había dicho nada de la oferta de Jack *el Loco* ni de los bidones de agua falsos.

—He liberado a su colega de la prisión de Riom —dijo Allier bruscamente.

—¿Por qué?

El banquero apartó la vista, incapaz de mirarle a los ojos.

—Una mujer, una negra americana, le ha entregado el uranio al gobernador francés en Marruecos, dentro de una maleta llena de zapatos.

—Ya veo. Entonces ¿está a salvo?

—*Oui.* —Allier tragó con dificultad—. Pero nos ha llegado el rumor... a través de ciertas fuentes... de que unas copias de todos los informes de su investigación que acaba de quemar, que alguien había enviado al Ministerio, han caído en manos de los alemanes.

El estómago de Joliot dio un brinco, del sobresalto.

—¿Dónde?

—Los encontraron en un coche del ferrocarril cerca de Charité-sur-Loire. *Mon Dieu.* Es casi seguro que los habían dejado allí por un acuerdo previo.

—Quiere decir que los han vendido

Allier asintió.

—Así que la filtración, el espía alemán, estaba en el Ministerio de Armamento, no en mi laboratorio.

—Eso parece.

Joliot miró a la oscuridad que se veía más allá de la puerta abierta del laboratorio. Moureu colocaba afanosamente el equipaje en el maletero del Peugeot, como si un trabajo bien hecho pudiera sacarlo de París.

—Saldremos mañana —dijo.

Ya había anochecido cuando él e Irène cerraron con llave las puertas del laboratorio por última vez. Había sido un día gris: las refinerías de petróleo a lo largo del Sena estaban ardiendo. El hollín pesado y negro caía del cielo, cubriendo de duelo las hojas nuevas de los castaños. El petróleo le cubría el pelo a Joliot y toda la superficie del coche. Habían recibido informes de que los alemanes se encontraban tan solo a ochenta kilómetros.

Moureu y su esposa esperaban a que el pequeño convoy se pusiera en marcha. Irène llevaba agarrado un poco de oro y de platino que había traído del laboratorio, algo precioso para cualquiera, pero esencial para el trabajo de un físico. Tenía el gramo de radio de su madre guardado en una caja de plomo. No dejaba de toser; el aire oleoso se había instalado en sus pulmones débiles y se le cuajaba en la garganta; la tensión de los últimos días la había dejado exhausta, y su rostro plácido se desgarraba entre la ansiedad y el dolor. Joliot se sentó al volante del Peugeot sin hablar, con la esperanza de que se durmiera en cuanto salieran a la carretera.

Salió del Collège de France unos pocos minutos antes de las tres de la tarde. El Barrio Latino y el Boulevard St-Germain estaban vacíos; de momento, todo iba bien. Moureu iba a velocidad constante detrás de él, aunque su Peugeot era menos potente que el de Joliot. Giraron en el Boulevard Raspail, en dirección a la Porte d'Orléans, y quedaron retenidos.

Un mar de vehículos que se dirigía al sur se extendía ante ellos, no solo en el carril de la carretera que iba a Orleans, sino que invadía incluso los que iban hacia el norte. Las masas que huían de París habían tomado el bulevar entero, y nadie se movía. Unos cuantos gendarmes agitaban los brazos sin conseguir nada, con el pánico dibujado en la cara.

Joliot pensó: *querrían saber por qué no pueden huir ellos también.*

Bajó la ventanilla y preguntó:

—¿Hasta dónde llega el embotellamiento?

—Hasta más de trescientos kilómetros, *monsieur* —respondió el hombre.

Irène sufrió un fuerte ataque de tos.

El coche avanzó unos centímetros bajo los pies de Joliot.

Se puso cómodo, resignado, y esperó.

A las cuatro de la mañana, se dio cuenta de que había conseguido avanzar unos treinta kilómetros en las últimas doce horas, de treinta en treinta centímetros cada vez. Un río de personas pasaba andando al lado de los coches parados a ambos lados de la Route Nationale n.° 20, la amplia autopista que iba desde París al sur de Francia; sintió el impulso de abandonar el Peugeot, de echar a andar con el radio de madame Curie escondido en la camisa y llegar andando a Auvernia.

—Dicen que ha sido idea del general Weygand el bloquear la carretera con refugiados —observó Irène desapasionadamente— ; así se mantiene a los alemanes atascados en París. Llevará días despejar esta carretera.

Joliot oyó aquellas palabras; podría haber respondido con un murmullo de acuerdo, un gruñido exhausto, pero también le llegó a los oídos el sonido de unos motores que cortaban el cielo en dos.

—¡Abajo! —gritó, justo cuando los Messerschmitts los sobrevolaban.

Del rugido encrespado vino un *rat-tat-tat* de ametralladoras, que acribilló al tráfico inmóvil en la Route Nationale; un *staccato* horrible que parecía granizo, pero que no lo era, la sombra voluminosa de una máquina solo visible en la negrura por las llamas que escupían sus armas. El coche estaba en el carril exterior y Joliot pudo a duras penas girar el volante para sacarlo a la cuneta, pero alcanzaron al coche que estaba a su lado; vio al conductor retorcerse hacia atrás y hacia delante mientras las balas le agujereaban el cuerpo.

Irène gritó: un sonido gutural y bajo que se convirtió en una tos despiadada. Se le dobló el cuerpo. El Peugeot siguió rodando sin control por fuera de la carretera y Joliot contó tres aviones, siete, y luego ya no pudo seguir contando; el ruido desapareció de repente.

En el coche no se oía más que la respiración.

—Moureu —jadeó Irène.

Joliot abrió la puerta de un golpe, salió tambaleándose y corrió a toda velocidad hacia atrás, al lugar donde había visto el Peugeot de Moureu por última vez. No estaba allí.

—¡Moureu! —gritó, con la voz quebrada por la desesperación—. ¡Moureu!

Miró por todas partes a su alrededor. Una marea de quejidos subió de los restos, entre llamas parpadeantes. Una figura se arrastró hacia él de rodillas, a través de los coches cargados y acribillados.

Y allí estaba el coche de Moureu, con el morro hacia abajo en la cuneta opuesta. Moureu había caído sobre el volante. Su mujer estaba inclinada sobre él.

—Creo que ha perdido el sentido —le dijo a Joliot cuando llegó hasta ella. Mostraba los dientes como un animal—. Ha sido por el impacto del choque, no creo que le hayan alcanzado.

—Tenemos que salir de la autopista —murmuró Joliot.

No había ayuda para los que se quedaban atrás, no había forma de ir a buscarla. Joliot continuó, avanzando treinta centímetros cada vez, con la esperanza de encontrar un cruce en el que poder girar. Irène llevaba los ojos cerrados y solo habló una vez, para preguntar si podía hacer pis en algún campo. Joliot esperó casi una hora antes de detener el coche a un lado, desesperado por hacer progresos, y el sol ya estaba en lo alto del cielo cuando la ayudó a salir del coche y la llevó a un lado de la autopista. Se escondió entre la hierba, indiferente a toda la población de París que pasaba junto a ella. Y el sonido de los aviones volvió.

—Irène —le gritó— ¡échate al suelo!

Él se encogió junto al coche aparcado y esperó. Pero no se oyó ningún *rat-tat-tat;* solo el quejido creciente del motor recortándose, y el zumbido de mil cláxones sonando en algún lugar cerca de él.

Se puso de pie, buscando a su mujer.

Estaba echada en el suelo con las manos sobre la cabeza. Detrás de ella había un avión parado en mitad del campo. Un hombre salió en ese momento de él con alguna dificultad, ya que tenía una pierna mal y la cabina del piloto apenas podía albergar su constitución grande y británica.

—Jack *el Loco,* —susurró Joliot.

Empezó a correr por el campo hacia él.

41

La fiebre comenzó a bajar el tercer día, cuando Hearst casi había perdido la esperanza.

Todas las mañanas recorría los ochenta kilómetros entre Loudenne y Burdeos, llevando a Petie en el asiento del pasajero junto a él. El anciano francés compraba las provisiones en el pueblo: comida, carbón para cocinar en el campamento y leche, si podía encontrar; luego se la llevaba a los americanos repartidos por debajo de los pinos del *château,* mientras Hearst montaba guardia en la sala del hospital abarrotado. Después de cenar, Petie volvía y lo recogía para traerle de vuelta al duro suelo bajo las estrellas de junio, convencido de que Sally habría muerto al amanecer. No le preguntó a Petie cómo conseguía la gasolina para el Buick, y el anciano francés no se lo dijo.

Los doctores estaban preocupados por el cráneo fracturado de Sally y por una posible inflamación del cerebro. Estaba alarmantemente delgada, los huesos marcados eran más dolorosos que elegantes, y la piel estaba áspera y deshidratada. Tenía sueños inquietos que la agitaban. Más de una vez, Hearst captó que gritaba el nombre de Morris.

Cuando no podía soportarlo más, salía del hospital para caminar e iba a los muelles. Hablaba con los pescadores, confiando en que conseguiría más detalles sobre la historia de Sally y para saber si alguno había visto a un hombre que encajase con la descripción de Emery Morris. No lo habían visto. Tantos refugiados inundaban ahora Burdeos que nadie los miraba mucho. Fue tras uno de estos paseos desconsolados cuando por fin encontró a Sally con los ojos abiertos.

—Joe —dijo con la voz ronca—. ¿También está muerto?

A partir de ese momento, su evolución fue rápida, aunque no recobró la memoria de inmediato. Hicieron falta otros dos días antes de que pudiera contarle lo de los torpedos y la forma en que murió Morris, así como su admisión de culpabilidad en el asesinato de Philip. Entonces, con un horror renovado al volver a ver la imagen, le explicó cómo se había hundido el ataúd bajo las olas del Canal con su carga de documentos por enviar.

Todos los días le preguntaba a Hearst si había tenido noticias de Léonie Blum, pero sin resultado. La anciana había desaparecido.

Él evitaba hablar de la guerra, creyendo que eso podría aumentar su ansiedad al estar confinada en una cama, pero el viernes, 14 de junio, no pudo contenerse más. Llegó al hospital justo a tiempo de oír en la radio el anuncio de la marcha triunfal del ejército alemán por los Campos Elíseos.

—No se van a detener ahí, ¿verdad, Joe? —Las lágrimas le caían por las mejillas; era como si Philip hubiera muerto otra vez.

Hearst pensó en Bill Bullitt refugiándose de los ataques aéreos en la bodega de la embajada, y dijo:

—Tenemos que irnos, Sally. En cuanto se recupere un poco. Hay un barco que tiene que zarpar uno de estos días, el *S. S. Milwaukee,* hacia Nueva York, tenemos que subirnos todos a él.

—Otro barco no —protestó sin fuerzas.

—No se puede caminar sobre el Atlántico.

—Y ¿qué tal un Pan Am Clipper?

—Aun así habría que ir a Londres, lo que implica coger un barco. Después de todo, nada puede ser peor que lo que le ha ocurrido ya.

Ella negó con la cabeza.

—Prefiero volver a París. Prefiero vivir rodeada de alemanes antes que embarcarme de nuevo.

—Lo primero es lo primero —contemporizó—. Vamos a empezar por ponerla en pie. Me la llevo a casa, a Loudenne, hoy.

Se le iluminó la cara y una nueva esperanza pareció darle fuerzas a través del tedioso proceso del alta y los problemas derivados de no tener documentos, un detalle que Hearst tendría que resolver con el consulado americano a la primera ocasión. Pero el largo camino por carreteras estrechas y llenas de baches fue difícil, y cuando finalmente llegaron a las puertas del *château,* había vuelto a perder el conocimiento.

—Está agotada, pobre niña —dijo Nell enérgicamente mientras ayudaba a Hearst a llevar a Sally arriba, por las escaleras de mármol—. ¿Podrá embarcarse el lunes?

—¿El lunes? —repitió él.

—El agente de viajes ha mandado recado. Se espera que el *Milwaukee* zarpe el diecisiete.

—Dios mío —dijo categóricamente—. Tendrá que poder.

El domingo al atardecer, el sonido de los neumáticos en la grava alertó a Hearst de que tenían visita.

Iba andando hacia la casa para cenar con Sally, que ahora se sentaba y comía bastante bien para ser alguien que había engañado a la muerte, cuando el pequeño Simca verde se deslizó por el camino de entrada.

El violín de Elie Loewens, que revoloteaba a través de las ventanas abiertas del *château,* enmudeció.

Hearst se detuvo en seco bajo los pinos. Conocía los cacharros viejos que conducían los trabajadores del viñedo, el camión de Henri y los vehículos propiedad de los vecinos de los alrededores. Nadie tenía un Simca.

La puerta enorme del *château* se cerró discretamente. Levantó la vista. Nell estaba de pie, vigilante a la última luz del atardecer. Su cara pequeña y felina, flotaba pálida sobre la ropa de trabajo.

Las puertas del Simca se abrieron a la vez y salieron dos hombres.

—*Hallo* —dijo Jack *el Loco* alegremente a Nell—. Han pasado años. ¿Qué tal lo llevas, viejita?

42

Aquella misma noche, Frédéric Joliot-Curie le besó la frente fría a su mujer, ajustó la lámpara de lectura para que el brillo no le molestara en los ojos y le preguntó:

—¿Estarás bien?

Ella lo miró con frialdad desde las sábanas blancas y limpias. No había sido idea de Irène ingresar en un sanatorio que habían encontrado apresuradamente en un pueblecito de la Dordoña; fue obra de Allier, que había aparecido de repente de ninguna parte aquel domingo por la tarde, cuando se estaban instalando en una casa de campo llamada Clair Logis. El banquero había seguido a Fred y a Moureu mientras andaban por la autopista hasta el Puy de Dôme, bajo el sol brillante de junio y les había dicho: el colapso final de las tropas francesas solo es cuestión de horas. No hay nada que detenga a los alemanes. Tenían que seguir más allá de Clermont-Ferrand y de Auvernia. Había llegado el momento de ir a Burdeos. Era hora de buscar un barco.

Fue entonces cuando Fred le presentó al inglés, que se hacía llamar conde, y le contó al pequeño banquero el engaño del agua pesada, cómo la había dejado en manos de su amante; no utilizó ese término para referirse a ella, por supuesto, pero Irène lo sabía todo; conocía su corazón desde hacía años, y había observado el leve pestañeo en sus párpados cuando mencionaba el nombre de la condesa. Había engañado al

Gobierno, al parecer, además de a su esposa, y por un instante Irène lamentó profundamente que el agua pesada se hubiese salvado y que fueran a recompensar a Fred de esa manera por sus traiciones. Pero Allier estaba entusiasmado; abrazó a Fred y lo besó en las mejillas, como si pudiese premiar al hombre con una medalla, y luego le apretó la mano al inglés. El conde fue quien les informó de que había encontrado un barco capaz de transportar el agua, el escocés *Broompark,* que estaba ahora atracado en el puerto de Burdeos y que se dirigiría a Southampton en cuestión de días.

—Podría conseguir un barco —observó ella en tono agudo— para transportar todas las reservas de agua pesada del mundo, porque los ingleses están encantados de llevársela, pero no a nuestros jóvenes, ¿eh?

—Irène —la reprendió Fred—. Recuerda cuánto le debemos a lord Suffolk.

Era verdad que el conde había hecho aterrizar el avión en un campo cerca de la Route Nationale y que los había sacado de la trampa mortal que suponían los coches a la espera de los Messerschmitts; era verdad que los había llevado por aire hasta Auvernia y que había aterrizado a salvo en la pista aérea de Riom, donde Kowarski los estaba esperando con un coche; pero a Irène le daba igual. Había dejado atrás el Peugeot y Dios sabe cuando volverían a tener otro. Probablemente ahora estaba en manos de los alemanes.

—*Certainement,* deben estar todos en ese barco cuando zarpe —le dijo Allier a Kowarski y a Von Halban—. Les corresponde el privilegio de presentar el deuterio a las autoridades británicas. Ahora ya no queda nada en Francia para ustedes. Joliot...

Fred se negó a discutir la cuestión de emigrar a Inglaterra. Hubo una discusión sobre las mujeres y los niños, apéndices incómodos que había que enviar en paquete por correo postal desde varios puntos, algunos de ellos tras las líneas enemigas. Moureu estaba callado y pálido, parpadeaba nerviosamente mirando a su mujer, que no decía nada; probablemente le gustaba la idea de ir a Londres y visitar sus tiendas.

Irène alzó la voz para denunciarlos a todos por traicionar a Francia y por correr como cobardes, pero la respiración la abandonó y comenzó a toser de nuevo, dolorosa y convulsivamente, a punto de asfixiarse por la violencia de su propio odio a la guerra, por su cuerpo desfalleciente, por el marido que nunca la había querido bastante.

Cuando volvió en sí, estaba echada en esta cama, en una habitación de un sanatorio privado, sin sonido de artillería ni gritos en la distancia, un lugar limpio e iluminado para morir.

—Ese hombre quiere que vayas a Inglaterra —le dijo a Joliot—. Me has traído aquí para poder salir corriendo.

—¿Estarás bien? —le repitió.

—Por supuesto. Tengo todo lo que necesito. —Excepto amor—. ¿Vas a venir mañana?

—Si puedo.

Con mucho esfuerzo, se incorporó.

—Te vas con ella, ¿verdad? Con esa puta inglesa que vive en Burdeos.

—Voy a ayudarles a transportar el agua. Allier y el conde ya están allí.

Se acostó y le dio la espalda. Si por ella fuera, se moriría sin una palabra de perdón; esperaba hacerlo. Los espasmos comenzaron de nuevo, asfixiándola; alcanzó un vaso de agua.

Le acarició el pelo una vez y se marchó.

Eran las tres de la mañana cuando Joliot llegó a Loudenne en el coche de Kowarski. Atravesó la avenida oscura y silenciosa con cuidado, a tientas hacia la casa. Nunca había estado allí, era el patrimonio de otro hombre, e incluso ahora tenía la sensación de ser un intruso.

Vio las formas abultadas y extrañas de las tiendas dispersas por los campos que quedaban entre el *château* y el viñedo, pero no tenía ni idea de lo que podrían ser o de por qué estaban allí. Era muy tarde y estaba agotado, dolorido por la culpa y por la euforia peligrosa de volver a ver a Nell a la vez.

Subió los escalones de piedra y probó a abrir la puerta principal.

Se abrió con solo tocar el picaporte.

Empujó la pesada puerta de roble hasta atrás y se adentró en una oscuridad aún mayor. Los talones rechinaron de repente sobre el mármol. Se detuvo, con la boca seca. Lo tomarían por un ladrón. Sería mejor buscar el salón y dormir allí en un sillón o incluso en el suelo, quizá, sin despertar a nadie.

La llama de una vela se materializó en la oscuridad sobre él.

Miró hacia arriba.

—Ricki —susurró—. Me dijeron que venías.

Empezó a descender la escalera, como una criatura extraña y desconocida vestida de blanco, una dama oferente con una vela, cuyos ojos claros ardían sobre la claridad de la llama.

Él se quedó de pie en mitad de la habitación, y esperó a que llegara.

43

Estaban llevando a la gente desde el puerto de Burdeos, situado en el estrecho río Garona, hasta los barcos atracados en el estuario de Gironda, en unas naves planas parecidas a las gabarras que solían usarse para transportar los barriles de vino. Los pescadores y los trabajadores de Burdeos ayudaban en todo lo posible a sacar a los refugiados de Francia. Era la mañana nublada de un lunes, 17 de junio, y los alemanes habían llegado.

Los aviones sobrevolaban a baja altura los barcos atracados y los transbordadores atestados de pasajeros, dejando caer las bombas sobre ellos sin vacilar. Algunas erraban el golpe, pero el río estaba tan lleno de naves que la mayoría de las bombas alcanzaban un objetivo, y entonces un barco explotaba en una lluvia de piezas y trozos de cuerpos. Tendrían una suerte de cojones, pensó Joe Hearst, si alguno de ellos salía vivo de allí.

—Yo no me voy —dijo Mims Tarnow sencillamente—. Está loco solo por sugerirlo, Hearst. ¡Llevamos niños!

Lo miró con furia, rodeando a su hijo con el brazo, como si Hearst pretendiese usar al niño como carne de cañón. Él no respondió, siguió con los ojos fijos en la multitud de pequeños barcos que obstruían el puerto. Era imposible ver el *S. S. Milwaukee,* estaba demasiado lejos en el estuario. Confiaba en que el capitán los hubiera esperado.

Había traído a Sally King a Burdeos aquella mañana en el Buick. Mims y el resto de los americanos vinieron después, protestando por las órdenes de Hearst de dejar los coches y el equipaje al cuidado del cónsul Noakes, para que los embarcase más adelante. Hearst le dijo a Petie que sacase la gasolina de los depósitos del convoy una vez estuvieran aparcados los coches en el consulado. Necesitaba toda la gasolina que pudiese robar, para volver a París con Bullitt.

—Me apuesto lo que sea a que Noakes les vende nuestro Chrysler a los alemanes —le dijo agriamente Mims Tarnow a su marido, Steve—. A lo mejor deberíamos quedarnos sentados, vigilando.

—Mims —intervino Hearst—, a menos que quiera comer con todo el ejército alemán, deje de quejarse y súbase a la lancha, ¿de acuerdo?

—Bueno ¿y qué tiene de malo el ejército alemán? —replicó Mims—. Nosotros no estamos en guerra con ellos. Somos espectadores inocentes.

—Dígaselo a los bombarderos —murmuró Sally.

La proa de una de las gabarras tocó el muelle de piedra delante del café donde estaban agrupados. De pie al frente, como un mascarón de proa, no iba un pescador local, sino un auténtico marinero vestido con uniforme blanco y limpio, con el nombre *S. S. Milwaukee* bordado en el pecho.

—Gracias a Dios —exclamó Mims—. Al fin alguien que sabe lo que hace. —Agarró a su hijo por el hombro y tres maletas que había seleccionado de entre todo su interminable equipaje y se apresuró a subir. El resto de los americanos empezaron a seguirla.

Hearst rodeó a Sally con el brazo con suavidad, por la escayola y el cabestrillo, y le dijo:

—Es hora de irse.

—No —replicó.

—Es lo mejor.

—¿Cómo lo sabe? —Se volvió y lo miró con rabia—. Dijo lo mismo la última vez que cogí un barco y se equivocó. Estoy cansada de ser razonable. Estoy cansada de hacer lo que me dicen. Ya no soy ese tipo de mujer.

El silbido de una bomba cruzó estrepitosamente el aire. Cien metros río arriba, un muelle explotó provocando una lluvia de piedras y de madera. La barcaza se inclinó por la onda expansiva y todo el mundo gritó.

—Váyase —gritó Hearst, empujando a Sally hacia el abrazo precario del marinero. Steve Tarnow y otros dos más saltaron el hueco cada vez más grande que separaba la gabarra del muelle, haciendo que se balancease peligrosamente por el peso de su cuerpo. El marinero dio un traspiés hacia atrás, llevando a Sally entre sus brazos, tambaleándose ambos entre la masa de gente que se apretaba contra la proa. Tarnow recuperó el equilibrio y buscó la cuerda de amarre.

Hearst se la lanzó. Se despidió con la mano.

Fue entonces cuando vio a Sally, pálida, con la mirada fija en él. No le había dicho que él se quedaría atrás.

Lo llamó desesperadamente desde el agua, estirándose hacia él. El tripulante del *Milwaukee* la agarró por el brazo sano, pero ella fue hacia delante, soltándose, hacia la popa de la gabarra.

Hearst vio lo que intentaba hacer.

—¡Sally, no! —gritó—. ¡No!

Por primera vez desde que se conocieron, ella no le hizo caso y saltó.

Joliot se despertó cuando los últimos coches americanos salían de Loudenne.

Vio la pálida luz del sol en el techo blanco, un embrollo de sábanas sobre los riñones y el lugar donde había estado Nell vacío. Cuando tocó las sábanas, ya estaban frías.

Se puso la ropa y salió de la habitación. No podía dejar que los sirvientes o los invitados como Allier o Jack *el Loco,* lo descubrieran allí. No estaba seguro de si lo hacía siguiendo el impulso de proteger a Nell o a él mismo; a él o a Irène.

Bajó silenciosamente por las escaleras de mármol y siguió el sonido de las voces hasta la cocina.

Era una habitación grande y anticuada, con mesas de roble pulidas y paredes blancas desnudas, que habría sido el territorio de un personal mucho más numeroso del que tenía Loudenne en estos momentos. Se preguntó con qué frecuencia la visitaría Nell y por qué le había parecido adecuado atender a un conde en la trascocina del *château.* Jack *el Loco* se había puesto cómodo, sin embargo, inclinado sobre la mesa en mangas de camisa con un mapa de Burdeos extendido ante él. *Oscar* y *Genevieve* estaban cargadas, a su lado.

—El *Broompark* está atracado en estos momentos en el muelle de Burdeos —decía el conde—. Mi intención es traer una nave más pequeña, subiendo por la Gironda hasta los muelles de Loudenne, y sacar los benditos bidones de agua al anochecer. No me gustaría que esos bombarderos nos pillaran llevando bienes sospechosos.

—¿Qué bombarderos? —preguntó Joliot desde la puerta.

Tres cabezas se giraron hacia él. Nell sonrió discretamente; él no pudo corresponder bajo tantas miradas.

—¡Está aquí! —gritó Allier, y se levantó de la silla. Era el único que se había afeitado aquella mañana; estaba arreglado como un pincel—. Confieso que no lo esperaba, Joliot. ¿Dónde están Von Halban y los demás?

—De camino. Yo vine directamente desde la Dordoña. He dejado a mi mujer en el sanatorio que usted encontró.

—Pobre señora —musitó Jack *el Loco*—. Tiene una tos del diablo. ¿Es tuberculosis?

Joliot asintió.

—¿Tienen un plan?

—Sí. Yo voy a buscar el barco mientras usted y Allier montan guardia ante los bidones y esperan refuerzos. El *Broompark* parte con la marea del atardecer y el capitán no va a esperar a nadie. Esperemos que sus camaradas lleguen a tiempo.

—¿Dónde está el agua? —preguntó Joliot.

En las horas acaloradas de la noche no había recordado ni por un momento la razón de su misión, no le preguntó a Nell donde había puesto la preciada sustancia a salvo. Se había despertado de ese sueño y ahora era la noche la que no parecía real.

—Por eso celebramos el consejo de guerra en la cocina —le dijo Nell con tranquilidad—. Venga. Deje que le enseñe.

Encendió una lámpara de aceite y los condujo a través de una puerta en la parte trasera de la despensa.

—Todas las bodegas de Loudenne están conectadas bajo tierra. Estas son las escaleras que llevan a la bodega principal del *château,* donde guardamos las botellas que no vamos a vender, las que el padre y el abuelo de Bertrand prepararon.

—¿Hay oporto? —preguntó Jack *el Loco* con un interés repentino.

—Mas bien no, pero hay un Lafite muy bueno —replicó Nell con sequedad—. Si tenemos éxito esta noche, abriré una botella. ¿Caballeros?

Siguieron a la única lámpara que había por unos escalones de piedra hasta las profundidades abovedadas del *château,* y el frío se instaló inmediatamente en los huesos de Joliot. Siguieron andando, pasaron por una *cave* umbría tras otra, todas llenas de botellas polvorientas. En una ocasión, Joliot vio el rastro de unas patitas, y se imaginó a un ratón haciendo su nido entre los vinos de gran clase, de cincuenta años. El silencio y el olor a cerrado del aire le recordaban a una cripta, y de pronto entendió por qué Nell amaba Loudenne, qué poder sagrado tenía sobre ella. Esta era su catedral, su pan y el vino. También había habido cierto ritual anoche, al hacer el amor, pensó Joliot. Como si, sin necesidad de hablar, los dos comprendieran que sería la última vez.

El pasaje ante ellos se hizo más amplio, la luz de la linterna lo inundó.

—Este es el camino que lleva a la *cuverie*—dijo Nell—. Une el túnel con la casa. Si seguimos, verán la compuerta justo delante.

Había unas cubas enormes que olían a tastado; Joliot reconoció la madera nueva por la que ella había pagado una fortuna para traerla desde París. Luego, tras pasar por delante de filas y filas de barricas, se oyó el sonido del río. Una rampa descendía hasta una compuerta con una rejilla de hierro.

—Hay mareas en el estuario —dijo Nell—. Esta puerta solo se puede abrir con marea baja, por eso también hay que esperar a que anochezca.

—¿Y los bidones? —preguntó Joliot.

Ella se volvió y lo miró, con el gesto inmutable.

—Envueltos en paja. Hice que Henri abriera dos barricas y los metiera allí. Ha vuelto a sellar las tapas para que nadie sospeche. Podemos llevarlas rodando hasta el barco de Jack, cuando lo traiga.

Joliot asintió.

No quedaba más que esperar.

Pasó la mayor parte del día escribiéndoles a sus hijos, con la esperanza de que alguien pudiera llevar la carta.

Jack *el Loco* desapareció en el Simca verde, en dirección a Burdeos, pero Allier se movía inquieto por todo el *château*, tropezando con los otros invitados de Nell, los judíos holandeses, con los que charlaba largo y tendido acerca de Schubert. Joliot advirtió que Elie Loewens seguía a Nell con la mirada incluso mientras escuchaba educadamente a Allier, con los dedos crispados en el diapasón del violín, y pensó: *ah, uno más entre los caídos.*

Decidió dar un paseo por las viñas y descubrió una casita para jugar, construida con dos piedras planas y las duelas rotas de un barril. Dentro, resguardados, estaban el niño y la niña holandeses, que ya hablaban un francés aceptable tras unas pocas semanas en Loudenne. Joliot le hizo a la niña un collar de margaritas y llevó al niño a cuestas. Se oía el rugido de las bombas y las pistolas a lo lejos —llegaba desde el sur, cerca de Burdeos— y le extrañó la tranquilidad de los niños.

Hacia la tarde, cuando la luz aún brillaba en el cielo, fue a dar un paseo al río para comprobar la marea. Se quedó sobrecogido al ver la enorme cantidad de barcos que había en la Gironda, formando una flota inmensa de tráfico fluvial, y virando para salir de entre ellos vio una nave pequeña: Jack *el Loco* iba al timón.

Joliot corrió hasta el final del pantalán de Loudenne.

—Prepárense, aquí llega un buen tipo —gritó el conde.

Parecía más que nunca un pirata: los tatuajes le brillaban a la última luz del día y las pistolas asomaban por la cintura del pantalón. Sonreía sin disimulo, encantado con su aventura, mucho mejor que cualquier servicio en el frente. Joliot cogió la cuerda. Había pasado bastantes vacaciones en Bretaña para saber cómo hacer un nudo marinero. El nivel del agua estaba tan bajo, que el muelle le quedaba por el hombro al inglés.

—¿Ha llegado Von Halban? ¿Y Moureu y el ruso?

Joliot lo negó con la cabeza.

—Tal vez no lo consigan. Hay demasiados alemanes entre aquí y Auvernia.

—Es como dispararle a unos peces en un barril —confirmó el conde—. Vamos a abrir el vino de Nell y luego cargamos el agua, ¿eh? Para entonces la marea ya estará suficientemente baja. Caminaron juntos hacia la mole oscura del *château;* Joliot adaptó el paso a la cojera del conde.

—Conozco a Nell desde hace una burrada de años, ¿sabe? —le confió Jack *el Loco*—. Crecimos juntos. Tuvimos nuestros días de correrías. Asistí a su boda con Bertrand aunque nos distanciamos después de eso. Lo que quiero decir, Joliot, es que me ha hablado de usted.

—¿Qué le ha contado? —le preguntó.

—Que usted era la llama para su polilla, el aire más peligroso que ella podía respirar... ese tipo de cosas. Está apasionada por usted, aunque ya debe saberlo.

—Gracias —dijo Joliot con dificultad—. Yo también conozco a Nell desde hace mucho.

—Supongo que usted no querría utilizar su influencia sobre ella, ¿verdad? Para conseguir que se suba al *Broompark* cuando zarpe. No me siento bien dejándola abandonada aquí con los germanos. Podrían pasarle cosas terribles.

—Si tuviera alguna influencia —replicó Joliot—, la convencería para que se quedara aquí para siempre.

—Ya veo —dijo el conde, y siguieron andando hacia la casa en silencio.

Cuando estaban acabando la cena —un guiso apresurado de conejo que Henri había atrapado con trampas en el parque y que el cocinero había hecho al vino— toda la mesa quedó sumida en el silencio al oír unos vehículos que se aproximaban.

—Von Halban. —Joliot empujó la silla hacia atrás y siguió a Nell al vestíbulo.

Estaba de pie en la puerta cuando el primer coche alemán se detuvo, y Spatz salió al aire dulce de la noche.

Levantó el brazo y sonrió.

—*Heil Hitler* —dijo.

44

—Rápido —susurró Nell— Vuelve a la casa. Busca a los holandeses y llévalos a los túneles tan rápido como puedas. ¡Haz lo que te digo Ricki!

Joliot se volvió y echó a correr de vuelta hacia el comedor.

—Los alemanes —dijo en voz baja—. Cinco coches por lo menos. Tenemos que irnos rápidamente.

Jack *el Loco* ya había empuñado a *Oscar* y a *Genevieve,* pero Allier le agarró de la muñeca y lo apremió:

—La compuerta. *Vite.*

Joliot se giró. Fue hacia la escalera trasera que estaba cerca de la cocina, sin dejar de escuchar el sonido de la charla amigable a la entrada del *château,* a Nell haciendo gala de sus modales más aristocráticos, hablándole en francés a todo el mundo como si no fuese ciudadana inglesa y enemigo nacional de los doce hombres que entraban a grandes zancadas en su casa.

—Hola Spatz, querido —la oyó decir, y pensó: *su primo. ¿Nos habrá traicionado Nell?*

Elie Loewens estaba de pie, silencioso, en el pasillo superior, tanteando las paredes con la punta de los dedos como si se pudiese canalizar el sonido a través del yeso.

—Coja a su familia —susurró Joliot—. Bajen por la escalera trasera, antes de que sea demasiado tarde.

—Los niños —dijo Elie—. Los niños no están en la casa.

Joliot soltó un juramento entre dientes.

—Yo me ocupo de ellos. Sé dónde pueden estar. Váyanse, rápido. A la bodega.

Nell los condujo al comedor y se disculpó por el hecho de que la cena ya hubiera terminado; llamó a la doncella con la campana, pero no apareció, aterrada por la idea de la invasión y de una posible violación. Nell les rogó que se sentaran, estarían muy cansados de un viaje tan largo, ella misma les traería algo de comer y vino. Al ir a la cocina, notó que Spatz la seguía.

Estaba vacía, pero sabía que, en estos momentos, tenía que mantenerlo apartado de esa parte de la casa a toda costa, ya que era la única vía de escape. Se volvió y le puso las manos en la guerrera de lana, haciendo presión contra su pecho y deteniéndolo bruscamente en la despensa del mayordomo.

—¿Qué demonios estás haciendo aquí? —le preguntó.

Él le sonrió, con el encanto despreocupado de siempre asomando en su mirada de pájaro, y le dio un beso en la frente.

—Mi dulce Nell —dijo—. Eres una delicia para los ojos cansados. No sabes cuánta muerte he tenido que presenciar desde la última vez que te vi...

—Pero ¿por qué? ¿No deberías estar en París?

—Estoy salvando mi alma de apóstata —le contestó sin darle importancia—. Le estoy bailando el agua a la Gestapo. Algunos de los hombres más violentos de Alemania están sentados a la mesa de tu comedor en estos momentos, Nell, y quieren el viñedo. La bodega. La casa. Se lo he dado todo como gesto magnánimo de reconciliación. Después de todo, son la raza superior.

Ella dio un paso atrás, la bilis le subía por la garganta.

—¡Qué!

—¿Sabías que dos millones de soldados franceses han desaparecido o han caído prisioneros? ¿Y que casi cien mil están muertos? Todo en seis semanas. La maquinaria de guerra alemana es algo a lo que nadie puede oponerse.

—Spatz...

—Loudenne era lo único que podía ofrecerles, Nanoo. Porque tú me has fallado. Se suponía que ibas a encontrar algo que vender. —La agarró por los hombros—. Pero ya nadie quiere ayudar al pobre Spatz. La chica negra, mi artista de circo, me robó una fortuna en uranio en cuanto la saqué de Francia, y yo creí en ella, Nell, le dije adiós con la mano en el muelle de Marsella mientras se marchaba con el baúl que yo creía que era el mío. Luego conseguí el deuterio de Joliot, pero resultó que fue un jodido error: me llevé agua del grifo sucia desde Clermont-Ferrand hasta la Comandancia Suprema alemana a las afueras de París y se rieron de mí, Nell, en cuanto comprobaron los tres primeros bidones. Casi se están riendo de mí de aquí a Berlín y prefiero morir que ir allí, ¿lo entiendes? Vendería a mi madre y a mi hijo si lo tuviera, e incluso te vendería a ti, Nell, antes que enfrentarme a Hitler en la madre patria, *tu comprends?*

—*Oui* —repuso; tenía el cuerpo frío como el hielo—. Lo entiendo, pero no puedo darte Loudenne. No es mío.

—Los hombres que están en la otra habitación se lo van a quedar de todas formas. Esta mañana han decidido, por imposición, cuál es la zona ocupada con el viejo Pétain, que ha sustituido al primer ministro Reynaud y ahora es el perrito faldero del Führer, y si vieras el mapa es para troncharse; incluye las mejores regiones vinícolas de Francia. La tuya entre ellas. Así que haz las maletas antes de que mis amigos decidan que quieren tu ropa interior, querida. O tal vez a ti. Serías un polvo pasable para uno de ellos hasta que Bertrand vuelva a casa.

—No lo hagas, Spatz. No les vendas tu alma...

Él la atrajo hacia sí y la besó con violencia en la boca, acariciando la gota de sangre que asomaba por el labio inferior.

—Yo no tengo alma, querida. Haz las maletas, antes de que les venda a tus judíos patéticos.

Bajaba por la escalera de atrás conteniendo el aliento, tanteando con las palmas en la pared para avanzar, mientras escuchaba cómo el mundo de Nell se venía abajo a su alrededor.

Cuando Spatz le mordió el labio, estuvo a punto de lanzarse contra él y estrangularlo, pero entonces luchó contra el miasma rojo que le nublaba la visión y el entendimiento. *Piensa en la ciencia, Ricki, es la voz de la razón. Ahora la necesitas.*

Hubo algo del desapasionamiento de Irène en la forma en que hizo caso omiso del rostro angustiado de Nell; la puerta de la despensa del mayordomo se cerró detrás del alemán rubio y alto cuando regresó para entretener a sus chacales, y continuó bajando por las escaleras hasta la bodega. Corrió a paso constante en la oscuridad, y giró a la izquierda donde el pasadizo desde la *cuverie* se unía al de la casa. Oyó unas voces suaves en la distancia: Allier y los banqueros holandeses, llevando las barricas.

Subió a la habitación de los vinos de un año y salió a la oscuridad de junio.

¿Qué había hecho salir a los niños de la casa?

Pensó en sus propios hijos, Hélène de trece años y Pierre, algo más pequeño, ambos abrumados por la violencia del mundo de los adultos. Los pequeños de Kuyper sabían demasiado acerca de escapar y de morir; Demasiada temporalidad; así que al final se habían construido ellos una casa. Debía parecerles mucho más segura que la que cualquier adulto hubiera podido darles.

Cuando los encontró, estaban temblando y ligeramente húmedos por el aire del mar, acurrucados bajo las duelas y las piedras. Los niños de seis y tal vez cuatro años, le miraban desde su guarida con los ojos de dos zorritos.

—*Les allemands* —susurró la niña, abrazando a su hermano—. Han venido a por papá.

—Tenéis que estar muy callados —le dijo Julian de Kuyper a su hija en voz baja, y la puso en el enorme barril de roble—. Incluso cuando los barriles rueden, no debéis chillar, ¿prometido?

La niña asintió; su tía Mathilde se metió en el barril a su lado, rodeando a los dos niños con los brazos. El *maître du vin,* Henri, la envolvió con una manta que había traído de su casa, y Joliot captó una última imagen de la cabeza inclinada de Mathilde mientras el anciano clavaba la tapa con unos clavos.

Henri había aparecido sin previo aviso unos minutos después de que Joliot llegase a la compuerta con los niños. Jack *el Loco* estuvo a punto de pegarle un tiro en la cabeza canosa al bodeguero, al asomarse sin hacer ruido en la oscuridad del túnel. Henri les explicó que la condesa le había ordenado estar en la compuerta al bajar la marea, porque había que hacer un transporte corriente abajo hasta Burdeos. No había traído a ninguno de los trabajadores de Mouton consigo, y no hizo preguntas, ni siquiera cuando vio que espitaban las barricas de roble nuevo, que habían costado tan caras, y las llenaban con los invitados de la condesa.

—Malas noticias —murmuró el anciano, mientras clavaba con un martillo las tapas, primero la de Elie, y luego la de Moïses Loewens—. Dicen que Mouton y Lafite están en manos de los alemanes desde esta noche. El barón Philippe está en una de las cárceles de Pétain. Pero no atraparán a estos, ¿eh?

Nadie le respondió. Todos oyeron las pisadas que, de repente, se dirigían hacia ellos: sonaban como si todo el ejército alemán estuviera marchando. Iban directamente a la compuerta.

—Rápido —dijo Jack *el Loco*— ¡Los barriles!

Y el barril de Mathilde rodó lentamente hacia el río.

Nell corrió por la *cuverie* y bajó, con el corazón enloquecido, los escalones hacia la zona donde envejecían los vinos. Spatz había invitado a los alemanes a visitar la bodega de Loudenne, y a todos les pareció una buena forma de matar el tiempo mientras esperaban la cena. Los conquistadores estaban de humor para una celebración. Querían recrearse con el premio que habían ganado.

Spatz los llevó por los escalones de la cocina hasta la bodega mientras Nell se fundía con las sombras del pasillo, esperando a que el último uniforme desapareciera, antes de echar a correr por la puerta principal y atravesar el jardín. Las bodegas de Loudenne tenían muchas entradas.

Tenía un camino más largo por delante que el que seguían los nazis, pero iba corriendo, y ellos se detenían en cada arco de la *cave* bajo la casa para estudiar las botellas y las etiquetas, hablando de cosechas y crianzas y de si la cerveza alemana no sería superior al vino, a fin de cuentas.

Oía el eco de sus voces en la bodega mientras ella cruzaba a escondidas, como una sombra, el pasadizo que llevaba a la casa. Unos cuantos metros más y llegaría a la compuerta.

Sonó un disparo y se tambaleó hacia atrás, el hombro derecho le estallaba de dolor. *Oscar,* pensó desesperadamente. *Genevieve.* Se llevó la mano a la herida y notó la sangre caliente brotar bajo los dedos.

—¡Idiota! —le gritó en inglés, furiosa, mientras avanzaba vacilante hacia Jack *el Loco*—. ¡Se les van a echar encima como una manada de lobos!

Las voces tras ella habían cesado y comenzó el martilleo de pasos.

—Suban al bote —les ordenó a los cuatro: Allier, Joliot, Henri y el conde, mientras la miraban horrorizados.

—Nell... ¡está sangrando!

—Spatz está con ellos —insistió—. Le va a reconocer, Jack, y si es así, es usted hombre muerto. Súbanse al bote.

Allier agarró a Joliot, que parecía incapaz de moverse, y tiró de él para llevarlo adonde estaba el último barril. Lo empujaron con fuerza hacia la gabarra cargada amarrada al otro lado de la compuerta, que ya había empezado a subir porque la marea había cambiado.

—¿Von Dincklage? Dios mío, no he visto a ese bastardo desde los tiempos en que jugábamos al polo en Deauville —dijo el conde tajantemente—. El sinvergüenza siempre hacía trampas. —Levantó una de sus pistolas como si estuviese calculando la distancia entre el río y el enemigo.

—Me quedo con ella —dijo Nell, y se la quitó de las manos con el brazo izquierdo, el sano—. Váyanse. Yo los retendré.

Al final no fue Spatz quien la mató mientras ella empuñaba la pistola del conde delante de la compuerta que daba a la Gironda; Spatz todavía llevaba ropa de paisano y la pistola guardada en el bolsillo de la chaqueta, más que nada para impresionar. Pero tampoco detuvo al oficial nazi que levantó el brazo y disparó a la condesa de Loudenne a quemarropa.

Había momentos en los que había que elegir bando, y este era uno de ellos.

45

—¿Se quedan?

Allier se volvió y estudió al hombre que estaba de pie en el pantalán, con las manos en los bolsillos. Era ágil y de complexión fina, de ojos algo hundidos. Hablaba francés sin acento, pero por la despreocupación que mostraba por la ropa, Allier pensó que debía ser extranjero. A su lado había una mujer con un brazo escayolado.

—Sí —respondió—. ¿Usted es *monsieur...?*

El hombre extendió la mano.

—Joe Hearst, de la embajada americana. Y esta es la señorita Sally King. Nuestra gente salió ayer de Burdeos.

—Ya veo —comentó Allier. Se inclinó ante la mujer.

—Estábamos acampados en el *château* Loudenne —insistió Hearst—. Lo vi allí el domingo por la noche, en un Simca verde. ¿Está bien la condesa?

Allier miró a Joliot-Curie, que estaba desconsolado a unos veinte metros en el muelle, y dijo en voz baja:

—Creo que ya no hay que preocuparse por ella.

—Por favor, déle recuerdos cuando vuelva a verla, *monsieur...*

—Jacques Allier —le alargó la mano—. Ministerio de Armamento.

Algo cambió en el rostro del americano. Miró rápidamente desde el muelle al *Broompark,* que acababa de soltar amarras y volvía hacia el Garona con toda la plana mayor de la física francesa a bordo. Pero fue Sally King quien habló:

—¡Allier! —dijo—. ¡Entonces usted conocía a Philip!

—*Pardon, mademoiselle?*

—Philip Stillwell. Mi prometido. Le envió unos papeles antes de morir...

Él se detuvo en seco, y miró al hombre llamado Hearst.

Allier se quitó las gafas.

—*Le pauvre Philippe.* La acompaño en el sentimiento, señorita King. Lo asesinaron, ¿verdad?

—Sí—dijo ella firmemente—. Y los papeles que quería que tuviera usted han desaparecido. Se hundieron en el Canal cuando torpedearon mi barco.

Allier miró a Joliot-Curie que tenía el aspecto de un país desgarrado; no podía hacer nada más por él, ahora que había rechazado la oferta final de asilo de Jack *el Loco,* así que empezó a alejarse despacio del río, una vez acabada su misión allí.

—¿Qué eran esos documentos exactamente, *s'il vous plaît?*

—Una lista de envíos de monóxido de carbono. —Hearst lo siguió de cerca, rodeando con su brazo protector a la chica de Stilwell—. Una lista de sanatorios y hospitales alemanes. Algo acerca de unos itinerarios de autobús. La esquela de un ingeniero químico llamado Juergen Gebl, que trabajaba para una empresa llamada I. G. Farben...

Allier se subió el cuello del abrigo. El *Broompark* se hacía más pequeño tras ellos y la voz de Jack *el Loco* se negaba a sucumbir bajo el zumbido de los bombarderos alemanes. El conde entonaba una saloma marinera. Había atado las barricas de agua pesada a un lado del barco; si lo alcanzaban, los explosivos destruirían el agua antes de que pudiera caer en manos enemigas. Pero a Allier ya no le preocupaba el agua pesada ni la gente que navegaba con ella.

—¿Puede decirnos por qué murió Philip? —La voz de Sally se alzó sobre los persistentes bombarderos y el zumbido de los motores—. ¿Por el monóxido de carbono? Comprendo que su muerte no signifique nada para usted, en vista de todo esto... —Con un gesto señaló los restos de los barcos en el puerto, los muelles destrozados—. Una muerte en medio de tanta..., pero para mí...

—... Para usted es como si toda luz se hubiera extinguido —dijo Allier—, y espera que se haga justicia. Que tenga sentido. *Bon.* Asesinaron a su novio porque hay gente que no quiere que el mundo sepa lo que él había averiguado. Que estos alemanes... —miró hacia atrás, al caos del Garona— están matando a sus propios ciudadanos más débiles o incapacitados como si fueran ganado enfermo. A las víctimas de la polio, a los epilépticos y a los tuberculosos. Pensionistas o niños, da igual. Se los arrancan a sus familias para darles un «tratamiento especial» y lo siguiente que saben de ellos es por un certificado de defunción que les envían por correo.

—¡Dios mío! —murmuró Hearst—. Pero no se puede...

—¿Aplicar la eutanasia a la gente? Así lo llaman en Berlín. La palabra significa «morir bien». La raza superior tiene que aparecer impecable mientras devora al mundo, *mon ami.* Así que las autoridades envían a los fracasos médicos a ciertos centros, hospitales en su mayoría, donde los encierran en una habitación habilitada con unas tuberías para el de monóxido de carbono. Es una muerte lenta y chapucera, señor Hearst. Cortesía de I. G. Farben. Están sacando un buen beneficio de los humos de los coches.

—Eso es algo monstruoso —dijo Sally King, débilmente—. Es... inhumano. Si eso es verdad...

—Oh, es verdad, se lo aseguro. Ese ingeniero, Juergen Gebl, fue testigo de ello. Quiso saber que hacían con todo ese monóxido de carbono. Vio cómo salían de los autobuses niños de diez y catorce años. Por esa razón tuvieron que matarlo, ya ve. Un grupo de «matones comunistas», como dijeron ellos, según tengo entendido, lo mataron de una paliza una noche de camino a casa. Está todo detallado en mi expediente.

—Hay que detenerlos. Si lo publicara...

—Eso es lo que pensó su Philip, también —le respondió Allier—. Sobre todo porque I. G. Farben había sido cliente de Sullivan & Cromwell. Le enfurecía que unos abogados americanos trataran el asesinato de víctimas inocentes como si fuera un asunto comercial. Pero algunas personas de la firma no querían que se desvelase la verdad, así que decidieron que Stilwell también tenía que morir. De una manera tan vergonzosa que nadie se atreviera a investigar.

—Emery Morris —dijo la mujer—. I. G. Farben le pagó.

Allier asintió.

—Su antiguo socio, Rogers Lamont, se negó a representar a Farben nunca más. Juergen Gebl era amigo de Lamont.

—Pero si Morris tuvo que matar a Stilwell... —musitó Hearst—... si el silencio es tan vital... es porque los nazis deben seguir haciéndolo. Siguen gaseando gente.

—¿En plena invasión de Francia? —Allier se rió ásperamente—. ¿Por qué matar civiles cuando hay tantos soldados aliados a los que disparar? Han cambiado el gas por los Messerschmitts.

En alguna parte del puerto, explotó una bomba lanzando una llamarada negra y naranja. Ya no se veía el *Broompark.*

—Señor Allier —dijo Sally King—, Joe y yo nos quedamos aquí. Nos gustaría ayudarle en esta guerra.

—En ese caso, *mademoiselle* —respondió con gravedad—, les encontraré algo que hacer, sin duda.

Y caminaron hacia el corazón de la Francia conquistada.

Epílogo

«Transcripción del interrogatorio realizado a Frédéric Joliot-Curie, premio Nobel y miembro del Collège de France, a cargo del general Erich Schumann, profesor de física militar en la universidad de Berlín, consejero científico del general Keitel. El general Schumann estuvo acompañado por el doctor Kurt Diebner, físico nuclear del Instituto de Física Kaiser Wilhelm y por Wolfgang Gentner, físico, que realizó su aprendizaje con Joliot-Curie de 1932 a 1935. El interrogatorio tuvo lugar en el Collège de France el 13 de agosto de 1940. Dieter Wolf, transcriptor.

PREGUNTA: ¿Dónde está el agua pesada?
JOLIOT: La subí a un barco inglés en el puerto de Burdeos.
PREGUNTA: ¿Cómo se llama el barco?
JOLIOT: No tengo ni idea. Oí cómo lo hundían sus bombarderos pocas horas después de salir del puerto.
PREGUNTA: Nuestros registros muestran que compró un cargamento de metal de uranio a los Estados Unidos. ¿Dónde está en estos momentos?
JOLIOT: El Ministerio de Armamento se quedó con el uranio. Será mejor que les pregunte a ellos lo

que han hecho con él. Según creo, tienen ustedes un espía en el Ministerio.

PREGUNTA: No juegue con nosotros, *Doktor* Joliot. Usted mejor que nadie debe saber dónde está el uranio.

JOLIOT: Soy la última persona a la que el Ministerio se lo diría. No confían en mí en absoluto, me temo. Soy comunista.

Estaba divirtiéndose con el interrogatorio; le gustaba mentir con esa despreocupación, a él, que siempre le había costado tanto trabajo engañar. Schumann había usado la palabra adecuada: estaba jugando con ellos, dejando caer que conocía la existencia de un espía y su indiferencia absoluta ante la verdad, delante de sus caras. Era una prueba de amor y lealtad hacia Nell, tanto como hacia Francia.

—Piénselo mejor, Fred —le advirtió Wolfgang Gentner en privado cuando por fin se fueron los demás—. Pueden hacerle la vida imposible, ya lo sabe. He pedido que me pusieran en el laboratorio para poder protegerle, pero no sé cuánto me van a dejar estar aquí. Ya me han denunciado una vez por mis tendencias democráticas.

—Pobre Gentner. —Le dio una palmada en el hombro a su antiguo amigo, con un afecto y una compasión sinceros—. ¿Nos reunimos después en el Boul-Mich? No le prometo que vaya a decirle la verdad, pero podríamos hablar de nuestros hijos.

Gentner le sonrió con tristeza.

—Esos hombres van a volver. No le van a dejar en paz. Quieren el ciclotrón y su competencia. Sobre todas las cosas, quieren su inteligencia.

—Creo que ni siquiera los nazis han averiguado cómo robármela.

Gentner se volvió desde la puerta.

—Se equivoca, sabe, en lo del espía del Ministerio. Creo que la fuente de información ha sido alguien mucho más cercano a su casa. Vigile su espalda, Fred. Y el frente. Ahora es usted vulnerable por todos lados.

Faltaba un mes para que los niños vinieran de Bretaña y para que dieran de alta a Irène. Un mes para curar sus heridas y seguir como antes: como si la guerra no hubiese ocurrido nunca, como si su propia mujer no hubiese comprometido la seguridad del mundo al poner la investigación que él llevaba a cabo en manos alemanas.

Era increíble, pensó mientras apagaba las luces del laboratorio y salía para reunirse con Gentner en el pequeño café donde una vez estuvo tomando algo con Nell, los crímenes que una persona podía cometer en nombre del amor.

Conclusión

Podemos imaginarnos varios finales para los personajes ficticios que llenan estas páginas: Sally King, Joe Hearst, los hermanos Loewen y la familia De Kuyper, por nombrar algunos. Para otros, sin embargo, al ser personajes inspirados en personas que realmente vivieron los acontecimientos, el futuro se desvela de forma que podemos contarlo.

Jack *el Loco,* vigésimo conde de Suffolk, consiguió llevar a salvo al puerto de Southampton el agua pesada atada al lateral del *Broompark,* unos pocos días después de su partida de Burdeos. Con una lógica solo comprensible para los británicos, finalmente el agua se dejó a cargo de un bibliotecario del castillo de Windsor. Jack *el Loco* murió un año después de los acontecimientos descritos en esta novela, mientras intentaba desactivar una bomba.

Frédéric Joliot-Curie apoyó a la resistencia al ofrecerles su laboratorio de noche para la construcción de bombas clandestinas, a pesar de que enviaron a cuatro científicos alemanes a trabajar con él en el Collège de France. Después de la guerra, se unió al partido comunista francés. Su papel como pionero de la física atómica e incluso su nombre han caído en el olvido para mucha gente. Esto ha podido deberse a sus constantes esfuerzos por construir un puente entre los científicos soviéticos y occidente en el momento más álgido de la Guerra Fría;

su filiación política lo hizo sospechoso a los ojos de Estados Unidos y a los de algunos colegas europeos. Murió en agosto de 1958.

Irène Joliot-Curie trabajó en su laboratorio durante toda la II Guerra Mundial, apoyó y compartió la visión política de su marido, y murió de leucemia en la primavera de 1956. No hay ninguna prueba que sugiera que filtrase la investigación de su marido a los alemanes. El misterio de las filtraciones en el Ministerio de Armamento ha quedado sin resolver hasta nuestros días.

Hans von Halban y Lew Kowarski contribuyeron a la investigación atómica británica mientras estuvieron en Cambridge y volvieron a Francia al acabar la guerra. Alcanzaron un notable éxito en su carrera como físicos.

Jacques Allier sobrevivió a la guerra y volvió a la banca.

Un francotirador alemán asesinó a Rogers Lamont cuando los británicos se retiraban a Dunquerque. Fue el único socio de Sullivan & Cromwell que murió en la II Guerra Mundial, aunque muchos de ellos participaron. Hay una placa en su memoria como remero y alumno en un cobertizo de la Universidad de Princeton.

I. G. Farbenindustrie continuó su labor en el campo de la química de guerra, cambiando el suministro de monóxido de carbono por la producción de Zyclon B, el ácido prúsico que formaba parte del gas exterminador que se utilizó en Auschwitz y en otros campos de concentración. La compañía se reorganizó tras la II Guerra Mundial, y ahora se conoce en todo el mundo como BASF. En los archivos de la compañía se guardan los documentos correspondientes al uso del monóxido de carbono para los programas de eutanasia doméstica, además de los relativos al papel de I. G. Farben en la Solución Final de Hitler.

Hans Gunter von Dincklage —Spatz para los amigos— resultó ser el espía más difícil de catalogar tras la guerra. Vivió en el hotel Ritz, en cuyo vestíbulo un día conoció a

Coco Chanel. Se dice que Coco quedó admirada de la perfección de su francés y de la excelencia de su ropa; a pesar de que ella era doce años mayor que él, se hicieron amantes. Chanel se mudó a la habitación de Spatz en el Ritz (los alemanes la habían desahuciado de su casa) y se convirtió en defensora ardiente de la ocupación. Antes de que liberasen París en agosto de 1944, Spatz huyó al este. El movimiento de la Francia Libre denunció a Chanel por colaboracionista, la arrestaron y la interrogaron. Ella y Spatz se reunieron finalmente en Suiza, donde vivieron en el exilio durante muchos años antes de separarse. Chanel volvió a París en 1953 y, a la edad de setenta años, volvió a abrir su casa de modas tras un paréntesis de quince años, con una colección que arrasó el mundo en la primavera de 1954.

El final de la vida de Spatz sigue siendo una incógnita.

El *château* Loudenne se alza todavía en las riberas de la Gironda, en el Médoc, pero no ha alojado en él a ningún conde o condesa durante muchos años. La familia Gilbey, de fortuna y fama debidas a la ginebra británica, compró la propiedad a finales del siglo diecinueve, y todavía sigue en manos de sus sucesores. Hay una escuela de cocina en el château de color rosado, y aunque el vino sigue siendo *cru bourgeois,* es de buena calidad.

El ejército alemán ocupó Mouton-Rothschild durante la guerra. El barón Philippe de Rothschild fue enviado a prisión en Vichy, de donde consiguió escapar a Inglaterra y se unió a De Gaulle. Su mujer, la vizcondesa Elizabeth de Chambure, pasó la guerra en París, donde la Gestapo la arrestó en las últimas semanas de la ocupación de Francia y la separaron de su hija, Philippine. Elizabeth de Chambure fue ejecutada en el campo de concentración de Ravensbrück, unas semanas más tarde.

Al volver a Mouton tras la liberación de Francia, el barón Philippe pidió un grupo de trabajo formado por prisioneros alemanes para que reparasen los grandes daños que le habían causado al *château* y para que construyeran una carretera nueva por el parque. Desde entonces, el barón Philippe se refirió a ella como «el camino de la venganza».

Memphis Jones está basada en la legendaria intérprete de *jazz* y de cabaré Josephine Baker, que huyó de París al norte de África ante la invasión alemana y se unió a las fuerzas de los Franceses Libres con De Gaulle, como espía. Josephine Baker recibió una condecoración por sus méritos en el servicio, de manos del propio de Gaulle, y se quedó en París hasta su muerte en 1975. Durante toda su vida coleccionó amantes y adoptó varios niños de diferentes etnias, a los que llamó «la familia arco iris».

El embajador William Bullitt sirvió como alcalde provisional de París cuando el gobierno francés abandonó la ciudad a los alemanes. Fue testigo de la capitulación de las fuerzas francesas y se dice que sirvió champán para el gobierno de ocupación cuando entró en París, a pesar de su reconocido odio hacia el nazismo. Abandonó Europa en 1940, y nunca volvió a ocupar un cargo importante en el Gobierno de Roosevelt. A pesar de su buena amistad con el presidente, el estilo brusco de Bullitt y su tendencia al cotilleo irritaron a FDR, que se distanció de él; igualmente fueron vanas sus esperanzas de que lo nombraran secretario de la Marina en un gabinete de guerra. Un terrible accidente de coche minó su salud; su estudio freudiano de Woodrow Wilson recibió duras críticas; murió de cáncer en 1967.

Max Shoop cerró la oficina de París de Sullivan & Cromwell y mandó a sus colegas americanos de vuelta a casa, a Nueva York, en el que se cree que fue el último barco que salió de Burdeos. Él y Odette dejaron París finalmente y se fueron a Suiza, donde llevó a cabo operaciones de inteligencia para la Oficina de Servicios Estratégicos a las órdenes de su antiguo socio en Sullivan & Cromwell, Allen Dulles. Después de la guerra volvió a

París y se unió a la firma internacional de Coudert Brothers. Murió en 1956.

John Foster Dulles sirvió como secretario de estado con Dwight D. Eisenhower, asegurando así que un aeropuerto internacional llevara su nombre un día. Su hermano, sin embargo, renunció a su condición de socio de S&C en 1940 para unirse a OSS. Allen Dulles fue enviado a Berna, en Suiza, en diciembre de 1942, y pasó los tres años siguientes dirigiendo operaciones de inteligencia por toda Europa, utilizando en muchos casos los antiguos contactos que había conseguido a través de la red de Sullivan & Cromwell. El talento de Allen para la intriga y el engaño —practicados largo y tendido con su mujer— encontró un escenario natural en el espionaje, y tras la guerra lo nombraron director de la Central de Inteligencia. Dulles dirigió la CIA durante una década, durante el periodo de la Guerra Fría. Quizá haya sido el único individuo que ha dejado una marca indeleble en la organización.

Allen Dulles fundó más tarde un pequeño *pub* donde los espías más importantes se reunían, en el corazón de Washington D. C. Más o menos donde ahora se alza el museo del Espía Internacional.

Lo llamó el Alibi Club.[7]

---

[7] Club Coartada

Bestsellers

1.	La ecuación Dante	Jane Jensen
2.	Signum	José Guadalajara
3.	El resugir de la Atlántida	Thomas Greanias
4.	Testamentvm	José Guadalajara
5.	Imajica: el Quinto Dominio	Clive Barker
6.	Imajica: la Reconciliación	Clive Barker
7.	El puzzle de Jesús	Earl Doherty
8.	El secreto de María Magdalena	Ki Longfellow
9.	El ángel más tonto del mundo	Christopher Moore
10.	En presencia de mis enemigos	Harry Turtledove
11.	Tiempo de matar	Lisa Gardner
12.	La habitación de Ámbar	Steve Berry
13.	El traficante de bebés	Kit Reed
14.	La buena muerte	Nick Brooks
15.	Desaparecido	Jonathan Kellerman
16.	El códice de la Atlántida	Stel Pavlou
17.	Un trabajo muy sucio	Christopher Moore
18.	El Club de los Patriotas	Chistopher Reich
19.	El clan Inugami	Seishi Yokomizo
20.	Pánico	Jeff Abbott
21.	El templo	Matthew Reilly
22.	El protocolo griego	Kendall Maison
23.	Alibi Club	Francine Mathews

PRÓXIMAMENTE

Obsesión	Jonathan kellerman

LÍNEA MAESTRA

Una colección que apuesta por la narrativa actual, sin olvidar la recuperación de algunos clásicos emblemáticos y autores de referencia. Títulos de una amplia variedad de géneros concebidos para satisfacer la demanda cultural del lector moderno.

1.	El museo del perro	Jonathan Carroll
2.	El teatro oscuro	Christopher Fowler
3.	Los nueve príncipes de Ámbar	Roger Zelazny
4.	Las armas de Avalón	Roger Zelazny
5.	El fin de mi vida	Graham Joyce
6.	Los dientes de los ángeles	Jonathan Carroll
7.	El puente	Iain Banks
8.	El manuscrito de Dante	Nick Tosches
9.	El mesías ario	Mario Escobar
10.	El círculo de Farthing	Jo Walton
11.	Manzanas blancas	Jonathan Carroll
12.	La fábrica de avispas	Iain Banks

PRÓXIMAMENTE

Vellum	Hal Duncan
La niña del cristal	Jeffrey Ford

CALLE NEGRA

En Calle Negra estamos publicando la mejor selección de autores del género policíaco y de misterio, tanto clásicos consagrados como las voces más destacadas de la novela actual.

9.	La chica de California	T. Jefferson Parker
10.	Negocios orientales	S. J. Rozan
11.	Lovers Crossing	James C. Mitchell
12.	Por amor al arte	Andreu Martín
13.	Un baile en el matadero	Lawrence Block
14.	Expediente Barcelona	Fco. Glez. Ledesma
15.	Diario de un ladrón de bancos	Danny King
16.	Red de arrastre	Lin Anderson
17.	Sangre bajo cero	Steve Hamilton
18.	Ciudadano Vince	Jess Walter
19.	Peor, imposible	Julian Rathbone
20.	Cuando la oscuridad se cierne	Peter Blauner
21.	El círculo	Peter Lovesey
22.	Recuérdame al morir	Silver Kane (F. G. Ledesma)
23.	Manos de sangre	S. J. Rozan
24.	Cuando el antro sagrado cierra	Lawrence Block
25.	Un asesino en Butchers Hill	Laura Lippman

PRÓXIMAMENTE

Sin tregua	Simon Kernick
Un cadáver en Koryo	James Church

1.	Cambio de esquemas	Robert J. Sawyer
2.	Darwinia	Robert Charles Wilson
3.	Ubik —5ª Edición	Philip K. Dick
7.	Luz de otros días —2ª Edición	Arthur C. Clarke y S. Baxter
8.	El espíritu de la Navidad	Connie Willis
9.	El globo de oro	John Varley
11.	Mundo Anillo —4ª Edición	Larry Niven
13.	Las máquinas de Dios —2ª Edición	Jack McDevitt
16.	Ladrona de medianoche	Nalo Hopkinson
18.	Muero por dentro	Robert Silverberg
19.	Las 100 mejores novelas de CF del siglo XX —2ª Edición	Varios autores
20.	La estación de la calle Perdido	China Miéville
23.	El hombre completo	John Brunner
29.	Rosa cuántica —2ª Edición	Catherine Asaro
30.	Ingenieros de Mundo Anillo —2ª Edición	Larry Niven
31.	La Compañía del Tiempo	Kage Baker
33.	Deepsix	Jack McDevitt
34.	El libro de los cráneos	Robert Silverberg
35.	Nómadas	Robert C. Wilson
36.	Los de días de antigüedad (Confluencia 2)	Paul McAuley
37.	Las Fuentes Perdidas	José Antonio Cotrina
38.	Terraformar la Tierra	Jack Williamson
39.	Luz Oscura	Ken MacLeod
40.	Espacio Revelación	Alastair Reynolds
41.	La luna es una cruel amante	Robert A. Heinlein
42.	Inversión Primaria	Catherine Asaro
43.	Cielo de singularidad	Charles Stross
44.	Excesión	Iain M. Banks
45.	Desconexión	Neal Asher
46.	Veniss soterrada	Jeff Vandermeer
47.	Dentro del Leviatán —2ª Edición	Richard Paul Russo
48.	Trueno rojo	John Varley
49.	El mar de madera —2ª Edición	Jonathan Carroll
50.	El fin de la eternidad —3ª Edición	Isaac Asimov
51.	La clave del laberinto —3ª Edición	Howard V. Hendrix
52.	Chindi	Jack McDevitt
53.	A través de Marte	Geoffrey A. Landis
54.	Evolución	Stephen Baxter
55.	Ciudad Abismo	Alastair Reynolds
56.	Incordie a Jack Barron	Norman Spinrad
57.	El Artefakto —2ª Edición	Iain M. Banks
58.	Sueño temerario	Roger Levy
59.	Trono de Mundo Anillo —2ª Edición	Larry Niven
60.	En algún lugar del tiempo	Richard Matheson
61.	Galveston	Sean Stewart
62.	La odisea del mañana	Charles Sheffield

63.	Las edades de la luz	Ian R. MacLeod
64.	Solo un enemigo: el tiempo	Michael Bishop
65.	Los propios dioses —3ª Edición	Isaac Asimov
66.	Danza de huesos	Emma Bull
67.	Testigos de las estrellas	Robert C. Wilson
68.	La caída del dragón	Peter F. Hamilton
69.	El consejo de hierro	China Miéville
70.	Contra la oscuridad	Iain M. Banks
71.	Ciudad Motor	Ken MacLeod
72.	Maestro del tiempo	Robert L. Forward
73.	El increíble hombre menguante	Richard Matheson
74.	Jugar a dioses	Damien Broderick
75.	Tiempo para amar	Robert A. Heinlein
76.	Como la vida misma	Gwyneth Jones
77.	El río de los dioses	Ian McDonald
78.	Yesterday	Chris Roberson
79.	Omega	Jack McDevitt
80.	Ruido de pasos	Larry Niven y Jerry Pournelle
81.	Inversiones	Iain M. Banks
82.	Contra la gravedad	Gary Gibson
83.	El arca de la redención	Alastair Reynolds
84.	La máquina diferencial	W. Gibson y B. Sterling
85.	Médula	Robert Reed
86.	El Códice Rosetta	Richard Paul Russo
87.	Pensad en Flebas	Iain M. Banks
88.	Surf bélico	M. M. Buckner
89.	Fundación	Isaac Asimov
90.	Aire	Geoff Ryman
91.	Más allá de los sueños	Richard Matheson
92.	Código genético	Nick Sagan
93.	Amanecer de hierro	Charles Stross
94.	Hijos de Mundo Anillo	Larry Niven
95.	A vuestros cuerpos dispersos	Philip José Farmer
96.	El granjero de las estrellas	Robert A. Heinlein
97.	El jugador	Iain M. Banks
98.	El centro	Tricia Sullivan
99.	El ojo del tiempo	Arthur C. Clarke y Stephen Baxter
100.	Fundación e imperio	Isaac Asimov
101.	Volver a empezar	Ken Grimwood
102.	La fusión de mentes	Jack Dann
103.	El misterio de Stonehenge	Jack Williamson
104.	Tiempo de cambios	Robert Silverberg
105.	Las lanzas de Dios	Howard V. Hendrix
106.	A barlovento	Iain M. Banks
107.	Génesis	Poul Anderson
108.	Segunda Fundación	Isaac Asimov

EN PREPARACIÓN

La estrella de Pandora	Peter F. Hamilton
La ciudad de las Llamas	Larry Niven y Jerry Pournelle